INTELIGÊNCIA MULTIFOCAL

Uma das primeiras teorias do século XXI que estuda a construção dos pensamentos, a formação da consciência, a estruturação do eu como gestor da mente, os papéis conscientes e inconscientes da memória, o gerenciamento da emoção e o processo de formação de pensadores.

Dr. Augusto Jorge Cury

INTELIGÊNCIA MULTIFOCAL

Análise da Construção dos Pensamentos e da Formação de Pensadores

Editora
Cultrix
SÃO PAULO

Copyright © 1998 Dr. Augusto Jorge Cury.

Copyright © 1999 Editora Pensamento-Cultrix Ltda.

8ª edição 2006.
9ª reimpressão 2021.

Todos os direitos reservados. Nenhuma parte deste livro pode ser reproduzida ou usada de qualquer forma ou por qualquer meio, eletrônico ou mecânico, inclusive fotocópias, gravações ou sistema de armazenamento em banco de dados, sem permissão por escrito, exceto nos casos de trechos curtos citados em resenhas críticas ou artigos de revistas.

A Editora Cultrix não se responsabiliza por eventuais mudanças ocorridas nos endereços convencionais ou eletrônicos citados neste livro.

Dados Internacionais de Catalogação na Publicação (CIP)
(Câmara Brasileira do Livro, SP, Brasil)

Cury, Augusto Jorge, 1958–.
  Inteligência Multifocal: análise da construção dos pensamentos e da formação de pensadores / Augusto Jorge Cury – 8ª ed. rev. – São Paulo : Cultrix, 2006.

  Bibliografia.
  ISBN 978-85-316-0159-0

  1. Conhecimento – Teoria 2. Inteligência 3. Memória 4. Pensamento I. Título.

06-1181   CDD-153

Índices para catálogo sistemático:
1. Inteligência multifocal : Psicologia 153

Direitos reservados para o Brasil
EDITORA PENSAMENTO-CULTRIX LTDA.
Rua Dr. Mário Vicente, 368 – 04270-000 – São Paulo, SP – Fone: (11) 2066-9000
E-mail: atendimento@editoracultrix.com.br
http://www.editoracultrix.com.br
Foi feito o depósito legal.

Ofereço esta obra a todos aqueles que desejam ser caminhantes
na trajetória do seu próprio ser, àqueles que,
mais do que usar o pensamento, desejam investigar a construção do
pensamento e se tornar pensadores humanistas.

Sumário

PREFÁCIO 13

CAPÍTULO 1: MINHA TRAJETÓRIA DE PESQUISA:
PRINCÍPIOS DA FORMAÇÃO DE PENSADORES 17
O homem moderno e a crise de interiorização 17
A síndrome da exteriorização existencial 19
Pesquisando e escrevendo como um engenheiro de idéias 21
Minha trajetória de pesquisa 23
Algumas convenções: a mente humana, a inteligência e
  a personalidade 25
A sede de conhecimento. Respirando a pesquisa empírica 26
Estimulando a pesquisa: os fatores psicossociais e a dor da
  depressão 29
Pesquisando com critério para expandir o mundo das idéias 31
A arte da observação e da análise multifocal 34
Os computadores jamais conseguirão ter a consciência existencial 36
A necessidade de novos cientistas teóricos 37
Aplicação da terapia multifocal 40
Exemplo de um caso insolúvel na psiquiatria clássica 40

CAPÍTULO 2: A METODOLOGIA E OS PROCEDIMENTOS USADOS NA
CONSTRUÇÃO DA TEORIA DA INTELIGÊNCIA MULTIFOCAL 44
O autoritarismo das idéias e a ditadura do discurso teórico 44
A teoria multifocal do conhecimento 46
Os sete procedimentos multifocais e as cinco mesclagens de
  contrapontos intelectuais 48
A arte da pergunta, da dúvida e da crítica 50
Os procedimentos multifocais usados como vacina intelectual .. 52
A inesgotabilidade da ciência. As teorias podem expandir ou
  contrair o mundo das idéias 54

Os piores inimigos das teorias 58
As teorias na matemática também são limitadas 59
Usando o caos intelectual para desorganizar as distorções
    preconceituosas 60
A teoria multifocal e a fenomenologia de Husserl 62
Uma postura continuamente aberta 64
A natureza, limites e alcance dos pensamentos 67
A pesquisa empírica aberta gerou a teoria multifocal 73

CAPÍTULO 3: A MEMÓRIA E OS TRÊS TIPOS DE PENSAMENTOS 76
O *homo interpres* e o *intelligens* 76
A memória 77
O registro das informações 78
A memória existencial e a memória de uso contínuo formando
    a história intrapsíquica 80
O passado não é lembrado, mas reconstruído 82
Os pensamentos dialéticos 87
Os pensamentos antidialéticos 92
Os pensamentos essenciais 94
Os processos de construção multifocal dos pensamentos 100

CAPÍTULO 4: OS TRÊS MORDOMOS DA MENTE EDUCANDO
E FORMANDO SILENCIOSAMENTE O "EU" 104
O "eu" é produzido paradoxalmente por processos inconscientes 104
O homem é um engenheiro quantitativo e não qualitativo de
    idéias 105
Os limites da consciência como "rei-eu" dos processos de
    construção dos pensamentos 106
Os mordomos da mente educando silenciosamente o eu 108
A atuação dos mordomos da mente na formação
    da personalidade 109

CAPÍTULO 5: O FENÔMENO DA AUTOCHECAGEM:
O GATILHO DA MEMÓRIA 111
O fenômeno da autochecagem da memória e a história
    intrapsíquica 111
O fenômeno da autochecagem constrói pensamentos
e estimula a emoção sem a autorização do "eu" 114
O gatilho dos processos de construção multifocal
    dos pensamentos 115

CAPÍTULO 6: O FENÔMENO DO AUTOFLUXO DA ENERGIA PSÍQUICA E
A ANSIEDADE VITAL 118

O campo de energia psíquica experimenta um contínuo
  estado de desequilíbrio psicodinâmico 118
A ansiedade vital 119
O fenômeno do autofluxo e sua relação com a ansiedade vital 120
A maior fonte de entretenimento humano 123
O fenômeno do autofluxo contribuindo para a formação
  da história intrapsíquica e do "eu" 126
Três posturas do eu diante da revolução das idéias:
  os transtornos obsessivos 129
A psicoterapia é um intercâmbio de idéias produzidas no
  clima da democracia das idéias 133
Um excelente mordomo da mente humana 135

CAPÍTULO 7: A ÂNCORA DA MEMÓRIA 138
A âncora da memória e os três deslocamentos que sofre 138
A liberdade de pensamento e sua relação com a âncora
  da memória 141
Os deslocamentos da âncora da memória nos territórios
  da memória 142
Todos possuímos o mesmo espetáculo psicodinâmico
  nos bastidores da mente 143

CAPÍTULO 8: O GERENCIAMENTO DO EU E A PRÁXIS DOS PENSAMENTOS 146
O "eu" é o único fenômeno consciente que produz e gerencia
  os processos de construção da inteligência 146
A construção de pensamentos gera uma inteligência multifocal
  difícil de ser gerenciada 149
O gerenciamento dos pensamentos dialéticos: a necessidade de
  expandir a liderança do eu 151
O gerenciamento dos pensamentos antidialéticos 153
A terapia multifocal e o gerenciamento do eu 153
O ambiente da psicoterapia multifocal 157
Um resumo dos principais princípios psicoterapêuticos 160
As dificuldades do gerenciamento do eu 161
Gerenciando a inteligência a partir da quinta etapa
  de interpretação 164

CAPÍTULO 9: A COMUNICAÇÃO SOCIAL MEDIADA, AS ETAPAS
  DO PROCESSO DE INTERPRETAÇÃO E O FENÔMENO
  DA PSICOADAPTAÇÃO 168
A comunicação social mediada e a reconstrução do "outro"
  pelo processo de interpretação 168

As cinco etapas do processo de interpretação
e o gerenciamento do eu 172
Tornando-se agente na quinta etapa do homem como vítima
e agente modificador da sua história 179
O fenômeno da psicoadaptação e sua atuação psicodinâmica
no processo de interpretação 180

CAPÍTULO 10: A CRISE DA PSICOLOGIA E DA PSIQUIATRIA 188
As raízes das discriminações intelectuais 188
A crise da psicologia e da psiquiatria, a discriminação pela
filosofia e a necessidade de teorias multifocais 191

CAPÍTULO 11: AS TRÊS ÁREAS DA INTELIGÊNCIA MULTIFOCAL:
A CONSTRUÇÃO, AS VARIÁVEIS E O DESENVOLVIMENTO 197
Construção multifocal de pensamentos 197
A construção da inteligência multifocal (I. M.) ultrapassando
a abordagem unifocal da inteligência emocional 198
A cidadania da ciência. A necessidade da formação
de pensadores 204

CAPÍTULO 12: HÁ UM MUNDO A SER DESCOBERTO NOS
BASTIDORES DA MENTE 208
O caos da energia psíquica e o fluxo vital dos processos
de construção da inteligência 211
Da aurora da vida fetal até o último suspiro de vida 214
A construção multifocal dos pensamentos é inevitável e não
pode ser detida 216
O mundo das idéias produzido pelos fenômenos inconscientes
e pelo eu 218
A revolução das idéias produzida pelos fenômenos inconscientes,
pelo eu, pelo processo educacional e pela carga genética 222
A história como leme intelectual. A morte da história e
seu renascimento 224

CAPÍTULO 13: O PROCESSO DE INTERPRETAÇÃO
E A EVOLUÇÃO PSICOSSOCIAL 232
Todos cometemos traições no processo de interpretação 232
As distorções na interpretação e sua relação com a evolução
da personalidade 236
As distorções da interpretação produzindo a evolução social 237
A história intrapsíquica (passado) é essencialmente irretornável 239
As traições da interpretação ocorridas na utilização das teorias 242
Todos os discípulos são infiéis 244

O zelo excessivo de Freud pela psicanálise contrapondo-se
   à democracia das idéias 248
O fluxo contínuo dos processos de construção da mente
   gerando a revolução inevitável e clandestina das idéias 250
Todo autor deixa de ser proprietário de suas idéias quando as
   publica. O julgamento da interpretação das idéias
   pertence ao leitor 254
CAPÍTULO 14: O CONCEITO DE CIDADANIA, HUMANISMO E
DEMOCRACIA DAS IDÉIAS DERIVADOS DOS PROCESSOS DE
CONSTRUÇÃO DA INTELIGÊNCIA 257
A "cidadania da ciência": socializando a ciência, tornando-a
   assimilável e útil psicossocialmente 257
O conceito de cidadania 259
O conceito de humanismo 261
O conceito de democracia das idéias 263
A prática do autoritarismo das idéias no processo de
   interpretação das relações socioprofissionais 269

CAPÍTULO 15: A REORGANIZAÇÃO DO CAOS DA ENERGIA PSÍQUICA 273
O caos físico-químico 274
O fluxo vital da energia psíquica 276
Na ausência da atuação do eu, os fenômenos inconscientes
   promoverão a construção das idéias sem consciência crítica 279
Ninguém consegue reter na mente as construções psicodinâmicas .. 280
As doenças depressivas da inteligência multifocal 282
A psiquiatria e as neurociências precisam rever criticamente
   seus paradigmas 286

CAPÍTULO 16: AS POSSIBILIDADES INFINITAS DA CONSTRUÇÃO DOS
PENSAMENTOS: A CIÊNCIA EMERGINDO DO CAOS 289
A incrível liberdade criativa e a plasticidade da
   construção multifocal dos pensamentos 289
A construção da inteligência multifocal e a ciência emergem
   do brilhante caos 293

CAPÍTULO 17: ALGUMAS APLICAÇÕES DA TEORIA
DA INTELIGÊNCIA MULTIFOCAL 299
A ciência e as sociedades precisam de pensadores humanistas 299
Uma síntese das aplicações da inteligência multifocal 303

CAPÍTULO 18: A INTELIGÊNCIA MULTIFOCAL: ACADEMIA DE
FORMAÇÃO DE PENSADORES 318
O século XXI poderá não ser o século da formação de
   pensadores mas o século das doenças psíquicas,
   psicossociais e psicossomáticas 318

O desenvolvimento quantitativo e qualitativo da
    inteligência multifocal 319
A atuação da âncora da memória e do fenômeno da
    psicoadaptação na formação de pensadores 321
As características psicossociais fundamentais que constituem
    a história e o processo de formação de pensadores 324
A crise da formação de pensadores 327
GLOSSÁRIO 331
NOTAS BIBLIOGRÁFICAS 335

Prefácio

Há um mundo a ser descoberto nos bastidores da mente humana; um mundo rico, sofisticado e interessante; um mundo além da massificação da cultura, do consumismo, da cotação do dólar, da tecnologia, da moda, do estereótipo da estética. Procurar conhecer este mundo é uma aventura indescritível.

A jornada mais interessante que um homem pode fazer não é a que ele faz quando viaja pelo espaço ou quando navega pela *Internet*. Não! A viagem mais interessante é a que ele empreende quando se interioriza, caminha pelas avenidas do seu próprio ser e procura as origens da sua inteligência e os fenômenos que realizam o espetáculo da construção de pensamentos e da "usina das emoções".

A espécie humana está no topo da inteligência de milhões de espécies na natureza. Imagine como deve ser complexa a atuação dos fenômenos psíquicos responsáveis pela nossa capacidade de amar, de chorar, de sentir medo, de ter esperança, de antecipar situações do futuro, de resgatar experiências passadas. Investigar as origens e os limites da inteligência não é um dever, mas um direito fundamental do homem.

Este livro objetiva conduzir o leitor a caminhar para dentro de si mesmo e expandir o mundo das idéias sobre a mente humana, a construção de pensamentos e a formação de pensadores. Quando realizamos essa jornada intelectual, nunca mais somos os mesmos, pois começamos a repensar e reciclar nossas posturas intelectuais, nossas verdades, nossos paradigmas socioculturais, nossos preconceitos existenciais. Passamos a compreender o homem numa perspectiva humanística: psicológica, filosófica e sociológica. Nossa visão sobre os direitos humanos sofre uma revolução intelectual, pois começamos a compreender e a apreciar a teoria da igualdade a partir da construção da inteligência. Começamos a enxergar que todos os seres humanos possuem a mesma dignidade intelectual, pois mesmo um africano, vivendo em dramática miséria, possui a mesma complexidade nos processos de construção da inteligência que os intelectuais mais brilhantes das universidades.

Somos diferentes? Sim, o material genético apresenta diferenças em cada ser humano; o ambiente social, econômico e cultural também apresenta inúmeras variáveis na história de cada um. Porém, todas essas diferenças estão na ponta do grande *iceberg* da inteligência. Na imensa base desse *iceberg* somos mais iguais do que imaginamos. Todos penetramos com indescritível habilidade na memória e resgatamos com extremo acerto, em frações de segundos e em meio a bilhões de opções, as informações que constituirão as cadeias dos pensamentos.

Construir idéias, pensamentos, inferências, sínteses, resgates de experiências passadas, são atividades sofisticadíssimas da inteligência. Se não fôssemos seres pensantes não teríamos a "consciência existencial": a consciência de que existimos e de que o mundo existe. Não poderíamos amar, desconfiar, nos alegrar, conferir, ter medo, sonhar, pois tudo o que fizéssemos seria apenas reações instintivas e não frutos da vontade consciente. Ter uma consciência nos faz, embora fisicamente pequenos, distintos de todo o universo. Sem a consciência, que é o fruto mais espetacular da construção de pensamentos, nós e o universo inteiro seríamos a mesma coisa.

Demorei muitos anos para redigir estes textos. Isso ocorreu porque eles não abordam um assunto científico comum, mas desenvolvem uma nova e original teoria sobre o funcionamento da mente humana e o processo de construção da inteligência. Uma teoria é uma fonte de pesquisas. Uma teoria bem elaborada abre as janelas da mente daqueles que a utilizam, expandindo, assim, os horizontes da ciência.

Estamos, agora, numa nova edição. Os textos da primeira edição foram reorganizados e novas idéias foram acrescentadas. Alguns capítulos centrais do livro foram mudados de posição, passando para o início, para que os leitores tomem, logo nos primeiros capítulos, contato com os fenômenos que constituem o cerne da teoria. Encorajo os leitores a utilizarem constantemente o glossário para se familiarizarem com os termos.

Vivemos num mundo onde o pensamento está massificado, o consumismo se tornou uma droga coletiva, a paranóia da estética controla o comportamento, as cotações do dólar e das ações nas bolsas de valores ocupam excessivamente o palco de nossa mente. Um mundo onde as pessoas buscam o prazer imediato, têm pouco interesse em repensar sua maneira de ver a vida e reagir ao mundo e principalmente em investigar os mistérios que norteiam a sua capacidade de pensar.

Espero que este livro provoque uma pausa na vida dos leitores, que os estimule a se interiorizarem. Desejo que ele contribua não apenas para expandir o mundo das idéias na psicologia e na filosofia e se tornar fonte de pesquisa nas ciências, mas também possa funcionar como estimulador da formação de pensadores humanistas, de engenheiros de idéias, de poetas existenciais, de pessoas que consideram a procura da maturidade da inteligência e a conquista da sabedoria existencial tesouros intelectuais de inestimável valor.

Capítulo 1

Minha Trajetória de Pesquisa: Princípios da Formação de Pensadores

O HOMEM MODERNO E A CRISE DE INTERIORIZAÇÃO

Uma das mais importantes explorações do homem, se não a maior delas, é a exploração de si mesmo, do seu próprio mundo intrapsíquico. Aprender a se interiorizar; a criar raízes mais profundas dentro de si mesmo; a explorar a história intrapsíquica arquivada na memória; a questionar os paradigmas socioculturais; a trabalhar com maturidade as dores, perdas e frustrações psicossociais; aprender a desenvolver consciência crítica, a conhecer os processos básicos que constroem os pensamentos e que constituem a consciência existencial são direitos fundamentais do homem. Porém, freqüentemente, esses direitos são exercidos com superficialidade na trajetória da vida humana. Um dos principais motivos do aborto desses direitos é que o homem moderno tem vivido uma dramática crise de interiorização.

O ser humano, como complexo ser pensante, é um exímio explorador. Ele explora, ainda que sem a consciência exploratória, até mesmo o meio ambiente intra-uterino, através dos malabarismos fetais e da deglutição do líquido amniótico. E, ao nascer, em toda a sua trajetória existencial, explora o mundo que o envolve, o rico *pool* de estímulos sensoriais e interpreta-os.

Pelo fato de experimentar, desde sua mais tenra história existencial, os estímulos sensoriais que esquadrinham a arquitetura do mundo extrapsíquico, o homem tem a tendência natural de desenvolver uma trajetória exploratória exteriorizante. Nessa trajetória, ele se torna cada vez mais íntimo do mundo em que está, o extrapsíquico, mas, ao mesmo tempo, torna-se um estranho para si mesmo.

O homem moderno, em detrimento dos avanços da ciência e da tecnicidade, vive a mais angustiante e paradoxal de todas as solidões psicossociais, expressa pelo abandono de si mesmo na trajetória existencial. A pior solidão é aquela em que nós mesmos nos abandonamos, e não aquela em que nos sentimos abandonados pelo mundo. É possível nos abandonarmos na trajetória existencial? Veremos que sim. Quando o homem não se repensa, não se questiona, não se recicla, não se reorganiza, ele abandona a si mesmo, pois não se interioriza, ainda que tenha cultura e múltiplas atividades sociais.

Os livros de auto-ajuda, embora não tenham grande profundidade intelectual, são procurados com desespero nas sociedades atuais, como tentativa de superar, ainda que ineficientemente, a grave crise de interiorização que satura as pessoas. O homem que não se interioriza é algoz de si mesmo, sofre de uma solidão intransponível e incurável, ainda que viva em multidões.

"O homem que não se interioriza dança a valsa da vida engessado intelectualmente." Sua flexibilidade intelectual fica profundamente reduzida para solucionar seus conflitos psicossociais, superar suas contrariedades, frustrações e perdas.

É mais fácil explorar os fenômenos do mundo que nos envolve do que aprender a nos interiorizar e ser caminhantes na trajetória de nosso próprio ser e explorar os fenômenos contidos em nosso mundo intrapsíquico. É mais fácil e confortável explorar os estímulos extrapsíquicos, que sensibilizam nosso sistema sensorial, do que explorar os sofisticados processos de construção dos pensamentos, o nascedouro e desenvolvimento das idéias, a organização da consciência existencial, as causas psicodinâmicas e histórico-existenciais de nossas misérias, fragilidades, contradições emocionais, etc.

Mergulhado num processo socioeducacional que se ancora na transmissibilidade e no construtivismo do conhecimento exteriorizante, o homem se torna um profissional que aprende a usar, com determinados níveis de eficiência, o conhecimento como ferramenta ou instrumento de trabalho. Porém, tem grandes dificuldades para usar o conhecimento para desenvolver a inteligência: aprender a percorrer as avenidas da sua própria mente, conhecer os limites e alcance básicos da construção de pensamentos, regular seu processo de interpretação através da democracia das idéias e tornar-se um pensador humanista, que trabalha com dignidade seus erros, dores, perdas e frustrações, e aprende a se colocar no lugar do "outro" e a perceber suas dores e necessidades psicossociais.

A SÍNDROME DA EXTERIORIZAÇÃO EXISTENCIAL

Infelizmente, como veremos, a tendência intelectual natural do *Homo sapiens*, desde a aurora da vida fetal até o seu último suspiro existencial, é seguir uma trajetória de construção intelectual superficial. Uma trajetória socioeducacional em que ele pouco se interioriza, pouco procura por si mesmo e pouco conhece a si mesmo.

Procurar a si mesmo é explorar e produzir conhecimento sobre os processos de construção da inteligência, ou seja, sobre os processos de construção dos pensamentos, sua natureza, cadeias psicodinâmicas, limites, alcance, lógica, práxis, bem como sobre a formação da consciência existencial, da história intrapsíquica arquivada na memória, as bases que sustentam o processo de interpretação e as variáveis que participam do processo de transformação da energia emocional.

Quem sai do discurso intelectual superficial e procura "velejar" para dentro de si mesmo, e vive a aventura ímpar de explorar sua própria mente, nunca mais será o mesmo, ainda que fique perturbado num emaranhado de dúvidas sobre o seu próprio ser. Aliás, ao contrário do que dizem os livros de auto-ajuda, a dúvida é o primeiro degrau da sabedoria.

Quem não duvida e critica a si mesmo nunca se posiciona como aprendiz diante da vida e, conseqüentemente, nunca explora com profundidade seu próprio mundo intrapsíquico. Quem aprendeu a vivenciar a arte da dúvida e da crítica na sua trajetória existencial se posiciona como aprendiz diante da vida e, por isso, tem condições intelectuais de repensar seus paradigmas socioculturais e expandir continuamente suas idéias e maturidade psicossocial. Todos os pensadores, filósofos, teóricos e cientistas que, de alguma forma, promoveram a ciência, as artes e as idéias humanistas foram, ainda que minimamente, caminhantes nas trajetórias do seu próprio ser e amantes da arte da dúvida e da crítica, enquanto produziam conhecimento sobre os fenômenos que contemplavam.

O homem que aprende a se interiorizar e a criticar suas "verdades", seus dogmas e seus paradigmas socioculturais estimula a revolução da construção das idéias nos bastidores clandestinos de sua mente. Assim, sai do superficialismo intelectual e, no mínimo, aprende a concluir que os processos de construção da inteligência, dos quais se destacam a produção das cadeias psicodinâmicas dos pensamentos e a formação da consciência existencial do "eu", são intrinsecamente mais complexos que uma explicação psicológica e filosófica meramente especulativa e superficial, que chamo de explicacionismo, psicologismo, filosofismo.

O homem moderno tem vivenciado, com freqüência, uma importante síndrome psicossocial doentia, a qual chamo de "síndrome da exteriorização existencial". O portador da síndrome da exteriorização existencial tem uma rica sintomatologia expressa pelo contraste entre o excesso de informação sobre o mundo extrapsíquico em relação ao mundo intrapsíquico, grave crise de interiorização, reduzida capacidade de se reciclar e se reorganizar, baixa eficiência em se tornar agente modificador da sua história, em trabalhar as angústias existenciais, redução no desenvolvimento do humanismo e da cidadania, grandes dificuldades de se colocar no lugar do "outro" e perceber suas dores e necessidades psicossociais e de se doar socialmente sem a contrapartida do retorno.

A rica sintomatologia psicossocial desta síndrome assume diversos níveis de gravidade, que dependerão do processo de formação da personalidade de cada pessoa, da qualidade e da quantidade das suas angústias existenciais, do seu relacionamento familiar, processo socioeducacional, ambiente social, condições econômicas. Quando estudarmos o processo de interpretação, os fenômenos que lêem a memória, a construção das cadeias psicodinâmicas de pensamentos e a formação da consciência existencial, compreenderemos mais por que essa síndrome é histórica, por que o *Homo sapiens* tem uma tendência natural de viver uma trajetória existencial exteriorizante. Apesar de histórica, a síndrome da exteriorização existencial tem assumido proporções epidêmicas nas sociedades modernas. Isso se deve a diversos fatores, dos quais se destacam alguns erros contidos na educação clássica.

Quem vivencia esta síndrome torna-se um passante existencial, alguém que transita pela vida sem criar raízes dentro de si mesmo. Por ter grandes dificuldades para expandir a arte de pensar, ele tem enormes dificuldades para suportar críticas, admitir suas fragilidades, superar seus fracassos e frustrações e usá-los para solidificar os alicerces da sabedoria. Tal pessoa não expande o desenvolvimento da inteligência; por isso sabe lidar com o sucesso e com o apoio social, mas não sabe lidar com os invernos existenciais.

O portador da síndrome da exteriorização existencial vive a pior de todas as solidões: a solidão de ter abandonado a si mesmo em sua trajetória existencial. Aliás, nas sociedades modernas, em detrimento dos encontros sociais, eventos esportivos, indústria do entretenimento, navegações pela *Internet*, a solidão se intensifica. As pessoas estão próximas fisicamente, mas muito distantes interiormente; conversam sobre o mundo que as circundam, mas não dialogam sobre si mesmas. As sociedades modernas são mutistas no que diz respeito a troca de experiências existenciais. Não apenas o diálogo interpessoal está empobrecido, mas até o autodiálogo, aquele no qual nos interiorizamos e procuramos os fundamentos das nossas reações, inseguranças, fobias, tensões e angústias também está.

O ser humano, nos dias atuais, freqüentemente só tem coragem de falar de si mesmo quando vai a um psicólogo ou a um psiquiatra. Tem uma necessidade vital de que o mundo gravite em torno de si mesmo. Para ele, doar-se para o outro sem esperar a contrapartida do retorno é um absurdo existencial, um jargão intelectual, um delírio humanístico. O mundo das idéias dos portadores da síndrome da exteriorização existencial tem pouco espaço para uma compreensão psicossocial e filosófica da existência humana.

Aprender a interiorizar-se é uma arte complexa e difícil de ser conseguida no terreno da existência. O homem moderno tem sido um ávido consumidor de idéias positivistas misticistas, psicologistas, como se tal consumo cumprisse, por ele, o papel inalienável e intransferível de caminhar nas trajetórias sinuosas do seu próprio ser e de aprender a expandir sua consciência crítica e maturidade intelecto-emocional.

PESQUISANDO E ESCREVENDO COMO UM ENGENHEIRO DE IDÉIAS

A complexidade da mente, associada às deficiências do discurso literário para esquadrinhar os fenômenos e processos envolvidos na construtividade de pensamentos, na formação da consciência existencial e na transformação da energia psíquica, fizeram-me rever, criticar e reescrever continuamente os textos deste livro. Por isso, passei mais de dezessete anos de intensa dedicação a escrevê-los, bem como aos demais textos que compõem o arcabouço teórico da minha produção de conhecimento e que ainda não foram publicados, objetivando que esses textos não sejam efêmeros na ciência, mas que criem raízes e sejam úteis em diversas áreas psicossociais.

A maioria das idéias contidas nas frases que escrevi foram, dentro das minhas limitações, cuidadosamente elaboradas para que expressem com um pouco mais de justiça intelectual alguns fenômenos sofisticados que atuam nos bastidores inconscientes e nos palcos conscientes da inteligência. Por trás de diversas frases se escondem mecanismos psicodinâmicos sofisticados. Seria possível escrever um estudo à parte sobre algumas delas, o que escapa aos objetivos deste livro. Além disso, um problema aconteceu inevitavelmente com a fraseologia ou construção das frases; elas se tornaram freqüentemente longas, devido à complexidade das idéias nelas circunscritas, diferente das frases jornalísticas, que são curtas, de fácil entendimento, porque encerram normalmente assuntos sem muita complexidade.

Escrevi este livro não apenas como um escritor, mas como um engenheiro de idéias... Cada idéia nele contida sofreu uma engenharia dialética.

Por isso, até aquelas que estão nos labirintos dos textos e que, às vezes, passam despercebidas à compreensão, são importantes.

Na construção das idéias, tive de me tornar inevitavelmente um "neologista", ou seja, um construtor e empregador de diversas palavras ou expressões novas — não existentes na linguagem científica e coloquial — tais como psicoadaptação, *Homo interpres*, fenômeno do "autofluxo", ou de palavras antigas com um sentido novo, tais como "autochecagem da memória" e "âncora da memória", pois a linguagem científica e coloquial se mostraram insuficientes para definir, conceituar e discursar teoricamente a construção dos fundamentos da inteligência. Além disso, uso freqüentemente o sufixo latino "dade", tais como circunstancialidade, construtividade, evolutividade, com o objetivo de romper a condição estática das palavras.

Ao usar esse sufixo, quero resgatar o conteúdo filosófico da palavra, quero que ela expresse a dimensão, a qualidade e a continuidade de um fenômeno ou de um processo (conjunto de fenômenos). Por exemplo, ao escrever "construtividade de pensamentos", quero dizer mais do que uma simples construção de pensamentos, mas a essência dessa construção, ou seja, um processo de construção psicodinamicamente ativo, evolutivo, que experimenta o caos para, em seguida, se reorganizar em novas construções. Quando falo em "circunstancialidades psicossociais" quero dizer não apenas algumas circunstâncias particulares, mas a essência e o movimento das circunstâncias psicossociais vivenciadas no processo existencial. Quando comento a "evolutividade psicossocial", estou-me referindo a evoluções que ocorrem continuamente no processo de construção do pensamento de cada ser humano e que contribuem para a evolução da cultura. Porém, apesar desse zelo teórico, as deficiências do discurso literário para expressar o processo de construção do pensamento e o universo psicossocial como um todo do homem ainda são grandes.

As letras deveriam servir às idéias e não as idéias às letras e às regras gramaticais, como não poucas vezes acontece. As letras e a gramática deveriam libertar o pensamento; ser um canal de veiculação das idéias. Porém, nem sempre as frases e os textos mais compreensíveis são mais justos para expressar as idéias de um autor, embora facilitem a vida do leitor. As letras reduzem inevitavelmente as idéias; os labirintos gramaticais, às vezes, aprisionam os pensamentos. A linguagem tem um grande débito com o pensamento, principalmente com o pensamento psicológico e filosófico.

Para termos uma idéia da deficiência do discurso literário para expressar a ciência, basta dizer que os pontos finais das frases, embora úteis para a compreensão da linguagem, são uma mentira científica. Na ciência, não há pontos finais. Tudo é uma seqüência interminável de eventos que mutuamente co-interferem. Por isso, não há resposta completa em ciência e, muito menos, há resposta completa na aplicação dos pensamentos procurando examinar suas próprias origens, seus próprios processos de construção, limites, alcance, práxis, enfim, compreender a própria fonte que os gera. Na ciência, cada resposta é o começo de novas perguntas...

O pensamento, quando é aplicado para discursar sobre o mundo extrapsíquico, facilmente ganha altivez; mas, usado para discursar dialeticamente sobre a própria fonte que o concebe, ele se abate. Quando o pensamento é utilizado para esquadrinhar o pré-pensamento e os processos de construção que se envolvem na sua própria construção, ele se perturba diante das suas limitações.

A psique (em grego = alma) é constituída de um complexo campo de energia psíquica. Nela ocorrem todos os processos que constroem as cadeias de pensamentos, transformam a energia psíquica e escrevem os segredos da memória. Investigar os fenômenos que estão na base da inteligência é uma grande empreitada a que todos os que pensam não devem se furtar.

MINHA TRAJETÓRIA DE PESQUISA

O homem vive um dramático paradoxo exploratório. Ele pensa, explora e conhece cada vez mais o mundo que o envolve, mas pouco pensa sobre seu próprio ser, sobre a riquíssima construção de pensamentos que explode num espetáculo indescritível a cada momento da existência. O homem moderno, com as devidas exceções, perdeu o apreço pelo mundo das idéias.

Apesar de ter escrito este livro principalmente para pesquisadores, profissionais e estudantes da Psicologia, da Psiquiatria, da Filosofia, da Educação e das demais áreas cuja ferramenta fundamental seja o trabalho intelectual, eu gostaria que ele também atingisse o leitor que não se considera um intelectual nessas áreas. O direito de pensar com liberdade e consciência crítica é um direito fundamental de todo ser humano; e este livro objetiva contribuir para esse direito.

Aprender a apreciar o mundo das idéias, percorrendo as avenidas da arte da dúvida e da crítica, estimula o processo de interiorização, expande a inteligência e contribui para a prevenção da síndrome da exteriorização existencial e das doenças psíquicas.

Nestes textos, comentarei alguns elementos psicossociais que contribuíram para promover minha trajetória de pesquisa. Esses dados são bem sintéticos e não visam ser uma autobiografia. Meu objetivo é fornecer algumas informações para evidenciar algumas causas psicossociais que me fizeram, desde minha época de estudante de Medicina, me apaixonar pelo mundo das idéias e, ao mesmo tempo, criticar diversas convenções existentes na Psicologia e na Psiquiatria e evidenciar a crise de formação de pensadores.

Este texto objetiva também dar um "rosto histórico" à minha produção de conhecimento, pois creio que o processo de produção é tão ou mais importante do que o próprio conhecimento produzido. Um dos maiores erros da educação clássica, que bloqueia a formação de pensadores, foi e tem sido o de transmitir o conhecimento pronto, acabado, sem evidenciar o seu processo de produção, o seu rosto histórico.

No VII Congresso Internacional de Educação* ministrei uma conferência sobre "*O funcionamento da mente e a formação de pensadores no terceiro milênio*". Na ocasião, comentei que no mundo atual, apesar de termos multiplicado como nunca na história as informações, não multiplicamos a formação dos homens que pensam. Estamos na era da informação e da informatização, mas as funções mais importantes da inteligência não estão sendo desenvolvidas.

Ao que tudo indica, o homem do século XXI será menos criativo do que o homem do século XX. Há um clima no ar que denuncia que os homens do futuro serão mais cultos, mas, ao mesmo tempo, mais frágeis emocionalmente, terão mais informação, contudo serão menos íntimos da sabedoria.

A cultura acadêmica não os libertará do cárcere intelectual. Será um homem com mais capacidade de respostas lógicas, mas com menos capacidade de dar respostas para a vida, com menos capacidade de superar seus desafios, de lidar com suas dores e enfrentar as contradições da existência. Infelizmente, será um homem com menos capacidade de proteger a sua emoção nos focos de tensão e com mais possibilidade de se expor a doenças psíquicas e psicossomáticas. Será um homem livre por fora, mas prisioneiro no território da emoção.

O sistema educacional que se arrasta por séculos, embora possua professores com elevada dignidade, possui teorias que não compreendem muito nem o funcionamento multifocal da mente humana nem o processo de construção dos pensamentos. Por isso, enfileira os alunos nas salas de aula e os transforma em espectadores passivos do conhecimento e não em agentes do processo educacional.

Nos primeiros dois capítulos, fornecerei alguns princípios psicológicos e filosóficos relevantes para o desenvolvimento da arte de pensar. Posteriormente, do capítulo terceiro ao nono, entrarei no cerne da teoria da construção da inteligência. A partir do décimo capítulo retomo o processo

---

* Realizado no Anhembi, São Paulo, em maio de 2000.

de formação de pensadores e aplico alguns elementos da teoria neste processo.

ALGUMAS CONVENÇÕES: A MENTE HUMANA, A INTELIGÊNCIA E A PERSONALIDADE

Usarei o termo "mente" como o ambiente onde se processam as faculdades intelectuais, onde se desenvolve a inteligência. A mente humana possui, nestes textos, alguns termos equivalentes: a psique, a alma ou campo de energia psíquica.

A inteligência é um conjunto de estruturas psicodinâmicas derivadas do amplo funcionamento da mente. É a capacidade de pensar, se emocionar, ter consciência. Ela é constituída de quatro grandes processos, tais como construção de pensamentos, transformação da energia emocional, formação da consciência existencial (quem sou, como estou, onde estou) e formação da história existencial arquivada na memória.

Este livro trata muito mais da construção da inteligência do que das suas funções. Todo ser humano constrói uma inteligência, mas nem todos desenvolvem qualitativamente as funções mais importantes, tais como pensar antes de reagir, expor e não impor as idéias, gerenciar os pensamentos, resgatar a liderança do eu nos focos de tensão, filtrar estímulos estressantes.

A inteligência e a personalidade representam, aqui, termos equivalentes. Todos os dias esses processos de construção da inteligência estão em atividade. Portanto, a inteligência ou a personalidade não pára de evoluir, embora seu ritmo de evolução possa diminuir na vida adulta.

Quando as pessoas dizem que alguém é pouco ou muito inteligente ou que possui uma boa ou má característica de personalidade, elas estão na realidade apenas se referindo a manifestação exterior das funções da inteligência ou da personalidade e não sobre sua construção. Elas não têm consciência dos surpreendentes dos fenômenos e dos processos que produzem o homem como ser inteligente.

Outra convenção importante está relacionada ao "eu". Aqui, o "eu" ou o "self" não é um termo vago conceitualmente. Ele se refere a "consciência de si mesmo", a consciência de que existimos e que possuímos uma "identidade" única e exclusiva, a consciência de que pensamos e que podemos administrar os pensamentos e as emoções. O adequado seria chamarmos o "eu" de a "consciência do eu" ou "a vontade consciente do eu", porque ele está relacionado aos amplos aspectos da consciência e da vontade humana, mas por questões literárias o chamarei apenas de "eu".

O grande desafio do "eu" é gerenciar os processos de construção da inteligência, expandindo as suas funções mais importantes. Contudo, estudaremos que o homem tem um grande problema universal. Ele tem facilidade de ser líder no mundo que o cerca, mas tem enorme dificuldade de ser líder no mundo psíquico, de controlar o funcionamento da sua própria mente.

A SEDE DE CONHECIMENTO. RESPIRANDO A PESQUISA EMPÍRICA

Todo cientista que não seja estéril é um aventureiro nas trajetórias do desconhecido, um aprendiz contumaz no processo existencial, um rebelde das convenções do conhecimento.

Na minha trajetória de pesquisa, o fascínio pela exploração dos processos de construção da inteligência e a opção por produzir uma teoria totalmente original me estimularam a desenvolver e utilizar procedimentos de pesquisa que expandiram meu processo de observação, interpretação e produção de conhecimento.

Os procedimentos que usei na pesquisa, tais como a "tríade de arte da pesquisa"(arte da pergunta, arte da dúvida e arte da crítica), a análise multifocal das variáveis que participam da construção dos pensamentos, levaram meu processo de observação, seleção e interpretação dos dados a não ser unidirecional, visando um tipo específico de comportamento produzido por um tipo específico de pessoa, proveniente da mesma faixa etária e condições socioeconômicas semelhantes, mas multidirecional. Eles levaram a explorar o máximo possível das variáveis presentes em cada comportamento observado. Procurava descobrir até as variáveis que estavam presentes nas entrelinhas dos pensamentos e no tom e na velocidade de voz das pessoas que me rodeavam.

Devido à abrangência e complexidade do projeto de pesquisa sobre os quatro grandes processos de construção da inteligência, todas as pessoas que me eram próximas se tornavam alvos das minhas observações e interpretações, pois eu precisava de dados com as mesmas dimensões de abrangência. Mesmo as mínimas reações da minha mente se tornavam um material precioso para observações e interpretações.

Em qualquer ambiente, nos corredores da faculdade de Medicina, nas salas de aula, no leito dos pacientes, nos ambientes sociais, nas ruas e, posteriormente, nos anos em que exercia a Psicoterapia e a Psiquiatria, nos cursos que ministrava etc., eu observava contínua e prazerosamente o comportamento das pessoas. Tinha sede de conhecimento, vivia como se respirasse a investigação da personalidade, da inteligência, da mente humana.

Uma revolução intelectual foi provocada no cerne da minha alma. Não podia contê-la. Quando começamos a nos interiorizar e a rever nossa maneira de pensar e nossos paradigmas socioculturais nunca mais somos os mesmos... Por isso, procurava ser não apenas um profissional que trabalhava com a personalidade, mas um engenheiro de idéias, alguém que valorizava e construía idéias mesmo diante dos pequenos e desprezíveis detalhes do comportamento. Percebi paulatinamente que na mente ocorre um conjunto de processos de construção da inteligência, tais como o processo de construção dos pensamentos, da formação da consciência existencial, da formação da história intrapsíquica e da transformação da energia emocional e motivacional.

Comecei a desejar produzir não apenas um conhecimento psicológico qualquer, mas uma teoria sobre os processos de construção presentes no campo de energia psíquica, embora esse desejo fosse uma empreitada ousada e crítica das convenções do conhecimento.

Lembro-me de que o desejo de produzir uma teoria original sobre os processos de construção da inteligência estava me dominando tanto, que, antes de me casar, há mais de 16 anos, chamei minha futura esposa de lado, que também era estudante de Medicina, e lhe disse que se ela quisesse se casar comigo, teria que saber que grande parte do meu tempo seria dedicada à pesquisa e à escrita. Na época, como estava no começo de minhas pesquisas, eu não conseguia explicar a ela o conteúdo das minhas idéias, meus objetivos e os resultados que poderia alcançar. Nem a mim mesmo eu conseguia dar essas explicações. Parecia que eu estava numa sinuosa e estimulante aventura. Só sabia que não conseguia conter a revolução das idéias que se operava dentro de mim. Por isso, quanto mais falava a ela, mais a deixava confusa.

Ela considerava tudo aquilo estranho, pois ia se casar com um médico e sabia que um médico deveria estudar doenças neurológicas, psiquiátricas, psicossomáticas etc., mas nunca tinha ouvido falar que um médico tivesse preocupação em pesquisar os mistérios do funcionamento da mente humana. Não entendia que o meu objetivo principal não era exercer a Psiquiatria e a Psicoterapia, mas ser um "filósofo da Psicologia", um teórico, um produtor de ciência. Ela entendia menos ainda e se sentia insegura quando eu lhe dizia que estava sendo um crítico de diversas convenções do conhecimento na Psicologia, que minha produção de conhecimento era original e que demoraria muito tempo para que ela fosse absorvida nos centros de pesquisas.

Ela pensava que eu estava vivendo uma "febre" científica e acreditava que essa febre seria passageira. Por fim, felizmente, ela se casou comigo. Passados mais de 17 anos, desde quando iniciei minha trajetória de pesquisa científica, essa febre ainda não passou; pelo contrário, sua temperatura aumentou e envolveu toda a história da minha existência.

Com o passar do tempo, minha esposa, percebendo os procedimentos e os critérios que eu usava, ouvindo e analisando algumas idéias contidas em minha produção de conhecimento e o sucesso no tratamento de alguns casos resistentes e complexos na Psiquiatria, tornou-se a minha maior incentivadora. Porém, apesar de ter o seu incentivo, o grande problema era dar resposta sobre quando iria terminar este livro, pois, devido aos procedimentos que usava no meu processo de observação, análise e produção de conhecimento, me tornara drasticamente crítico das minhas idéias. Eu escrevia centenas de páginas, cheguei a escrever milhares, mas não conseguia publicar nenhum livro, pois continuamente criticava e reorganizava o conhecimento que produzia. Escrevia e reescrevia continuamente os pontos fundamentais da teoria. A respeito disso lembro-me de um caso interessante.

Minha filha mais velha, hoje com 13 anos de idade, cresceu sabendo que o pai estava escrevendo um livro, mas que nunca era publicado. Ela me perguntava freqüentemente quando eu ia terminá-lo e eu lhe dizia que logo o terminaria, mas esse dia nunca chegava. Um dia, pelo fato de estar analisando alguns fenômenos que atuam na leitura da memória, me atrasei mais uma vez para um compromisso social. Quando entrei em meu carro, minha filha, aborrecida, novamente me perguntou quando eu ia terminar de escrevê-lo. Minha esposa, nas raríssimas vezes que perdeu a paciência comigo por me dedicar tanto às pesquisas, disse a ela: *Minha filha, seu pai nunca vai terminá-lo, pois o dia em que o terminar, ele morrerá!* Após tantos anos, terminei-o e, felizmente, ainda não morri. Embora seja um simples mortal, não tenho tempo para morrer; pois, por me colocar como um contínuo aprendiz em minha trajetória existencial, tenho muito que contemplar, pesquisar e conhecer.

Se pesquisasse um tema restrito em Psicologia, como ocorre nas teses de pós-graduação, e usasse somente os procedimentos usados na ortodoxia da pesquisa acadêmica, tais como aplicação de metodologias, seleção de dados, análise de dados, levantamento bibliográfico etc., provavelmente meus textos estariam prontos há mais de 12 anos. Porém, a pesquisa e a produção de uma teoria original sobre os sistemas de co-interferências das variáveis que promovem o funcionamento da mente e a sofisticada construção da inteligência humana, não poderiam ser concluídas em poucos anos. Aliás, esses temas são inesgotáveis; qualquer teoria sobre eles é interminável e, por isso, elas deveriam ser sempre abertas.

Todos os grandes teóricos da Psicologia, da Filosofia, das neurociências, que produziram teorias fechadas sobre a psique humana, acabaram, por fim, sufocando o mundo das idéias que eles tanto apreciaram.

ESTIMULANDO A PESQUISA: OS FATORES PSICOSSOCIAIS E A DOR DA DEPRESSÃO

A sede de conhecimento e o desejo de "respirar" a pesquisa científica não foram estimulados pelos meus professores de Psicologia, Psiquiatria e Sociologia na faculdade de Medicina, nem por qualquer pessoa com quem convivi.

O embrião dessa sede surgiu, talvez, por viver num país com imensas desigualdades sociais, mas que, ao mesmo tempo, possui um rico caldeirão de raças, de cultura e de afetividade e por ser filho de imigrantes de origem multirracial, árabe, espanhol e ítalo-judia. Há dúvida quanto à minha origem ítalo-judia, pois há possibilidade de que meus antepassados tenham sido judeus que fugiram para a Itália e da Itália migraram para o Brasil.

Meu desejo ardente de pesquisar e de conhecer a mente humana também surgiu por ter vivido uma infância rica afetivamente e próxima interpessoalmente, pois dormíamos em oito pessoas, meus pais e seis filhos, num pequeno quarto de não mais do que 15 metros quadrados. Apesar de esses fatores psicossociais terem sido o embrião do meu processo de interiorização, creio que o fator mais importante que impulsionou minha trajetória de pesquisa foi uma crise de depressão por que passei. Há mais de dezessete anos, vivi silenciosamente, por cerca de dois meses, um intenso inverno emocional, a dor indescritível da depressão. A tentativa desesperadora de superar esse intenso inverno emocional me estimulou a me interiorizar.

O humor deprimido, a ansiedade, a perda de energia biopsíquica, a insônia, a perda do sentido existencial, os pensamentos de conteúdo negativo, os pensamentos antecipatórios, associados a outros sintomas tornaram-se o cenário da minha depressão. Não vou entrar em detalhes sobre este período existencial nem sobre as causas da minha depressão, pois não é esse o objetivo deste livro. Porém, quero dizer que minha crise depressiva se tornou uma das mais belas e importantes ferramentas para me interiorizar e me estimular a procurar as origens dos meus pensamentos de conteúdo negativo e as origens da transformação da minha energia emocional depressiva.

Em síntese, a dor da depressão, que considero o último estágio da dor humana, me conduziu a ser um pensador da Psicologia e da Filosofia. Ela me levou não apenas a repensar minha trajetória existencial e expandir a minha maneira de ver a vida e reagir ao mundo, mas também me estimulou a iniciar uma pesquisa sobre o funcionamento da mente, a natureza dos pensamentos e os processos de construção da inteligência. O processo de interiorização foi uma tentativa desesperadora de tentar me explicar e de superar minha miséria emocional.

Para muitos, a dor é um fator de destruição; para outros, ela destila sabedoria, é um fator de crescimento. Ninguém que deseja conquistar maturidade em sua inteligência, adquirir sabedoria intelectual e tornar-se um pensador e um poeta da existência pode se furtar de usar suas dores, perdas e frustrações que, às vezes, são imprevisíveis e inevitáveis, como alicerces de crescimento humano.

Procurei, apesar de todas as minhas limitações, investigar, analisar e criticar empiricamente os fundamentos dos postulados biológicos da depressão, a psicodinâmica da construção dos pensamentos de conteúdo negativo, os processos da transformação da energia emocional depressiva etc. Esse caminho, no começo, foi um salto no escuro da minha mente, um mergulho no caos intelectual, que desmoronou os conceitos e paradigmas de vida. Esse mergulho interior me ajudou a reorganizar o caos emocional, a dor da minha alma. Contudo, no início, me envolvi mais num caldeirão de dúvidas do que de soluções. Porém, foi um bom começo.

O caos emocional da depressão, se bem trabalhado, não é um fim em si mesmo, mas um precioso estágio em que se expandem os horizontes da vida. Eu nunca havia percebido que, embora produzisse muitas idéias, conhecia muito pouco o mundo das idéias, a construção dos pensamentos e o processo de transformação da energia emocional.

Muitos psiquiatras não têm idéia da dramaticidade da dor da depressão e das dificuldades de gerenciamento dos pensamentos negativos que a promovem. Entretanto, o eu pode administrá-los e, conseqüentemente, resolvê-la. Costumo dizer que se o eu der as costas para a depressão e para os mecanismos subjacentes que a envolvem, ela se torna um monstro insuperável, mas se a enfrentarmos com crítica e inteligência, ela se torna uma doença fácil de ser superada. No capítulo sobre o gerenciamento do eu este assunto ficará claro.

Meu inverno emocional gerou uma bela primavera de vida, pois estimulou-me a sair da superfície intelectual, da condição de ser um passante existencial, de alguém que passa pela vida e não cria raízes dentro de si mesmo, para alguém que conseguiu se encantar com o espetáculo da construção de pensamentos.

Não há gigantes no território da emoção. Todos passamos por períodos dolorosos. Ninguém consegue controlar todas as variáveis dentro e fora de si. Por isso, a vida humana é sinuosa, turbulenta e bela. A sabedoria de um homem não está em não errar, chorar, se angustiar e se fragilizar, mas em usar seu sofrimento como alicerce de sua maturidade.

PESQUISANDO COM CRITÉRIO PARA EXPANDIR O MUNDO DAS IDÉIAS

Cada ser humano é um mundo complexo e sofisticado a ser descoberto. Apesar da frustração que possamos ter com o declínio do humanismo, com a epidemia psicossocial da síndrome da exteriorização existencial, com as multiformes práticas discriminatórias e com a baixa capacidade de trabalhar dores, perdas e frustrações que acometem muitos consócios das sociedades modernas, quando procuramos contemplar e compreender o espetáculo da construção dos pensamentos, não podemos deixar de nos encantar com a obra-prima da mente humana.

À medida que eu procurava investigar os processos de construção que ocorriam na minha mente, comecei também, pouco a pouco, a me transportar para investigar o universo social. Observar o homem, procurar indagar sobre os fenômenos intrapsíquicos que produziam seus comportamentos me fascinavam.

A ousadia em querer investigar o funcionamento da mente e a descoberta da arte da pergunta, da arte da dúvida e da arte da crítica me faziam tão crítico, que, ainda nos tempos de faculdade, por diversas vezes, eu formulava de maneira diferente o conhecimento de Psicologia, de Psiquiatria e de Sociologia que me ensinavam. Esse procedimento não derivava da falta de cultura dos meus professores; pelo contrário, eu os considerava cultos. O problema era que a "tríade de arte da pesquisa" que eu usava para analisar o que me ensinavam me impedia de ser um espectador passivo do conhecimento.

Durante meu curso de Medicina, comecei silenciosamente minha trajetória de pesquisa e a apreciar o funcionamento da mente; por isso no final desse curso eu havia escrito diversos cadernos sobre minhas observações e análises. Nesse período eu já começava a ter algumas críticas contra a rigidez do sistema acadêmico.

Essas críticas aumentaram, ao longo dos anos, à medida que fui produzindo conhecimento sobre a construção dos pensamentos, os limites e a lógica do conhecimento, os limites das teorias, as relações entre a verdade científica e a verdade essencial, o autoritarismo das idéias.

Comentarei, sucintamente, uma experiência que passei por me contrapor às regras do sistema acadêmico e que, apesar de ter me angustiado, me estimulou a arte de pensar.

Lembro-me de que, há cerca de 16 anos, após ter-me formado em Medicina, procurei ingressar em uma conceituada universidade para fazer pós-graduação. Ao me apresentar, peguei um texto que havia escrito e o acrescentei em meu *curriculum* para mostrá-lo à banca examinadora formada por ilustres professores doutores em Psiquiatria e Psicologia.

Eu acreditava que eles iriam ler algo da minha produção de conhecimento e, ainda que a criticassem, esperava que, pelo menos, valorizassem minha capacidade de pensar. Pensava até que os examinadores fariam algumas perguntas sobre o conhecimento que havia produzido, apesar de estar consciente de que, na época, ele carecia de profundidade. Porém, mesmo assim, acreditava que eles valorizariam e incentivariam o ímpeto de pesquisar fenômenos tão complexos, por isso estava animado com a possibilidade de discutir algumas das minhas idéias. Porém, para minha frustração, os membros da banca examinadora pegaram aqueles textos e, com uma postura intelectual autoritária, me perguntaram o que significava aquilo. Respondi em poucas palavras que se referia a uma pesquisa que eu estava realizando.

Perguntaram-me quem era o orientador e qual era a teoria e a bibliografia usada. Respondi, educadamente, que era uma pesquisa original; por isso não tinha nem orientador nem bibliografia. Senti, pelo semblante dos examinadores, que os incomodei muito, que minhas palavras soaram como um insulto à inteligência deles. Por isso se negaram a analisar minha produção de conhecimento. Eles estavam tão enclausurados dentro dos muros da sua universidade, que parecia uma heresia alguém produzir uma pesquisa totalmente nova sobre o funcionamento da mente.

Eles usavam a ciência, mas desconheciam a história e a lógica da ciência. Pareciam ser os senhores da verdade, embora provavelmente não conhecessem a Filosofia da verdade, as complexas relações entre a verdade científica e a verdade essencial, que serão expostas no capítulo seguinte. Percebi que, no momento em que disse que minha pesquisa era original, eles passaram a me ver como um rebelde ao sistema de pesquisa que conheciam. Assim, exercendo o autoritarismo das idéias, pegaram meu texto e, com a maior indiferença, me devolveram sem sequer manuseá-lo.

Seria mais digno e democrático se eles o lessem e, após criticá-lo, me dissessem que eu era um sonhador, que aquelas idéias eram tolas. A dor da crítica acusa a existência de alguém e abre caminhos para amadurecê-lo, enquanto a dor da discriminação anula sua existência. As universidades estão pouco preparadas para financiar pesquisas abertas que objetivem a produção de teorias amplas, por isso grande parte delas foram produzidas fora dos seus muros. Tal é o exemplo da teoria psicanalítica de Freud e da relatividade de Einstein.

Após devolverem meu texto, aqueles ilustres professores me pediram que eu retornasse à minha faculdade de Medicina e procurasse meus professores de Psicologia e Psiquiatria, para que produzisse pesquisa sob a orientação deles. Eles não imaginavam que, embora respeitasse a cultura e a inteligência dos meus professores, estava-me tornando íntimo da arte da dúvida e da crítica e, por isso, diversas vezes escrevia o conteúdo das aulas de maneira diferente de como eles me ensinavam.

Não imaginavam que eu não conseguia conter meu ímpeto independente de pesquisar. Catalogava cada comportamento das pessoas ao meu redor e cada pensamento que transitava pela minha mente e gastava tempo analisando-os. Meus bolsos viviam cheios de anotações sobre minhas observações e interpretações e eu já havia perdido algumas noites de sono pelas inúmeras dúvidas que tinha sobre os fenômenos que atuam na complexa construção das cadeias de pensamentos.

Hoje, passados tantos anos, os tempos mudaram. Minhas idéias têm sido cada vez mais conhecidas, respeitadas e utilizadas por pesquisadores e profissionais não apenas no Brasil, mas em outros países. Tenho proferido diversas conferências, inclusive em congressos internacionais. A teoria da inteligência multifocal não apenas tem sido aplicada na Psiquiatria e na Psicologia, mas também na Educação. Todavia, se no começo de minhas pesquisas não tivesse vivido uma intensa paixão pelo mundo das idéias, aqueles membros da banca examinadora teriam destruído meu interesse pela investigação do funcionamento da mente.

Ao olhar para o passado, tenho a consciência de que os "invernos" que passei no início das pesquisas produziram minhas raízes intelectuais mais profundas. O fato de ter aprendido a ser fiel a minha consciência fez com que os obstáculos temporários que enfrentei se transformassem em alguns dos principais pilares da minha capacidade de pensar e de pesquisar. Como estudaremos, esses obstáculos me estimularam a produzir não apenas uma teoria, mas também, diferente da grande maioria dos cientistas teóricos, criteriosos procedimentos de pesquisas na produção dessa teoria.

Fico imaginando quantos pensadores ilustres não tiveram sua produção de conhecimento abortada pela postura autoritária do sistema acadêmico se impondo como o centro da produção e da validação do conhecimento e como o centro exclusivo da produção de intelectuais, de cientistas, de pensadores, de teóricos.

Parece paradoxal, mas o sistema acadêmico não apenas forma intelectuais, mas também sufoca pensadores, mesmo dentro da sua esfera. Muitos cientistas que estão dentro das universidades sabem disso, pois de alguma forma sofrem restrição na sua liberdade de pensar e de pesquisar.

A dor da depressão me estimulou a conhecer o mundo das idéias e a dor da rejeição me incentivou a expandir esse mundo com consciência crítica.

Se eu não tivesse passado por tais dificuldades não teria, provavelmente, produzido uma nova e ampla teoria sobre o processo de construção dos pensamentos com diversas implicações na ciência.

Muitos pensadores foram discriminados, considerados rebeldes e perturbadores da ordem ao longo da história. Sócrates foi condenado a beber a cicuta, a morrer envenenado, pelo incômodo que suas idéias causavam na época. Porém, ele considerou ser mais digno tomar a cicuta do que ser infiel às suas idéias e ter uma dívida impagável com sua própria consciência. Giordano Bruno, filósofo italiano, errou por muitos países, procurando uma universidade para expor suas idéias, e por isso experimentou diversos tipos de perseguição e sofrimento, culminando na sua morte. Baruch Spinoza, um dos pais da Filosofia moderna, foi banido dramaticamente pelos membros de sua sinagoga por causa das suas idéias, que chegaram, inclusive, a amaldiçoá-lo, dizendo: "Que ele seja maldito durante o dia, e maldito durante a noite; que seja maldito deitado, e maldito ao se levantar; maldito ao sair, e maldito ao entrar...". Immanuel Kant foi tratado como um cão pelo incômodo que suas idéias causavam no clero da época. Voltaire, devido às suas idéias humanistas, passou por perseguições na sua época. A lista de pensadores que foram discriminados ou sofreram perseguições é enorme.

As universidades, com as devidas exceções, monopolizaram o conhecimento, se fecharam numa redoma, como o clero nos séculos passados. Elas têm uma função humanística, sociopolítica e socioeducacional importantíssima na sociedade, porém essas funções não têm sido exercidas adequadamente. Embora possam não conhecer a teoria da democracia das idéias, exposta nos capítulos finais, elas deveriam ser, ao menos, albergues dos seus princípios universais.

Hoje é raro encontrar pensadores fora da instituição acadêmica, como ocorreu nos séculos passados.

A ARTE DA OBSERVAÇÃO E DA ANÁLISE MULTIFOCAL

Eu vivia a arte da observação e da análise multifocal. Observar a expressão de cada idéia, mesmo das mais débeis, era uma aventura estimulante, pois provocava a minha ambição de conhecer as variáveis que participavam do espetáculo da construção dos pensamentos.

Ficava, como disse, observando, anotando, interpretando e produzindo conhecimento sobre o comportamento de determinadas pessoas. Ficava assombrado ao contemplar atenta e embevecidamente pequenos detalhes do comportamento humano. Procurava compreender os fenômenos que os produziam. Essa atitude me proporcionava um prazer indescritível, mesmo quando eu ficava confuso diante de tanta complexidade. Perguntava-me continuamente: quais fenômenos estão por detrás desse comportamento? Como se processou a leitura da memória para que se produzisse essa cadeia de pensamento? Por que os pensamentos fluem no palco da mente num processo espontâneo e inevitável?

Até um mendigo era para mim uma pessoa complexa, rica intelectualmente e interessante de ser observada e analisada. Conversei com vários deles. Muitos deles, quando se aproximam uns dos outros, logo estabelecem uma relação interpessoal e trocam diálogos, pois não têm preconceitos socioculturais, não precisam ostentar *status* ou provar qualquer coisa para estabelecer confiabilidade. A mercadoria de troca interpessoal entre os mendigos é o que eles são e não o que eles têm, diferentemente de grande parte das relações nas sociedades modernas. Assim, aprendi que até entre as pessoas que vivem em condições miseráveis e que são totalmente desprotegidas socialmente é possível apreciar o espetáculo da construção de pensamentos e contemplar lições existenciais.

Uma pessoa psicótica também é uma pessoa que possui um admirável funcionamento da mente, ainda que desorganizado. Como veremos, na esquizofrenia, o "eu" perde o controle da leitura da memória e da utilização dos parâmetros psicossociais na construtividade das cadeias dos pensamentos, o que gera a produção de delírios e alucinações. Apesar disso, as pessoas portadoras de psicoses são seres humanos altamente complexos e que deveriam ser valorizadas, ajudadas e acolhidas.

Pelo fato de começar a procurar, após os primeiros anos de pesquisa, as variáveis da interpretação que estão na base dos processos de construção da inteligência, e de começar a perceber que elas contaminam inevitavelmente o processo de interpretação, eu adquiria, pouco a pouco, a consciência crítica sobre a necessidade de revisão e reorganização contínua do meu processo de observação, interpretação e produção de conhecimento. Ficava preocupado com as contaminações da interpretação ligadas aos referenciais contidos na minha história intrapsíquica que poderiam promover uma produção de conhecimento sem fundamento.

Nos primeiros anos, eu não tinha uma compreensão tão clara do processo de interpretação como a descrita na frase anterior, mas, pouco a pouco, à medida que produzia conhecimento sobre a mente, sobre os procedimentos utilizados na sua investigação e sobre os limites e alcance dos pensamentos, começava a entendê-lo. A arte da formulação de perguntas, da dúvida e da crítica inauguravam pouco a pouco minha aurora intelectual.

À medida que eu observava cada pessoa, cada pensamento verbalizado e cada expressão facial, formulava sistematicamente inúmeras perguntas sobre cada fenômeno observado e, ao mesmo tempo, criticava continuamente a produção de conhecimento que realizava sobre elas, considerando-as, freqüentemente, reducionistas e insuficientes. Por isso, procurava novamente o caos intelectual, agora, não apenas para filtrar algumas contaminações da interpretação, mas também para expandir as possibilidades de compreensão e de construção do conhecimento sobre os fenômenos psíquicos. Assim, eu expandia o mundo das idéias e reorganizava minha produção de conhecimento.

Esse processo me custou muitas noites maldormidas ou de plena insônia, por causa do turbilhão de dúvidas que vivia. Algumas dúvidas demoravam meses ou anos para serem resolvidas, ainda que vivesse continuamente a "tríade de arte da pesquisa" e a busca do caos intelectual.

Apesar de toda ousadia que desenvolvi, apesar de viver a pesquisa psicológica como um grande e contínuo desafio intelectual, como uma aventura indecifrável, eu hesitava algumas vezes em continuar a pesquisar e produzir conhecimento, quando percebia que minhas idéias se encontravam num labirinto intelectual sem progressão.

Cada fenômeno que estudava, cada variável da interpretação, cada texto que produzia passava por um processo contínuo de montagem e desmontagem intelectual. Assim, eu expandia as possibilidades de construção do conhecimento.

OS COMPUTADORES JAMAIS CONSEGUIRÃO TER A CONSCIÊNCIA EXISTENCIAL

A maioria dos seres humanos elogia as maravilhas da tecnologia, mas não conseguem se encantar com o espetáculo da construção de pensamentos que corre na psique humana. Não conseguem compreender que a consciência existencial expressa, por exemplo, pela consciência da solidão e das dores emocionais, os tornam mais sofisticados do que milhões de computadores interligados.

Os computadores jamais passarão de escravos de estímulos programados, ainda que incorporem um processo de auto-aprendizagem e levem em consideração a "lógica paraconsistente", ou seja, que admitam contradições das informações.[1] É cientificamente ingênuo dizer que os computadores produzem uma realidade virtual, pois eles não têm consciência existencial de si mesmos, eles não existem para si mesmos e, portanto, não têm consciência da organização das informações que expressam nas telas de vídeo.

Quando estudarmos a leitura da memória, a construção das cadeias de pensamentos e a formação da consciência existencial do eu, entenderemos que será impossível que um dia os computadores conquistem essa consciência, por isso, eles jamais existirão para si mesmos, jamais conquistarão conscientemente uma identidade psicossocial, jamais experimentarão conflitos, insegurança, ansiedade, tranqüilidade, dor, prazer. Para os computadores, o tudo e o nada, o ter e o ser, um segundo e a eternidade, serão inevitavelmente sempre a mesma coisa.

A NECESSIDADE DE NOVOS CIENTISTAS TEÓRICOS

A falta do conhecimento sobre os processos de construção dos pensamentos, sobre o processo de interpretação e sobre os limites e o alcance de uma teoria pode conduzir os pesquisadores que procuram defender teses acadêmicas a fechar as janelas do pensamento.

Seria importante que os usuários de uma teoria não a utilizassem como se ela incorporasse a verdade essencial, mas como um suporte limitado do processo de observação e interpretação. Seria importante, também, que na ortodoxia da pesquisa acadêmica os pesquisadores fossem estimulados a fazer uma intentona teórica, um motim intelectual, ou seja, fazer uma revolução contra as convenções do conhecimento e o sistema rígido de pesquisa, capaz de torná-los ousados na produção de um corpo teórico próprio, uma teoria inovadora, e nem sempre se submeterem às idéias de Freud, Jung, Roger, Moreno, Erich Fromm, Viktor Frankl, Piaget ou de filósofos tais como Kant, Hegel, Marx, Husserl, Heidegger etc.

Sem se adotar essa postura... contra as convenções do conhecimento vigente não se produzirão pensadores e cientistas teóricos, não haverá a produção de teorias originais, inovadoras. Uma intentona teórica, alicerçada nos princípios da democracia das idéias, deveria ser feita com ousadia, criatividade, arte da observação, arte da formulação de perguntas, arte da dúvida, arte da crítica, análise multifocal, entre outros procedimentos, uma postura intelectual que não oferece resistência para reciclar e reorganizar continuamente todo o conhecimento produzido. Esses procedimentos são fundamentais para romper os paradigmas culturais, o continuísmo das idéias, a mesmice do conhecimento e, conseqüentemente, para produzir cientistas teóricos e pensadores.

Esses procedimentos também podem ser aplicados nas artes, nas ciências naturais, na educação, na economia, no desenvolvimento empresarial, no exercício da profissão liberal para produzirem pensadores que expandam com originalidade o mundo das idéias.

Todos os teóricos e pensadores são revolucionários. Aliás, todo cientista é um revolucionário, pois recicla o continuísmo das idéias. É claro que grande parte dos cientistas, embora não sejam teóricos, utilizam as teorias e prestam um grande serviço à ciência. Porém, a ciência precisa avançar não apenas na utilização das teorias vigentes, mas também na produção de novas teorias. As teorias funcionam como fonte de pesquisa e suporte do processo de observação, interpretação analítica e produção de conhecimento.

Uma grande teoria pode catalisar a produção de idéias, desde que os que a abraçam não gravitem em torno dela, não sejam meros retransmissores do conhecimento que ela encerra e não sejam rígidos defensores, incapazes de criticá-la, reciclá-la ou expandi-la. Por isso, prejudicam o desenvolvimento da ciência os que aderem rigidamente a ela. Qualquer usuário de uma teoria que é incapaz de criticá-la será um mero reprodutor das suas idéias, traindo-a interpretativamente sem o saber e praticando uma ditadura intelectual no exercício da sua profissão ou na sua produção de conhecimento científico. Esse processo é passível de ocorrer não apenas nas ciências da cultura, mas também nas ciências físicas, biológicas e correlatas.

Penso que é raro uma universidade incentivar a "intentona teórica", o "motim intelectual" entre seus estudantes, levando-os à procura de novas possibilidades de construção e de compreensão do conhecimento, à produção de novas teorias a partir da busca da desorganização dos conceitos e da arte da formulação de perguntas, da dúvida e da crítica, bem como de outros instrumentos empíricos.

O sistema acadêmico é excessivamente organizado, institucionalizado e preocupado com a transmissibilidade unifocal do conhecimento. Tais atitudes limitam a formação de pensadores. As grandes idéias surgiram a partir do caos intelectual. Todos os que contribuíram com a expansão da ciência e com as idéias humanistas romperam com os paradigmas intelectuais, vivenciaram micro ou macro motins intelectuais. Não estou estimulando o caos das idéias, a ruptura pela ruptura dos paradigmas intelectuais. Não! As idéias vigentes devem ser valorizadas, mas também filtradas e revisadas. As idéias, mesmo as que são consideradas verdades científicas, não são fins em si mesmas, pois não são coincidentes com a verdade essencial, que é inatingível.

Produzir ciência não é uma tarefa simples. A falta de conhecimento dos processos de construção dos pensamentos, dos limites e do alcance de uma teoria, bem como dos sistemas de encadeamentos distorcidos, passíveis de ocorrer no processo de interpretação, faz com que muitos tenham o conceito errado de que, para produzir ciência ou se tornar um cientista, basta defender uma tese acadêmica. Muitos orientadores das teses sabem que isso é totalmente insuficiente. Ao longo dos anos, estudei mais de vinte possibilidades que podem comprometer a produção de conhecimento de uma tese acadêmica e a formação de pensadores. Infelizmente, por não ser esse o objetivo deste livro, não as comentarei. Todavia, quando abordar os procedimentos de pesquisas multifocais, algumas dessas possibilidades serão evidenciadas.

Devemos repensar o processo de formação de pensadores antes de pensar na produção da própria ciência. Devemos nos preocupar com a qualidade da inteligência dos pensadores. Os procedimentos de pesquisa multifocais que utilizei, tais como a arte da formulação de perguntas, da dúvida e da crítica, a busca do caos intelectual e os dois instrumentos empíricos ligados à análise dos processos de construção dos pensamentos e das variáveis que atuam na construção das cadeias de pensamentos, podem contribuir com essa tarefa intelectual.

Nas ciências da cultura, na qual se inclui a Psicologia, a Filosofia, a Educação, a Sociologia etc., não há muitos recursos financeiros para incentivar a formação de pensadores e a expansão das idéias psicossociais, como o têm as ciências naturais, que incluem a Computação, a Biologia, a Química, cujas pesquisas resultam em produtos industriais. Se o capital é pequeno nas ciências da cultura, deveria haver, então, um processo de compensação, através da expansão da qualidade dos pensadores pelo uso de procedimentos que estimulam a plasticidade construtiva e a liberdade criativa do conhecimento. Caso contrário, o contraste do desenvolvimento entre as ciências naturais e as ciências da cultura continuará e aumentará. A Física sabe como penetrar nas entranhas do átomo e distinguir as partículas atômicas, tão ocultas aos olhos, e a Psicologia educacional não sabe como prevenir eficientemente a discriminação racial dos negros, tão visível aos olhos, nem como prevenir o uso de drogas que acomete milhões de jovens. Se esse contraste se perpetuar, seremos cada vez mais gigantes na tecnologia e anões na prevenção das doenças psíquicas, psicossomáticas, psicossociais, bem como na expansão do humanismo, da cidadania e da democracia das idéias. Nessa situação, o homem do século XXI, que navegará cada vez mais pelo espaço e pela *Internet*, terá infelizmente cada vez mais dificuldade de navegar para dentro de si mesmo, de se interiorizar e de se repensar, de superar seus estímulos estressantes e de falar de si mesmo. Talvez ele só consiga se interiorizar e falar de si mesmo, como já tem acontecido, quando estiver diante de um psiquiatra ou de um psicoterapeuta.

APLICAÇÃO DA TERAPIA MULTIFOCAL

As experiências que passei por ser crítico do academicismo me abateram temporariamente o ânimo. Naquela época, eu estava nos meus primeiros anos de pesquisa; por isso, apesar de ser crítico, rebelde e determinado, também era frágil e, às vezes, inseguro. Minhas inseguranças não derivavam apenas dos fatores externos, mas também dos fatores internos, ligados ao exercício da arte da dúvida e da crítica, bem como da iniciação do procedimento da busca do caos intelectual no processo de pesquisa, que será comentado posteriormente.

Os fatores internos me deixavam freqüentemente confuso diante da complexidade da mente humana. Produzir conhecimento sem utilizar uma teoria preexistente como suporte da interpretação e, ainda por cima, exercitando a arte da pergunta, da dúvida e da crítica e a busca do caos intelectual para descontaminar meu processo de interpretação, me deixava não apenas confuso, mas perturbado nos primeiros anos. Por isso, naquela época, apesar de produzir conhecimento sobre muitos assuntos relativos à mente humana, eu vivia continuamente criticando minhas próprias idéias. Assim, quando os fatores internos se associaram aos fatores externos, realmente meu ânimo foi abatido temporariamente, afetando minha paixão pelo mundo das idéias. Entretanto essa paixão flutua, mas não morre.

Parte do meu tempo exerço a Psiquiatria e a Psicoterapia multifocal. O uso da teoria dos processos de construção da inteligência no tratamento das doenças psíquicas faz com que a Psicoterapia multifocal seja realizada dentro dos princípios da democracia das idéias e da arte de pensar. Os resultados são animadores. Muitos casos de doenças psíquicas de difícil tratamento, inclusive de pacientes autistas, têm sido resolvidos. A teoria multifocal, devido as suas variáveis universais, pode ser aplicada em qualquer outra corrente psicoterapêutica: psicanálise, psicoterapia cognitiva, logoterapia, psicodrama, psicoterapia analítica, etc.

EXEMPLO DE UM CASO INSOLÚVEL NA PSIQUIATRIA CLÁSSICA

Lembro-me de uma cliente de 82 anos de idade que tinha transtornos graves da personalidade e sofria de uma depressão crônica e resistente que já durava mais de três décadas. Ela era inteligente, mas também mal-humorada, negativista, agressiva e insociável. Queria a todo custo separar-se do marido, pois me dizia que tinha aversão dramática por ele. Essa aversão era tão intensa, que, quando o marido passava por ela e encostava a mão no seu braço, ela sentia tanta repulsa por ele que ia correndo lavar essa parte do corpo. Quando o marido tomava banho, ela só conseguia tomar banho se mandasse desinfetar o banheiro. Viveu por cinqüenta anos um casamento falido, transformou a relação com seu marido numa praça de guerra. Falava dele com ódio e dizia que não podia olhar para seu rosto e, não apenas isso, raramente conseguia expressar qualquer palavra de elogio a qualquer pessoa. Mesmo com os filhos ela era crítica e agressiva.

O que pode a psiquiatria fazer para uma pessoa que jamais admitiu que estivesse doente, que sempre quis que o mundo gravitasse em torno de si mesma? O que pode a psicologia, com todas as suas técnicas psicoterapêuticas, fazer para uma pessoa que sempre se recusou a se interiorizar e revisar os pilares fundamentais de sua personalidade?

Muitos membros de sua família não acreditavam que uma pessoa nessa idade, com uma depressão tão grave e resistente e que tinha diversos transtornos de personalidade, pudesse ter alguma melhoria. Porém, o processo psicoterapêutico é um canteiro onde florescem as funções mais importantes da inteligência, um ambiente que pode, se bem conduzido, estimular a produção de um oásis no mais causticante deserto emocional. Apesar de todas as dificuldades iniciais, da sua recusa de penetrar dentro de si mesma, pouco a pouco aquela rocha humana foi sendo demolida. Olhava para sua postura rígida e para seu olhar fadigado pelo tempo e pensava comigo mesmo: "Deve haver algo belo por detrás dessa rigidez que nunca foi explorado, deve haver algumas funções nobres da personalidade que estão embotadas".

Levei-a a ser uma caminhante nas trajetórias do seu próprio ser, a repensar sua rigidez intelectual, a analisar as origens de suas angústias e de suas reações insociáveis. Procurei provocar sua inteligência e estimular sua compreensão sobre alguns fundamentos do processo de construção dos pensamentos e da transformação da energia emocional. Acreditava, mesmo com sua idade avançada, nas suas possibilidades intelectuais e procurava fazer do processo psicoterapêutico um debate de idéias, criando um clima que promovia o desenvolvimento da arte da dúvida e da crítica contra seus próprios paradigmas intelectuais. Meu objetivo não era de que ela apenas resolvesse sua doença psíquica e superasse a sua dor, mas que se tornasse uma pensadora, uma poeta existencial, alguém capaz de expandir tanto a arte de pensar como a arte da contemplação do belo.

Depois do tratamento, que durou cerca de quatro meses, ninguém acreditava no que havia acontecido com ela. Tornara-se uma pessoa dócil, amável, sociável, tolerante. Começou a tratar o marido com ternura, inclusive passou a chamá-lo de "meu bem" e constantemente lhe pedia que a beijasse e lhe fizesse carinho.

Ela me dizia que passou a amar seu marido como nunca ocorreu em toda a sua história conjugal. Seu marido, também com 82 anos, um ex-professor universitário, estava, antes da sua melhora, abatido fisicamente, com dificuldades de se locomover e de organizar seu raciocínio. Porém, com o grande salto da qualidade de vida da sua esposa, ele passou a se alimentar mais, ganhou peso, melhorou a deficiência da memória e seu rendimento intelectual. Marido e esposa mudaram tanto que passaram, mesmo diante das suas limitações físicas, a cantar e a dançar juntos na sala de seu apartamento.

Algumas vezes eles choravam por ter a consciência de que atravessaram um imenso deserto existencial, saturado de angústias e discórdias. Contudo, queriam recuperar o tempo perdido, queriam viver intensamente cada minuto que lhes restava de vida, por isso, algumas vezes, eles acordavam um ao outro de madrugada para conversar e ficar mais tempo juntos. A afetividade entre os dois floresceu como na primavera mais rica da adolescência.

Minha paciente me dizia que havia encontrado um sentido para sua vida e que, no final de sua existência, começou a trabalhar suas contrariedades e a aprender a ter prazer nos pequenos estímulos. Por isso, até os sons dos pássaros que eram imperceptíveis aos seus ouvidos, se tornaram músicas para eles. Comovido com essa melhora acentuada e estável, escrevi um bilhete para ela e para o marido, dizendo: "Parabéns; vocês se tornaram poetas da existência, souberam encontrar ternura e dignidade no final de suas vidas; descobriram que a sabedoria se conquista quando aprendemos a superar nossos invernos existenciais..." Eles ampliaram os dizeres deste bilhete e o colocaram na sala do apartamento deles.

Ela deu um salto qualitativo na sua saúde emocional e intelectual. Resolveu sua depressão crônica, sua insociabilidade, agressividade e tornou-se uma pessoa encantadora aos 82 anos de idade. Viveu uma rica história de amor com seu marido por mais dois anos, até que ele morreu. O último pedido dele, no leito de sua morte, é que ela o acariciasse até que ele morresse. Foi assim que findou este romance.

A história dessa paciente é um exemplo vivo que evidencia que, mesmo nos casos aparentemente insolúveis pela psiquiatria e pela psicologia, é sempre possível reescrever os capítulos fundamentais da personalidade.

O homem, independentemente de sua idade, personalidade e transtornos psíquicos, pode e tem o direito de se tornar um engenheiro de idéias que constrói e reconstrói a sua história psicossocial. Ao aplicar os princípios psicoterapêuticos derivados do processo de construção da inteligência, estimulamos o resgate da liderança do eu e fazemos com que os pacientes deixem de ser espectadores passivos de misérias psíquicas e passem a ser agentes modificadores de sua personalidade. Onde a psiquiatria clássica não consegue pisar os procedimentos psicoterapêuticos multifocais pode, em diversos casos, alcançar.

Capítulo 2

A Metodologia e os Procedimentos Usados na Construção da Teoria da Inteligência Multifocal

O AUTORITARISMO DAS IDÉIAS E A DITADURA DO DISCURSO TEÓRICO

As idéias, como um "conjunto organizado de pensamentos", servem para definir, conceituar e caracterizar os fenômenos que observamos. Por sua vez, o discurso teórico, como um "conjunto organizado de idéias", serve como instrumento intelectual para teorizar, discorrer, descrever um conhecimento mais complexo e abrangente desses fenômenos, bem como das micro e macro-relações que eles mantêm com outros fenômenos. As idéias, expressas por conceitos, hipóteses e postulados (convenções), são os tijolos de uma teoria. Uma teoria se expressa através de um discurso, que chamo de discurso teórico.

As idéias e os discursos teóricos são instrumentos fundamentais da ciência. Através das idéias podemos desenvolver relações interpessoais, nos comunicar, desenvolver atividades de trabalho. Por sua vez, através dos discursos teóricos, ou seja, pela manipulação de uma teoria, podemos produzir conhecimento, construir argumentações científicas, organizar postulados, derivar hipóteses, predizer fenômenos. Porém, apesar de as idéias e discursos teóricos definirem, conceituarem e descreverem os estímulos psíquicos, sociais, biológicos, físicos, químicos, enfim, todos os fenômenos e objetos de estudo etc., elas são e serão sempre procedoras de suas realidades essenciais.

Por exemplo, podemos produzir enciclopédias inteiras sobre as causas, sintomas e mecanismos psicológicos presentes nos transtornos depressivos, mas essas enciclopédias serão apenas um corpo de conhecimento que definem, através das idéias, e discursam, através das teorias, sobre os transtornos depressivos. Entretanto, o processo de leitura da memória, a construção de pensamentos e transformação da energia emocional, presentes nos transtornos depressivos, são maiores do que todo o conhecimento que possamos produzir sobre eles. Além dessa limitação, temos um outro grande problema. Todo o conhecimento que produzimos sobre as depressões nunca é em si mesmo a essência da energia do humor deprimido, mas apenas um sistema teórico que tentará defini-lo, conceituá-lo. Portanto, temos duas grandes limitações científicas que não poucos cientistas desconhecem.

Primeira, o conhecimento sobre os transtornos depressivos, por mais avançado que seja, terá sempre uma dívida com os mistérios que envolvem essas doenças e que ainda não foram descobertos. Segundo, o conhecimento, mesmo se a civilização humana vivesse milhões de anos, terá sempre uma dívida com a realidade intrínseca da energia contida nos transtornos depressivos ou de qualquer outro fenômeno estudado pela ciência. Por isso, podemos falar da miséria dos outros sem nenhuma emoção, sem conseguir nos colocar no lugar deles nem enxergar minimamente o mundo com os seus olhos. Por inferência, podemos dizer que a ciência é sempre menor do que o universo dos fenômenos que estuda e sempre solitária em relação à realidade essencial destes fenômenos.

Um milhão de idéias e discursos teóricos sobre um determinado fenômeno não resgata a essência intrínseca do próprio fenômeno, pois o fenômeno continua sendo essencialmente ele mesmo, e as idéias e os discursos continuam sendo sistemas de intenções conscientes (virtuais) do observador que tentam descrevê-lo na sua mente. Há uma distância infinita entre a consciência da essência e a essência em si mesma. Há uma distância infinita entre o pensamento de um químico sobre os átomos e os átomos em si. Por que as ciências evoluem? Por que a cada dez anos grandes verdades científicas se tornam grandes enganos? Um dos grandes motivos se deve ao fato de que o conhecimento, composto de idéias e de teorias não expressa a realidade essencial dos fenômenos que estuda, mas a realidade virtual, intencional, sobre eles.

As idéias e os discursos teóricos não podem ser fechados dentro de si mesmos. Veremos que "trancar" uma teoria numa redoma intelectual, como Freud fez, é um grande perigo contra a evolução da ciência, pois podemos confinar os fenômenos apenas dentro dos limites de nossas idéias e de nossas teorias. As idéias e os discursos teóricos geram paradigmas e estereótipos socioculturais que, se não forem revisados criticamente, podem levar a uma grave distorção na produção científica.

A utilização autoritária das idéias e a manipulação ditatorial dos discursos teóricos são ferramentas que desfiguram a produção de conhecimento de um fenômeno em relação à sua realidade essencial. Os que assim procedem não percebem que, além das idéias e dos conceitos serem sempre uma expressão reducionista da verdade essencial, a verdade essencial é inatingível em si mesma, pois todo conhecimento, ainda que tenha sido produzido com os mais rigorosos métodos e procedimentos científicos, e que possua as mais importantes conseqüências científicas é um sistema de intenções dialéticas antiessenciais. Estudaremos estes assuntos.

Quem tem uma postura intelectual autoritária não apenas fere a democracia das idéias, mas fere a si mesmo, porque é usado, manipulado, controlado intelectualmente pela rigidez das próprias idéias e do discurso teórico produzidos pela leitura da sua memória.

Uma pessoa autoritária agride e fere os direitos do "outro", mas, antes disso, fere seu próprio direito de ser livre, de pensar com liberdade. Por isso toda pessoa agressiva é auto-agressiva. Os profissionais liberais que exercem o autoritarismo das idéias vivenciam dentro de si mesmos o "auto-autoritarismo", punem a si mesmos, encerram-se dentro de um cárcere intelectual. Do mesmo modo, os pesquisadores que exercem a ditadura do discurso teórico, que se fecham exclusivamente dentro da teoria que abraçam, aprisionam sua capacidade de pensar dentro dos limites da sua teoria. Para entender o "autoritarismo" das idéias, bem como da "ditadura" do discurso teórico, precisamos estudar os fenômenos que promovem o funcionamento da mente e a construção dos pensamentos.

A TEORIA MULTIFOCAL DO CONHECIMENTO

Muitas pessoas consideram raríssimo, nos dias atuais, alguém produzir uma teoria científica sem a influência geral ou parcial de outra teoria preexistente e que, além disso, seja consistente e fundamentada em argumentos criteriosos. Pois é uma realidade; é muito difícil reunir num mesmo trabalho intelectual a originalidade e a coerência.

O conhecimento se tornou muito vasto em todos os campos da ciência, o que dificulta pesquisas originais. Na psicologia, quase não há mais espaço para a produção de uma teoria totalmente nova sobre o funcionamento da mente e o desenvolvimento da personalidade, pois as teorias existentes se entrelaçam em diversas áreas e os milhares de pesquisas, realizadas anualmente, por cientistas de todo o mundo se apóiam freqüentemente em uma dessas teorias. Por isto, este livro representa um grande desafio. Sob os alicerces da metodologia e dos procedimentos que utilizei, que serão comentados neste capítulo, apresentarei não apenas uma teoria psicológica, mas uma teoria completamente nova, original. Ela é tão original como foi a teoria da psicanálise na época que Freud a lançou. Entretanto, a qualidade desta teoria e de seus fundamentos deve ser julgada pelos leitores.

Ao longo de mais de dezessete anos desenvolvi a teoria multifocal do conhecimento (TMC). A teoria multifocal do conhecimento, como o próprio nome expressa, é uma teoria abrangente, que inclui diversas teorias que se inter-relacionam no campo da Psicologia, Filosofia, Educação, tais como a teoria do funcionamento psicodinâmico da mente, a teoria da inteligência multifocal, a teoria da interpretação, a teoria do caos intelectual, a teoria do fluxo vital da energia psíquica, a teoria da evolução psicossocial do homem, a teoria da personalidade, a teoria da lógica do conhecimento, a teoria da interpretação.

Neste capítulo desenvolverei alguns pilares da teoria da lógica do conhecimento e da teoria da interpretação. Nos capítulos seguintes abordarei a teoria da *inteligência multifocal e do funcionamento da mente* e no décimo terceiro capítulo retomarei a teoria da interpretação e continuarei desenvolvendo-a. Por que a teoria da interpretação será retomada depois da exposição da teoria da inteligência multifocal? Porque ela foi desenvolvida paralelamente à descoberta dos fenômenos que estão inseridos no processo de construção de pensamentos. Portanto, a teoria da inteligência me ajudou a construir a teoria da interpretação e, à medida que esta ia sendo expandida, me ajudava a reciclar a teoria da inteligência e do funcionamento da mente.

A teoria multifocal do conhecimento não é uma teoria que procura anular as demais teorias, tais como a psicanalítica, cognitiva, comportamental; pelo contrário, procura contribuir para explicá-las, criticá-las, reciclá-las e abrir novas avenidas de pesquisas para elas. As teorias psicológicas, filosóficas, psicopedagógicas, sociológicas etc., foram produzidas usando o pensamento como alicerces, enquanto a teoria multifocal do conhecimento estuda as variáveis universais que estão presentes nos próprios alicerces, ou seja, estuda os fenômenos que promovem a própria construção dos pensamentos.

A teoria da *inteligência multifocal* ultrapassa a abordagem da "teoria da *Inteligência Emocional*", pois, além da variável emocional, ela estuda mais de trinta outras variáveis que participam da construção da inteligência humana; por isso ela é chamada de *inteligência multifocal*.

Muitas perguntas importantes procurarão ser respondidas, tais como: Os fetos pensam? Como se desenvolve o eu? Por que o homem é um grande líder do mundo extrapsíquico, mas não é um grande líder dos seus pensamentos e das suas emoções? Todos os pensamentos que produzimos são determinados pelo eu ou existem fenômenos psíquicos que constroem pensamentos sem a autorização do eu? Como penetramos na memória e construímos as cadeias de pensamentos? Quantos tipos de pensamentos são produzidos na mente humana e quais são as suas funções? Como se organiza, desorganiza e reorganiza a energia psíquica? Qual a relação entre as cadeias de pensamentos e as emoções? Como construímos as relações humanas?

Após ter desenvolvido a estrutura básica da teoria que estou produzindo, a Teoria Multifocal do Conhecimento (TMC), comecei a ler, a apreciar e a criticar, dentro das minhas limitações intelectuais e de tempo, as idéias filosóficas, psicológicas, sociológicas e psiquiátricas de outros pensadores. Por isso, embora a teoria desenvolvida neste livro seja totalmente original, ele contém uma pequena bibliografia, pois faço alguns pequenos comentários sobre algumas teorias. A utilização de uma teoria no processo de expansão de conhecimento científico é legítima e pode ser muito útil se usada com critério. Uma teoria bem produzida é uma fonte de pesquisa, tem mais valor do que milhares de livros. O papel principal das teorias é abrir as avenidas do conhecimento na ciência.

Os assuntos aqui tratados serão importantes aos que querem algumas pistas para desenvolver a arte de pensar e se tornar um pensador original, um engenheiro de idéias que se coloca em contínuo processo de aprendizagem. A "tríade de arte da pesquisa" e a busca do caos intelectual, como veremos, serão os ingredientes básicos para se formarem pensadores em qualquer área da ciência e em qualquer área da sociedade, incluindo a política e a economia. Esses assuntos também interessam àqueles que querem entender o que é a "verdade" e se é possível atingi-la na ciência, bem como o que é uma teoria, qual a melhor maneira de aplicá-la e quais as suas relações com a inesgotabilidade da ciência.

Faremos uma viagem intelectual interessante. Navegaremos pelos mares da ciência, romperemos alguns tabus. Compreenderemos os motivos pelos quais a ciência, tão bela e importante para a civilização humana, tem grandes limites para encontrar aquilo que mais ama: a verdade.

OS SETE PROCEDIMENTOS MULTIFOCAIS E AS CINCO MESCLAGENS DE CONTRAPONTOS INTELECTUAIS

Para que possamos gerenciar uma construção criteriosa de pensamentos, capaz de conquistar o *status* de "conhecimento científico", não basta processarmos a leitura da memória e produzir cadeias de pensamentos dialéticos, pois essa produção de pensamentos poderá ser meramente especulativa, o que resultará numa ciência sem fundamento. Para fugir dessa situação, procurei desenvolver pelo menos sete procedimentos multifocais, alguns dos quais complexos e difíceis de ser aplicados. Estes procedimentos não são utilizados, em sua maioria, na pesquisa acadêmica, mesmo nas teses de doutorado. Os grandes teóricos da psicologia também não os utilizaram na produção de suas teorias, o que gerou um grande prejuízo para esta ciência.

Os procedimentos utilizados na pesquisa acadêmica normalmente são bem conhecidos no mundo todo, tais como: seletividade de dados, análise de dados, levantamento bibliográfico, uso de uma teoria como suporte da interpretação. Além dos procedimentos que desenvolvi, também utilizei esses procedimentos clássicos. Somente não usei os levantamentos bibliográficos nem uma teoria prévia como suporte da interpretação, pois a teoria que desenvolvo é, como disse, totalmente original.

O levantamento bibliográfico, contido no final dos textos, foi feito depois que a teoria que eu desenvolvia estava elaborada. Ele foi feito com o objetivo de evidenciar alguns pensamentos de outros teóricos em relação à teoria aqui exposta.

Os setes procedimentos que utilizei são: a arte da formulação de perguntas; a arte da dúvida; a arte da crítica; a busca do caos intelectual para se processar a descontaminação da interpretação; a busca do caos intelectual para expandir as possibilidades de construção do conhecimento; a análise das causalidades históricas e das circunstancialidades biopsicossociais; e a análise dos processos de construção das variáveis de interpretação na mente.

Além desses setes procedimentos, também utilizei na minha trajetória de pesquisa cinco "mesclagens de contrapontos intelectuais" (MCI), que me estimularam a revisar criticamente e reorganizar continuamente a produção de conhecimento sobre os processos de construção do pensamento. Essas mesclagens referem-se a uma mistura entre pontos intelectuais opostos ou eqüidistantes, tais como: a liberdade em observar e a disciplina na observação, a livre produção de pensamento e a revisão crítica dessa produção. Algumas dessas mesclagens resultaram do processo de co-interferência dos sete procedimentos de pesquisa que utilizei. As cinco "mesclagens de contrapontos intelectuais" (MCI) que utilizei foram: 1. Mesclagem entre a liberdade contemplativa de observar os fenômenos com a disciplina empírica no processo de observação e seleção dos mesmos. 2. Mesclagem entre a liberdade de interpretar os fenômenos com a reorganização e reorientação contínua do processo de interpretação. 3. Mesclagem entre a utilização do caos intelectual para esvaziar, tanto quanto possível, as distorções preconceituosas e os referenciais históricos contidos no processo de formação da personalidade com a utilização desse caos para expandir as possibilidades de compreensão dos fenômenos e de construção do conhecimento. 4. Mesclagem entre a liberdade da produção do conhecimento com a reciclagem crítica e contínua da mesma. 5. Mesclagem entre a análise das variáveis da interpretação (fenômenos) com a análise dos sistemas de cointerferências que elas organizam para gerar o funcionamento da mente e a construção das cadeias de pensamentos.

A ARTE DA PERGUNTA, DA DÚVIDA E DA CRÍTICA

Não é objetivo deste livro dar ênfase aos sete procedimentos e às cinco "mesclagens de contrapontos intelectuais" que utilizei em minha trajetória de pesquisa, embora toda a minha produção de conhecimento resulte deles. Vou dar ênfase apenas ao quarto e quinto procedimento, ou seja, aos procedimentos que se referem à busca do caos intelectual. Porém, quero também fazer uma síntese dos três primeiros procedimentos: a arte da formulação de perguntas, a arte da dúvida e a arte da crítica, pois eles foram fundamentais na minha produção intelectual.

Aprendi que a arte de perguntar é mais importante do que a arte de responder. Aliás, a maneira como se pergunta pode produzir um autoritarismo das idéias, pois estabelece as diretrizes das respostas. Antes da busca das respostas, antes da produção de conhecimento, é necessário fazer não apenas algumas perguntas, mas múltiplas perguntas sobre os fenômenos que estamos observando e interpretando. Devemos ainda não apenas formular perguntas multifocais sobre os fenômenos e suas micro e macrorrelações, mas perguntas sobre as próprias perguntas, suas dimensões, seus limites e alcance. A função da arte da formulação das perguntas não é, inicialmente, fornecer respostas, pois as respostas são ditadoras das perguntas, mas expandir a dúvida. Quanto mais dúvida e confusão intelectual, mais profunda poderá ser a resposta, mais rica será a produção de conhecimento; quanto menos dúvida, mais pobre será a produção de conhecimento.

Os três grandes inimigos de um pensador são: as dificuldades de expandir a arte da pergunta e da crítica, a dificuldade de conviver com a dúvida e a ansiedade por produzir respostas. A fertilidade das idéias de um pensador não está na sua capacidade de produzir respostas, mas na sua intimidade com a arte da formulação das perguntas, a arte da dúvida, arte da crítica e do quanto procura e suporta a experiência do caos intelectual.

A palavra arte associada à palavra "dúvida" ou "crítica" não quer dizer uma simples dúvida ou crítica esporádica, mas um processo contínuo de duvidar e criticar, um sistema contínuo de aprimoramento da observação, interpretação e questionamento do conhecimento. A arte da formulação de perguntas me levou a fazer centenas e, em alguns casos, milhares de perguntas sobre cada fenômeno intrapsíquico que observava. Mesmo diante da mais simples idéia que eu produzia na minha mente, eu questionava intensamente suas origens, construtividade, natureza, alcance etc. Eu observava atentamente não apenas o comportamento das pessoas, mas era um contínuo viajante na trajetória do meu próprio ser. Assim, durante o processo de observação dos fenômenos psíquicos, eu expandia, através da arte da formulação de perguntas, a arte da dúvida. Esta estimulava meu processo de interpretação e, conseqüentemente, minha produção de conhecimento. Através da expansão da produção de conhecimento, aprimorava a arte da crítica. Com isso, aprendi pouco a pouco a usar a arte da crítica, não apenas para criticar todo conhecimento que previamente eu tinha sobre os fenômenos psíquicos que observava, mas também para criticar toda interpretação e produção de conhecimento que extraía deles.

Vivi intensamente a arte da formulação de perguntas, a arte da dúvida e da crítica, que chamo de "tríade de arte da pesquisa". Elas são fundamentais na produção da pesquisa científica e até na convivência social. Elas foram para mim a fonte motivadora do processo de produção de conhecimento sobre os complexos e sofisticados processos de construção dos pensamentos.

O exercício contínuo da "tríade de arte da pesquisa" foi-me levando, ao longo dos anos, a desenvolver dois procedimentos sofisticados ligados à busca do "caos intelectual" que objetivavam tanto processar a descontaminação da interpretação quanto expandir as possibilidades de construção do conhecimento. A busca do caos intelectual também me levou pouco a pouco a aprimorar dois instrumentos de observação e análise (instrumentos empíricos), que é a análise das causas históricas (variáveis ligadas à memória) e das circunstancialidades biopsicossociais (variáveis intrapsíquicas, intraorgânicas e sociais presentes no ato da interpretação) e a análise dos processos de construção das variáveis da interpretação na mente ou campo de energia psíquica.

Tenho consciência de que abordar sucintamente esse emaranhado de procedimentos pode gerar mais confusão do que esclarecimento. Minha intenção é evidenciar que um pensador precisa pesquisar com critério e rejeitar determinadas atitudes especulativas e teoricistas. Penso que um teórico da Filosofia não precisa evidenciar seus procedimentos, pois a grandeza das suas idéias está no conteúdo do seu discurso teórico; mas um teórico da Psicologia precisa, embora muitos deles não o tenham feito, pois ele estuda fenômenos intrapsíquicos específicos e sua produção de conhecimento objetiva alcançar uma aplicabilidade psicossocial na educação, nas relações sociais e no campo das doenças psicossociais e psíquicas. Como procurei pesquisar o homem na perspectiva psicossocial e filosófica, bem como com outras ciências, sinto a necessidade de fazer uma exposição sucinta desses procedimentos que desenvolvi na trajetória da minha pesquisa.

OS PROCEDIMENTOS MULTIFOCAIS USADOS COMO VACINA INTELECTUAL

A busca do caos intelectual no processo de observação e interpretação dos fenômenos psíquicos abre algumas janelas psicossociais e filosóficas para expandirmos as possibilidades de compreensão sobre as origens, limites, alcance, práxis, natureza dos pensamentos (incluindo o conhecimento científico) e da consciência existencial.

É mais fácil desenvolver o autoritarismo do que a democracia das idéias, do que redirecionar o processo de observação, interpretação e produção de conhecimentos através do exercício da "consciência crítica do eu". Não me refiro apenas ao macroautoritarismo e à macroditadura política, mas aos microautoritarismos e às microditaduras sociais que freqüentemente ocorrem na relação pai-filho, professor-aluno, policial-cidadão, executivo-empregado, psicoterapeuta-paciente, médico-paciente, político-eleitor, líder espiritual-fiel, palestrante-ouvinte etc. O respeito e o estímulo à capacidade de pensar do "outro" deveriam saturar todos os níveis das relações humanas, inclusive a pesquisa científica.

Os "antídotos" intelectuais contra o autoritarismo nas relações humanas são multifocais: a) compreender que a democracia das idéias é uma inevitabilidade; b) respeitar o ser humano na sua integralidade; c) considerá-lo capaz de pensar e escolher seus próprios caminhos; d) estimular a revolução das idéias que ocorre na sua mente e procurar contribuir para que ela seja redirecionada para desenvolver a revolução do humanismo, da cidadania e da capacidade crítica de pensar. Por sua vez, as "vacinas" e "antídotos" intelectuais contra os autoritarismos das idéias e as ditaduras dos discursos teóricos produzidos na pesquisa científica também são multifocais: exercitar a arte da formulação de perguntas, da dúvida, da crítica; a busca do caos intelectual, a reciclagem e reorganização contínua do processo de interpretação; a postura constantemente aberta no processo de observação, interpretação e produção de conhecimento, capaz de se abrir sempre às novas possibilidades dos fenômenos que contemplamos etc.

Os procedimentos derivados da busca do caos intelectual se tornaram importantes "vacinas" contra o autoritarismo das idéias e a ditadura do discurso teórico na minha trajetória de pesquisa e produção de conhecimento. Porém, não há procedimentos totalmente seguros; por isso a minha produção de conhecimento possui limites, além de ser, como disse, apenas uma ilha no mar inesgotável da ciência.

O uso de uma teoria pode ser importante para um pesquisador estimular sua trajetória de pesquisa e produção de conhecimento, mas pode também reduzir a revolução das idéias e produzir, como eu disse, a ditadura dos discursos teóricos. Porém, embora pesquisasse sem a utilização de uma teoria psicológica, filosófica, sociológica ou de qualquer outra teoria científica, aprendi que não apenas uma teoria científica pode gerar a ditadura do discurso teórico, mas também a nossa própria história intrapsíquica, arquivada em nossa memória, pode provocá-las.

A história intrapsíquica funciona como uma importante teoria; a teoria histórica, e sua leitura sem crítica gera um confinamento da liberdade de pensar, pois só conseguimos enxergar o mundo que nos envolve apenas de acordo com o "nosso mundo". À medida que fui expandindo essa compreensão, comecei, através da tríade de arte da pesquisa empírica, a buscar mais intensamente o caos intelectual, para me "vacinar", tanto quanto possível, contra essas formas sofisticadas de controle intelectual contidas na minha história intrapsíquica. Foram anos de dúvidas e de insegurança intelectual; porém a luz que emerge do caos tem uma beleza e claridade ímpar.

As dificuldades do "eu" de fazer uma revisão crítica das idéias e dos discursos do conhecimento são grandes, mas essa revisão é imperativa para estudarmos os fenômenos da mente, essencialmente inacessíveis e sensorialmente intangíveis (imperceptíveis).

Produzir conhecimento pode ser aparentemente simples, mas a construtividade de pensamentos é altamente sofisticada. Há uma arte psicodinâmica sofisticadíssima nos bastidores da mente que precisamos explorar e compreender, que é responsável por toda produção de pensamento consciente expressa nos quadros de pintura, na literatura, nas relações humanas, nos discursos dialético-científicos, enfim, nos palcos conscientes da existência.

Falar da natureza e construtividade do conhecimento é falar de um dos mais importantes mistérios da ciência. Compreender a natureza do conhecimento abrirá algumas janelas para compreendermos os limites, alcance, lógica e práxis do próprio conhecimento, seja nas ciências físicas, seja nas ciências da cultura.

A palavra "empírico" tem uma definição particular neste livro. Ela se refere ao processo psicossocial e filosófico de produção de conhecimento dos fenômenos psíquicos. Neste livro, esses fenômenos estão relacionados com a construção dos amplos aspectos da inteligência. A produção de conhecimento é realizada através das etapas do processo de interpretação e conduzida através do corpo de procedimentos de pesquisas que utilizei, inclusive os ortodoxos, tais como a arte da observação e o levantamento de dados.

As cinco etapas do processo de interpretação, já comentadas, sofre a influência de múltiplas variáveis, o que compromete a "pureza" da produção de pensamentos e, conseqüentemente, macula a produção de conhecimento, inclusive a construção das teorias científicas. Diferente da grande maioria dos cientistas teóricos, procurei usar um corpo de procedimentos na minha produção de conhecimento, para que pudesse ampliar as dimensões da teoria que estava criando.

Criar uma teoria foi e ainda é uma aventura complexa e sinuosa para mim. Os teóricos produziram conhecimento usando o pensamento como ferramenta — eu procurei produzir conhecimento sobre a ferramenta que eles utilizaram, ou seja, sobre o próprio pensamento, sobre os fenômenos que o constrói, sobre os elementos que dão origem às idéias.

As teorias científicas, além de possuir limites ligados à sua construção, possuem limites ligados às suas dimensões. A seguir, farei uma breve e importante abordagem dos limites gerais de uma teoria em relação à inesgotabilidade da ciência.

A INESGOTABILIDADE DA CIÊNCIA. AS TEORIAS PODEM EXPANDIR OU CONTRAIR O MUNDO DAS IDÉIAS

A utilização das teorias é importante, pois elas podem funcionar como um canteiro de idéias, capazes de expandir a produção de conhecimento; mas elas são invariavelmente limitadas e redutoras diante da inesgotabilidade da ciência. Quem utiliza inadequadamente as teorias pode provocar o macroautoritarismo das idéias e a macroditadura dos discursos teóricos; por isso o exercício da democracia das idéias, a ser estudado, torna-se imperativo.

Não há teoria completa; todas precisam ser reescritas e expandidas, porque a ciência é inesgotável. A ciência é inesgotável pelo menos por três grandes fatores: 1. Pelo fato de os processos de construção dos pensamentos ultrapassarem os limites da lógica. 2. Pelo fato de a consciência existencial ser virtual. 3. Pelo fato de o universo microessencial ser infinito.

Primeiro, comentei que, nos bastidores da mente humana, o processo de interpretação sofre um processo de influência contínua de um conjunto de variáveis, que nos leva a produzir pensamentos distintos diante dos mesmos fenômenos e objetos que interpretamos. A construção dos pensamentos sofre um sistema de encadeamento distorcido que ultrapassa os limites da lógica. Portanto, diante da mesma ofensa, do mesmo elogio, do mesmo foco de tensão, da mesma notícia, da mesma imagem, do mesmo fenômeno físico, que interpretamos em dois tempos distintos, produzimos pensamentos micro ou macrodistintos. O sistema de encadeamento distorcido, que ocorre espontaneamente no processo de construção de pensamentos, leva a ciência a ser inesgotável, pois ela não é fruto do fenômeno em si, mas do fenômeno interpretado.

Segundo, a consciência existencial jamais atinge a realidade essencial dos fenômenos, pois a consciência é virtual, antiessencial, ou seja, um sistema de intenções que discursa incansavelmente sobre a realidade essencial, mas nunca a incorpora intrinsecamente. A consciência existencial, ainda que seja sustentada por uma produção de conhecimento, capaz de gerar aplicabilidades e previsibilidades de fenômenos, nunca incorpora em si mesma a realidade essencial dos fenômenos (a verdade essencial).

Há uma distância infinita entre a consciência existencial (virtual) e a realidade intrínseca dos fenômenos (essencial). Porém, quando o corpo de conhecimentos, que constitui a consciência existencial, se torna aplicável e gera previsões de fenômenos, ele se torna comprovável e ganha o *status* de verdade científica. Porém, a verdade científica nunca é a verdade essencial; nunca é, portanto, completa e absoluta; por isso ela está invariavelmente, ao longo dos séculos e das gerações, se reorganizando e se expandindo.

A criatividade da consciência existencial, produzida na esfera da virtualidade, torna a ciência inesgotável. O conhecimento, ainda que utilize milhões de idéias, por ser de natureza virtual, ao tentar descrever e dar significado à realidade essencial dos fenômenos, nunca a incorpora. O conhecimento e a realidade essencial estão em mundos distintos, possuem naturezas diferentes.

Os cientistas são andejos da virtualidade, pois percorrem continuamente, através dos órgãos do sentido e do mundo das idéias, os territórios da realidade, sem de fato nunca encontrá-los na sua essência. Os cientistas são limitados, mas a ciência é inesgotável.

Provavelmente, são muitos os professores universitários que não conhecem os limites entre a verdade científica e a verdade essencial. Não compreendem que, pelo fato de a natureza do conhecimento ser virtual e sua construção ultrapassar os limites da lógica, geram-se tanto limitações na práxis do conhecimento (pensamento dialético) como paradoxalmente uma inesgotabilidade nas dimensões do próprio conhecimento científico.

As limitações ocorrem devido ao fato de o pensamento ser virtual. Por ser virtual, o pensamento, além de não incorporar a realidade do objeto sobre o qual discursa, tem dificuldade para se materializar, pois sua natureza é virtual. Embora esse fato seja difícil de se entender, ele atinge toda a nossa história de vida. Por exemplo, eu posso pensar sobre a minha ansiedade, mas o pensamento não incorpora a realidade da energia da ansiedade, pois ele é um discurso virtual sobre a ansiedade, mas não a ansiedade em si. Além disso, por ser de natureza virtual, o pensamento tem dificuldade para se materializar no campo de energia psíquica e transformar minha ansiedade em prazer ou tranqüilidade. Notem que o homem é líder do mundo, mas não é líder de si mesmo. Sua construção de pensamentos não transforma facilmente suas emoções. Se os pensamentos tivessem plena liberdade de transformar o mundo psíquico, seria fácil tratar das depressões, superar o *stress*, transformar os psicopatas em pessoas humanistas e nos fazer viver num oásis de prazer mesmo diante das nossas misérias sociais. Vimos que o pensamento dialético, de natureza virtual, não é materializado através de si mesmo, mas através das matrizes de pensamentos essenciais inconscientes.

Por ser virtual, o pensamento dialético tem limitações. Agora, precisamos entender que, por ser virtual, o pensamento e, conseqüentemente, toda a ciência se tornam inesgotáveis. E inesgotáveis porque, na esfera da virtualidade, os pensamentos ganham uma plasticidade construtiva e uma liberdade criativa indescritível. Posso pensar o que quero, quando quero, da maneira que quero, sem respeitar nenhuma limitação.

A ciência é inesgotável porque o mundo das idéias é inesgotável, pois ele é construído na esfera da virtualidade. Devido à inesgotabilidade da ciência, toda teoria, toda tese, necessita invariavelmente ser revista e/ou expandida ao longo do tempo. Daqui a um século, grande parte do conhecimento que hoje consideramos como verdade científica perderá sua validade ou terá sua validade questionada. Desconhecer os limites e o alcance do conhecimento faz com que a transmissibilidade do conhecimento na educação seja, freqüentemente, autoritária e unifocal, suscitando raramente o debate intelectual e o intercâmbio das idéias na relação professor-aluno. Esse autoritarismo pode ocorrer em todas as esferas das relações humanas.

Terceiro, o fato de o universo microessencial ser infinito também elucida essa inesgotabilidade. Se por um lado os cientistas da Física descobriram que o universo macroessencial é composto de dezenas de bilhões de galáxias — portanto finito — por outro lado, o universo microessencial é infinito, pois, se assim não fosse, dar-se-ia que a infinita unidade da microessência (matéria ou energia) atingiria o nada. Nesse caso, teríamos o paradoxo tudo-nada, pois o tudo seria constituído do nada. Assim, o mundo que somos e em que estamos seriam universos inexistentes.

A consciência da existência é um autotestemunho da existência. A consciência da existência, embora virtual, nasce, como comentarei, da realidade essencial das matrizes dos pensamentos. Se é paradoxalmente impossível que a microessência atinja o nada, não há partícula microessencial fundamental, indivisível, seja ela matéria ou energia. Se a microessência jamais atinge o nada, ela é infinita em si mesma. Os físicos dizem que o universo é finito; mas quando fazemos uma análise filosófica dos fenômenos, descobrimos que o universo microessencial é infinito. Nessa análise, a Filosofia e a Física fundem-se.

Qualquer área da ciência, mesmo a Física Quântica, circunscreve as dimensões essenciais inesgotáveis dos fenômenos que estuda e dos sistemas de relações existentes entre eles aos limites estreitos e autoritários de uma teoria. Até os conhecimentos cientificamente comprovados (as verdades científicas) são autoritários, pois revelam apenas uma seqüência de, no máximo, meia dúzia de respostas na cadeia interminável do conhecimento sobre os fenômenos. Exemplo: os tecidos são formados de células, as células de moléculas, as moléculas de átomos, os átomos de prótons, nêutrons, elétrons e de outras partículas subatômicas, projetando, assim, uma seqüência interminável de indagações desconhecidas sobre o universo microessencial.

Se o universo microessencial é infinito, os sistemas de micro e macrorrelações existentes entre os fenômenos microessenciais também o são e, conseqüentemente, o conhecimento sobre eles também o é, evidenciando, portanto, a inesgotabilidade da ciência. A infinidade da microessência revela que a ciência é infinita. Os cientistas são finitos, mas as possibilidades da ciência são infinitas.

Diante da infinidade da microessência e de suas relações e, conseqüentemente, da inesgotabilidade da ciência, por mais que tenhamos cultura e produzamos conhecimento, ninguém é de fato um mestre ou um doutor (Ph.D.) em qualquer área da ciência. Todos os cientistas são eternos aprendizes. Os títulos acadêmicos honram os cientistas, mas não honram a inesgotabilidade da ciência. Por isso, se na atual estrutura acadêmica os títulos são inevitáveis, eles deveriam ser usados como uma referência de pouco valor, e não para estabelecer hierarquia entre os cientistas. Não há hierarquia entre os que pensam, sejam eles pesquisadores científicos ou não.

O valor de um pensador não está na grandeza dos seus títulos, mas na grandeza das suas idéias. Por isso, nos congressos científicos, os títulos acadêmicos de um cientista, e mesmo a procedência de uma universidade ou o instituto de pesquisa, não deveriam ser pronunciados em voz altissonante, tampouco deveriam figurar nos livros em letras garrafais. Não sendo assim, contamina-se o processo de interpretação do ouvinte ou do leitor e fere-se a democracia das idéias. Nos bastidores da psique humana há muitas variáveis que podem contaminar excessivamente o julgamento crítico das idéias. A estética socioeducacional, se supervalorizada, pode ser uma delas.

Os discípulos de uma teoria, seja ela científica, política ou educacional, deveriam tomar cuidado com tudo aquilo que pode levá-los a supervalorizar as idéias de um teórico, tais como imagem social, imagem histórica, influência política, títulos acadêmicos, admiração pessoal, procedência etc.; caso contrário, eles podem manipular a teoria de maneira autoritária, praticando a ditadura do discurso teórico no exercício profissional.

OS PIORES INIMIGOS DAS TEORIAS

A antiessencialidade da consciência existencial, o sistema de encadeamento distorcido da construção de pensamentos e a infinidade dos fenômenos microessenciais revelam que a ciência é invariavelmente inesgotável. Por isso, todo conhecimento, toda teoria científica, toda verdade científica, produzida em livros, gravada em disquetes, debatida nas universidades, aplicada nos laboratórios e nas empresas é intensamente restritiva em relação à inesgotabilidade da própria ciência.

Se a ciência é infinita e as teorias, limitadas, logo se conclui que elas deveriam ser continuamente revistas e expandidas ao longo do tempo. Por isso, reitero que os piores inimigos de uma teoria não são os seus críticos, mas seus discípulos radicais, ou seja, os que aderem rigidamente a elas, como se elas incorporassem a verdade essencial, aqueles que são incapazes de criticá-la, reciclá-la e expandi-la.

Há diversas teorias psicológicas perdendo espaço e credibilidade porque seus discípulos se sentem culpados de tentar reciclá-las. Às vezes, o que é pior, o receio de reciclar uma teoria não é devido à culpabilidade que possam ter, mas à falta de honestidade intelectual consigo mesmo, ao medo da crítica de seus pares, dos membros de sua sociedade psicoterapêutica. Tais entraves ocorrem fartamente também em outras ciências. Muitos têm medo de fazer um motim teórico. Aqueles que criticam e reescrevem uma teoria não a jogam no lixo nem desconsideram a capacidade intelectual do seu autor, mas acabam apreciando-a mais, usando-a como canteiro das idéias, embora não mais gravitem rigidamente em sua órbita.

É inadmissível que a Psicologia, a Filosofia, a Sociologia, a Educação, se fechem em torno de convenções exclusivistas, pois elas nunca atingem a verdade real, essencial, pois possuem fenômenos de estudos essencialmente inacessíveis e sensorialmente intangíveis, e uma produção de conhecimento que sofre um sistema de encadeamento distorcido. Essa rigidez compromete a democracia das idéias e a expansão da própria ciência.

AS TEORIAS NA MATEMÁTICA TAMBÉM SÃO LIMITADAS

De fato a ciência é inesgotável, mas as teorias, ainda que importantíssimas, são redutoras dela. Até na Matemática as teorias são limitadas. Até nas indiscutíveis operações de soma há limitações, pois 1 mais 1 só é 2 se o primeiro 1 é, em todos os níveis microessenciais, exatamente igual ao segundo 1. Porém, como tudo no universo é essencialmente distinto, justamente pelo fato de que dois elementos não ocupam o mesmo espaço num mesmo período de tempo, conclui-se que a Matemática, que parece a única ciência imutável, só é realmente imutável por artifícios intelectuais que não se verificam no universo essencial.

Filósofos como Descartes,[2] embora fossem de indiscutível inteligência, quiseram aplicar as leis da Matemática na Filosofia, na produção de conhecimento, visando expandir sua lógica. Porém, não compreenderam que a verdade da Matemática é antiessencial, ou seja, possui uma distância infinita com relação à verdade essencial, ainda que produza aplicabilidades e previsibilidades.

A compreensão lenta e gradual da inesgotabilidade da ciência e os limites da teoria, que mescla a Filosofia com a Psicologia, me incitou a pesquisar sem utilizar uma teoria de outro pensador como suporte da interpretação.

A restrita seqüência de fatos comprovados cientificamente diante da cadeia interminável de conhecimentos sobre os fenômenos já é em si mesma uma atitude autoritária da ciência. Como a cadeia do conhecimento com que a ciência lida é pequena e unidirecional, e como a própria consciência não incorpora a essência real do fenômeno que discursa, os fatos hoje comprovados cientificamente poderão deixar de ser verdades científicas no futuro ou sofrer grandes evoluções no seu discurso.

A ciência e a verdade "real" moram na mesma casa, mas estão em dois mundos distintos. Por isso, a ciência deveria ser uma amiga inseparável da democracia das idéias.

USANDO O CAOS INTELECTUAL PARA DESORGANIZAR AS DISTORÇÕES PRECONCEITUOSAS

O caos intelectual é um procedimento multifocal importante no processo de investigação e produção de conhecimento sobre a mente. Embora a busca do caos intelectual seja inalcançável em sua plenitude e pureza, sua busca pode ser uma ferramenta de pesquisa fundamental para investigarmos as variáveis sensorialmente intangíveis que co-interferem para fazer a leitura da memória e a produção dos pensamentos, da consciência existencial e das reações emocionais.

A busca do caos intelectual significa a busca da pureza no processo de observação, a busca da análise sem contaminação dos conceitos e preconceitos que temos daquilo que investigamos. O caos intelectual representa uma profunda revisão dos parâmetros do conhecimento, dos referenciais e dos paradigmas socioculturais arquivados na memória. A sua busca pode ser importantíssima para expandir as possibilidades de compreensão e de construção do conhecimento sobre os fenômenos de estudo, que no meu caso estão contidos na própria psique humana. Por que o caos intelectual — ou seja, a desorganização dos conceitos que temos sobre determinado objeto para o investigarmos de maneira mais pura, mais concernente ao que ele é e não ao que achamos que ele seja — é impossível de ser alcançado? Por que todo cientista tende a contaminar suas pesquisas com seus preconceitos? Porque a leitura da memória e a construção dos pensamentos são automáticas e realizadas, como estudaremos, por múltiplos fenômenos e não apenas pelo eu. Por isso a construção da inteligência é multifocal.

A busca do caos intelectual leva-nos a uma postura continuamente crítica e aberta no processo de observação e interpretação e um questionamento de nossa história intrapsíquica, que gera, momentaneamente, um estado de desorganização intelectual que nos imerge num mar de dúvidas sobre os fenômenos que investigamos e estudamos, fazendo-nos enfrentar nossos próprios limites intelectuais e perceber a facilidade com que contaminamos o processo de interpretação e distorcemos a construtividade do conhecimento sobre esses fenômenos. Devido à revisão crítica dos conceitos, idéias e pensamentos contidos nas nossas histórias intrapsíquicas e à postura crítica e continuamente aberta no processo de observação e interpretação, ocorre uma filtragem das contaminações da interpretação.

Ao mesmo tempo que se processa uma filtragem das contaminações da interpretação, ocorrerá uma expansão das possibilidades de compreensão e de construção do conhecimento sobre os fenômenos. Assim, os fenômenos serão observados e interpretados de maneira mais completa, pura, profunda, aberta. Portanto, a busca do caos intelectual gera pelo menos duas grandes conseqüências no processo de pesquisa e produção de conhecimento: a filtragem das contaminações da interpretação e a expansibilidade das possibilidades de compreensão e de construção do conhecimento. Esses dois procedimentos, derivados da busca do caos intelectual, contraem o autoritarismo das idéias e a ditadura do discurso teórico e contribuem para promover e redirecionar continuamente a produção de conhecimento científico.

O exercício da procura do caos intelectual é um procedimento de pesquisa e, mais do que isso, é uma postura intelectual aberta que destrói nossa rigidez e nos coloca como um eterno aprendiz na ciência e na trajetória existencial. Grande parte dos cientistas que, com o passar do tempo, deixam de exercitar, ainda que inconscientemente, a busca do caos intelectual, bem como a arte da pergunta, da dúvida e da crítica, se tornam estéreis. Os cientistas, os pensadores, os artistas que permanecem continuamente criativos e produtivos em sua trajetória existencial tomaram o caminho oposto, ainda que não chegassem a compreender teoricamente o caos intelectual e a "tríade de arte da pesquisa".

Qualquer comportamento, qualquer reação emocional ou qualquer fenômeno físico que observamos, procurando exercitar a busca do caos intelectual, irão se apresentar de maneira muito mais rica do que a simples exposição intelectual que possamos ter diante dos mesmos.

Uma pessoa pode contemplar um objeto de ferro atirado pelas ruas e, automaticamente, produzir o conceito de que está diante de um pedaço de ferro que não tem mais utilidade. Porém, se ele exercitar a busca do caos intelectual, criticar os conceitos, idéias e pensamentos que tem sobre esse objeto e se colocar de maneira profundamente crítica e aberta para interpretá-lo, certamente deixará de ver esse objeto apenas como um pedaço de ferro e expandirá as possibilidades de construção e de compreensão do conhecimento sobre ele.

Talvez, poderá enxergar naquele desprezível pedaço de ferro a história humana, o desespero humano, a comunicação interpessoal, a necessidade humana de poder e de contemplação do belo, o caos físico-químico. Talvez, no processo de expansão das possibilidades de construção do conhecimento, fique deslumbrado ao questionar sobre os séculos necessários para o homem dominar a tecnologia do ferro; sobre a energia psíquica e o sofrimento humano consumidos no aprimoramento da arte de fundir os minérios; sobre as angústias existenciais, a troca de informações e o debate de idéias gerados para se produzir materiais a partir do ferro; sobre a busca de prazer acompanhando o desenvolvimento da técnica, expressa pelas formas, estilos e cores dados a esses materiais para que os seus usuários não apenas os utilizassem, mas também contemplassem o belo a partir deles; sobre a utilização do ferro como instrumento de poder e de destrutividade; sobre as variáveis extrínsecas e intrínsecas que contribuem para a oxidação do ferro e conduzi-lo, ao longo dos anos, ao caos físico-químico; sobre os destinos que terão as partículas imersas no caos físico-químico nos ecossistemas.

Esse exemplo simples demonstra que a utilização do caos intelectual se choca com o autoritarismo das idéias e expande as possibilidades de construção e de compreensão do conhecimento sobre os objetos e fenômenos. Nesse exemplo, a busca do caos intelectual leva as ciências físicas a encontrar as ciências da cultura, principalmente a Psicologia e a Filosofia.

A TEORIA MULTIFOCAL E A FENOMENOLOGIA DE HUSSERL

Após ter desenvolvido idéias sobre os processos de construção dos pensamentos, da consciência existencial, da história intrapsíquica e do processo de transformação da energia psíquica, a partir dos procedimentos e das mesclagens intelectuais que utilizei, tive contato com alguns textos da fenomenologia de Husserl.[3]

Husserl foi um pensador de alta qualidade. Ele advoga a tese de que o observador deveria se colocar diante do fenômeno de estudo de maneira pura, ingênua. Portanto, não deveria utilizar uma teoria como suporte da interpretação, pois sua utilização contaminaria o processo de interpretação, reduzindo o fenômeno a elemento da teoria, circunscrevendo-o apenas dentro das possibilidades da teoria, contraindo seu caráter original.

Quando abordei o autoritarismo das idéias e a ditadura dos discursos teóricos, evidenciei que, apesar de uma teoria poder catalisar e promover a produção de conhecimento de um observador (ex., cientista, psicoterapeuta), ela também pode reduzir essa produção, principalmente se o observador gravitar em torno dela, utilizá-la como verdade irrefutável, desconhecer seus limites, alcance, lógica e validade. Nesse caso, o observador circunscreveria autoritária e ditatorialmente o fenômeno observado apenas dentro dos limites da teoria que abraça, não se abrindo a inúmeras outras possibilidades que o fenômeno revela.

Nesse sentido, a fenomenologia tem fundamento. Porém, discordo da fenomenologia de que a utilização de uma teoria é invariavelmente reducionista da produção de conhecimento, embora macule a originalidade do fenômeno, pois se utilizada dentro do campo da democracia das idéias e levando em consideração os processos de construção dos pensamentos e os limites e alcance básicos do conhecimento teórico, ela pode contribuir para expandir a produção do conhecimento, da cultura, do mundo das idéias. A teoria pode tanto embotar os pensamentos como pode catalisar, provocar e enriquecer a pesquisa científica, depende de quem a utiliza.

Apesar de a fenomenologia ter o brilhantismo filosófico de teorizar sobre o processo de contaminação das teorias formais, ela desconsidera que a maior de todas as teorias utilizadas no processo de interpretação não é a teoria formal (científica), mas a teoria histórico-existencial, ou seja, a história intrapsíquica arquivada na memória de cada ser humano, de cada observador.

Quando estudarmos os fenômenos que lêem a memória e constroem os pensamentos, constataremos que ler e utilizar as riquíssimas matrizes de informações não é uma opção do "eu", mas uma inevitabilidade. Ler e utilizar a memória independe da determinação do "eu". Podemos, no máximo, selecionar a leitura e a utilização da memória. Se fosse possível abortar a leitura da memória em um determinado momento, perderíamos a consciência de quem somos e de onde estamos.

A morte da história intrapsíquica implica a morte da consciência humana, a morte do homem como ser pensante. A história social, contida nos livros, é o leme intelectual que direciona a trajetória sociopolítica de uma sociedade, e a história intrapsíquica, contida na memória, é o leme intelectual que direciona a trajetória da produção de pensamentos de um indivíduo.

É possível abster-se de utilizar uma teoria formal (científica) como suporte da interpretação na investigação dos fenômenos, mas não é possível livrar-se da teoria histórico-existencial na investigação dos mesmos, pois o caos da energia psíquica é reorganizado a partir da leitura da memória.

Dessa leitura se produzem as matrizes dos pensamentos essenciais históricos, que sofrerão um misterioso processo de leitura virtual, gerando os pensamentos dialéticos e antidialéticos. Portanto, o maior desafio não é se precaver contra as contaminações da interpretação da teoria formal, mas contra as contaminações da teoria histórico-existencial. Deveríamos aprender a descontaminar o processo de observação e interpretação, tanto quanto possível, das distorções preconceituosas contidas na memória e, ao mesmo tempo, expandir as possibilidades de construção e compreensão do conhecimento dos estímulos pesquisados.

Provavelmente, muitos cientistas, intelectuais, pensadores, psicoterapeutas, executivos e qualquer tipo de pessoa que realiza algum tipo de trabalho intelectual, contaminam e reduzem excessivamente sua produção de conhecimento com as teorias que utilizam, principalmente com a teoria histórica.

É inevitável que todo pensamento, por ser gerado pelo processo de interpretação, reduza as dimensões dos fenômenos observados. A leitura da história intrapsíquica, se não for revisada, produz toda sorte de distorções da interpretação e, conseqüentemente, distorções na produção de conhecimento, além de produzir toda sorte de discriminações e de atitudes superficiais que induzem a um excesso de explicações psicológicas superficiais.

Todo homem lê sua memória e torna-se um exímio engenheiro quantitativo de idéias, embora nem sempre qualitativo; até as pessoas tímidas o são. Aliás, as pessoas tímidas falam pouco, mas pensam muito. Pensar não é uma opção do homem; pensar é o destino do homem; pensar é uma inevitabilidade.

UMA POSTURA CONTINUAMENTE ABERTA

Todos temos fenômenos intrapsíquicos que vivem num fluxo vital e que reorganizam o caos da energia psíquica, através da leitura multifocal da história intrapsíquica; por isso, todos somos grandes engenheiros de idéias, ainda que estas sejam superficiais. Por ser um exímio engenheiro de idéias, o homem tem tendência para produzir idéias e pensamentos superficiais sobre os problemas existenciais, sobre as relações humanas, sobre os problemas sociopolíticos, sobre os fenômenos científicos e até sobre Deus, sem muita consciência crítica, sem muito respeito à própria inteligência, sem realizar uma análise crítica dos fundamentos que embasam seus julgamentos da interpretação, sem se colocar de maneira aberta e crítica no processo de observação e interpretação.

É possível usar teorias para catalisar e promover a revolução das idéias em todas as áreas das ciências e, como disse, também é possível contaminar a revolução das idéias pelo uso dessas teorias, por não usá-las criticamente, por gravitar em torno delas.

Não usei nenhuma teoria existente na ciência para pesquisar o funcionamento da mente e produzir a teoria contida neste livro. Porém, mesmo tendo a ousadia de não usar textos de outros autores não estou livre de contaminar os processos de observação, interpretação e produção de conhecimento, pois posso contaminá-los pela leitura do meu passado. Assim, quando observo, interpreto e produzo conhecimento, sem uma crítica multifocal e sem uma postura continuamente aberta, posso comprometê-los com um conjunto de experiências arquivadas na minha memória, experiências que chamo de RPSs (representações psicossemânticas diretivas e associativas). Por isso, há anos tenho desenvolvido e utilizado a busca do caos intelectual para dessensibilizar-me das contaminações da minha história intrapsíquica, das contaminações das RPSs diretivas e associativas, e para expandir as possibilidades de construção do conhecimento.

Muitos críticos de arte, psicólogos, professores, promotores, pesquisadores científicos etc., não têm consciência de que contaminam excessivamente seus julgamentos críticos através da leitura das suas histórias intrapsíquicas. Eles interpretam os estímulos baseados muito mais em suas histórias intrapsíquicas do que nas possibilidades que eles apresentam.

Como realizar o desafio intelectual de procurar descontaminar-se da teoria histórica e, ao mesmo tempo, de abrir as possibilidades de construção do conhecimento? Para isso, precisamos usar sistematicamente a "tríade de arte da pesquisa" e a busca do caos intelectual. Precisamos procurar intensamente a busca do caos intelectual para desorganizar, tanto quanto possível, os referenciais históricos, os paradigmas socioculturais, os estereótipos sociais e os padrões de reações intelectuais que estão contidos na história intrapsíquica.

Procurei fazer continuamente, ao longo dos anos, um questionamento sistemático dos conceitos contidos na minha história intrapsíquica. Procurei também exercitar uma postura continuamente aberta no processo de observação e interpretação dos fenômenos que participam e co-interferem para gerar os processos de construção da inteligência. Em tese, fui aprendendo a aplicar a "tríade de arte da pesquisa" e a busca do caos intelectual diante de cada comportamento do "outro" e em cada fenômeno ou variável intrapsíquica que observava em minha própria mente.

A busca do caos intelectual jamais desorganiza totalmente a história intrapsíquica e, conseqüentemente, os conceitos, as idéias, os pensamentos, as informações, os parâmetros etc., contidos nela; caso contrário, não conseguiríamos pensar e desenvolver a consciência existencial; portanto, ela não faz um cientista se livrar de todas as contaminações no processo de interpretação, mas o faz constantemente reorientar e redirecionar o processo de observação, interpretação e produção de conhecimento.

Quando nos colocamos diante de um estímulo, objeto ou fenômeno, buscando o caos intelectual, ele se apresenta, como disse, totalmente novo para nós, mais condizente com suas potencialidades. Se os educadores, os promotores, os juízes de direito, os psicoterapeutas, os médicos e os cientistas aprenderem a ter uma postura aberta no processo de observação e interpretação, certamente darão um salto qualitativo e quantitativo em suas produções de conhecimento.

Procurar desorganizar, tanto quanto possível, os conceitos prévios que possuímos, através da busca do caos intelectual pode criar em nós grande confusão intelectual na fase inicial do processo de observação, interpretação e produção do conhecimento, mas pouco a pouco nos descontaminará interpretativamente, tanto quanto possível, dos autoritarismos das idéias e das ditaduras dos discursos teóricos, e expandirá as possibilidades de construção e de compreensão dos objetos e fenômenos que contemplamos.

Há enormes lacunas nas teorias psicológicas, psiquiátricas, sociológicas, psicopedagógicas, porque muitos teóricos não conheceram e, portanto, não desenvolveram a busca do caos intelectual em sua trajetória de pesquisa e produção de conhecimentos. Muitos deles também não utilizaram a "tríade de arte da pesquisa" e a análise das variáveis da interpretação e dos sistemas de co-interferências dessas variáveis. A não-utilização desses procedimentos gerou uma redução na reorganização e expansão contínua destas teorias.

Encorajo os leitores a se interiorizar e a não ficar receosos com as dúvidas e inseguranças geradas pela busca do caos intelectual. A arte da dúvida e da crítica são os princípios básicos da sabedoria existencial. As pessoas que mais causaram danos à humanidade foram as que nunca aprenderam a duvidar e a criticar a si mesmas. Por outro lado, os pensadores, cientistas e teóricos que mais contribuíram com a expansão da ciência e das idéias humanísticas foram os que apreciaram a arte da dúvida (incluindo a arte da formulação das perguntas) e da crítica e, mesmo que não tenham produzido conhecimento sobre o caos intelectual, vivenciaram alguns dos seus efeitos psicodinâmicos.

O caos intelectual pode ser um precioso estágio no processo de aprimoramento do conhecimento e de desenvolvimento da inteligência. É provável que uma grande parte dos profissionais e dos pesquisadores não fazem uma escalada introspectiva em busca do caos intelectual e, conseqüentemente, das duas possibilidades geradas por ele (descontaminação da interpretação e expansão do conhecimento); por isso se tornam, freqüentemente, retransmissores do conhecimento e, raramente, pensadores que promovem a ciência e as idéias humanistas.

Muitos médicos e psicólogos clínicos não exercem suas profissões como pensadores humanistas, pois estão sempre querendo submeter o homem e, o que é pior, a própria doença humana, aos limites da teoria que abraçam, e não, ao contrário, submeter as teorias que utilizam à complexidade e à variabilidade humana. Por isso, nem sempre os melhores estudantes, os que mais incorporam conhecimento e armazenam cultura, se tornam os melhores profissionais, pois, em vez de serem pensadores versáteis, que expandem o mundo das idéias e as soluções inteligentes, eles se comportam como retransmissores da cultura, engessados intelectualmente.

Quem não conhece minimamente os limites e o alcance de uma teoria formal e da teoria histórico-existencial arquivada na memória, quem não exercita minimamente a "tríade de arte da pesquisa" e a busca do caos intelectual, ainda que desconheça teoricamente estes procedimentos, e, além disso, quem tem dificuldade para questionar e reorganizar continuamente sua produção de conhecimento, engessa sua inteligência e pratica um controle intelectual autoritário contra esses fenômenos. Essas pessoas, ainda que tenham feito uma brilhante carreira acadêmica, não contribuem com a expansão das ciências, não alargam as fronteiras do conhecimento, pois reduzem ou até mesmo abortam as possibilidades de compreensão expressas pelos próprios fenômenos.

Um bom pensador, do meu ponto de vista, não é apenas alguém que produz uma teoria eloqüente, com brilhantismo literário, mas, principalmente, aquele que recicla criticamente os procedimentos que utiliza, o conhecimento que produz (postulados, hipóteses, sistemas de conceitos), bem como o que procura colocar à prova as derivações da sua teoria e, mais ainda, o que investiga e indaga os limites, o alcance, a lógica, a validade e a práxis da sua própria teoria. Enfim, um bom pensador é um "eterno" insatisfeito com a teoria que produz, um "eterno" aprendiz, uma "eterna" gestante de idéias.

A NATUREZA, LIMITES E ALCANCE DOS PENSAMENTOS

A natureza do conhecimento possui em si mesma uma indescritível complexidade. O conhecimento sobre a essência intrínseca dos objetos e fenômenos, embora nem sempre seja achista, mas às vezes assuma um discurso teórico científico importante, jamais incorpora a realidade essencial dos mesmos. O conhecimento é um sistema de intenções que define e discursa virtualmente o universo investigável.

O conhecimento sobre os átomos não é a essência intrínseca dos átomos, mas um sistema de intenções que tenta defini-los e conceituá-los. O conhecimento sobre o humor deprimido ou a ansiedade do "outro" não é a essência intrínseca da energia emocional deprimida ou ansiosa dele, mas um sistema de intenções que tenta defini-la, conceituá-la, descrevê-la, compreendê-la, enfim, acusá-la e discursá-la teoricamente.

O pensamento dialético e o antidialético são os dois tipos básicos de pensamentos conscientes. Eles são produzidos a partir da leitura virtual das matrizes dos códigos dos pensamentos essenciais históricos. Os pensamentos essenciais históricos são fruto de finíssimas e instantâneas leituras da história intrapsíquica. As matrizes de pensamentos essenciais históricos são produzidas, em milésimos de segundos, por quatro fenômenos que utilizam a história intrapsíquica arquivada na memória: o fenômeno da autochecagem da memória, a âncora da memória, o fenômeno do autofluxo e o eu. Os pensamentos dialéticos e antidialéticos são usados como a ferramenta intelectual para construção do conhecimento consciente, seja na cientificidade seja na coloquialidade.

Os pensamentos dialéticos e antidialéticos produzem os limites, o alcance e a lógica do conhecimento consciente. Entre o conhecimento consciente e a realidade essencial dos objetos e fenômenos há uma distância infinita, um antiespaço entre o virtual (consciência) e o real (fenômeno essencial). Entre as interpretações de um psicoterapeuta e a realidade essencial da ansiedade de seu paciente há, ainda que ele não perceba, uma distância "infinita", separadas pelo intransponível fosso entre a consciência virtual do psicoterapeuta e a realidade essencial do paciente. Essa distância se reproduz em todos os níveis das relações interpessoais: nas relações entre pais e filhos, nas relações profissionais, entre jurados e o réu, entre amigos etc. Porém, embora as relações interpessoais tenham a separá-las um fosso intransponível, não deveríamos imaginar que elas são pobres por causa disso; pelo contrário, são arquiteturas psicodinâmicas riquíssimas, produzidas pelo processo de construção da consciência existencial.

Apesar das limitações da consciência virtual, as relações interpessoais serão riquíssimas se aprendermos a reconstruir interpretativamente o "outro", com mais justiça em relação ao que ele é, ainda que essa reconstrução seja sempre devedora à sua realidade essencial. Conhecemos o outro a partir de nós mesmos; daí a imensa responsabilidade de reconstruirmos o "outro" condizente ao que o "outro é" e não em relação ao que "nós somos". Infelizmente, muito do que falamos do "outro" diz mais a nosso respeito do que a ele mesmo. Há muitos pais, executivos, intelectuais, psicoterapeutas, professores que criticam, acusam, descrevem, julgam o "outro" (filhos, alunos, subordinados, pacientes), porém não percebem que esse "outro" não é a realidade essencial do "outro", mas o "outro virtual" que reconstruíram interpretativamente em suas mentes. O grande problema é que, muitas vezes, essa reconstrução dá-se restritivamente, gerando um preconceituosismo histórico e um processo de compreensão superficial que criam enormes distorções e injustiças na interpretação em relação ao que o "outro" realmente é.

A essência intrínseca dos objetos e dos fenômenos só pertence a eles mesmos, pois ela é inconsciente para si mesma, vive a dramática condição da inconsciência existencial. O conhecimento, por sua vez, não tem existência própria nem é dado pela simples sensação ou percepção sensorial; ele é produzido pelo processo de interpretação a cada momento da interpretação. O conhecimento consciente, enquanto "natureza virtual consciente", que acusa e discursa a realidade essencial do mundo intra e extrapsíquico, nem mesmo tem essência própria, pois, como foi dito, sua natureza é virtual, antiessencial. A base da essência do conhecimento não está, portanto, na consciência em si, já que esta é antiessencial, mas nas matrizes dos "pensamentos essenciais históricos inconscientes", que sofrem um complexo processo de leitura virtual e que, conseqüentemente, gera as idéias, as análises, as sínteses, os pensamentos antecipatórios, as recordações, enfim, toda racionalidade consciente.

O conhecimento consciente, embora tenha sempre uma natureza antiessencial, tem grandes diferenças qualitativas, principalmente no que tange aos sistemas de relações virtuais que mantêm com a realidade essencial ou verdade essencial dos objetos, dos fenômenos e do "outro".

O que distingue um conhecimento coloquial, meramente especulativo, de um conhecimento científico, não é o fato de o primeiro ser falso e o segundo essencialmente verdadeiro. Ambos foram produzidos pelo processo de interpretação e, portanto, ambos são consciências virtuais e, conseqüentemente, não contêm a verdade essencial. Porém, o segundo (o conhecimento científico) pode conter a verdade científica ou virtual, pois foi produzido com critérios e procedimentos que resultaram, conseqüentemente, em conteúdos e conseqüências científicas. Entre essas conseqüências científicas encontram-se a coerência teórica, a organização das idéias, a comprovação de argumentos, a predição de fenômenos, a aplicabilidade do conhecimento, o desenvolvimento de técnicas, etc.

A verdade científica tem um sistema de relação virtual com a verdade essencial; desse sistema derivam todas as conseqüências científicas. A verdade científica e suas conseqüências deveriam ser continuamente expansivas. A verdade essencial também é continuamente expansiva, principalmente se levarmos em consideração o caos físico-químico (objetos e fenômenos) e o caos da energia psíquica, expandindo as possibilidades de construção. Porém, nunca devemos nos esquecer de que a verdade científica possui um fosso intransponível com a realidade essencial, que a verdade científica é sempre devedora da verdade essencial.

A verdade essencial será sempre inesgotável devido à infinitude da microessência, ao caos essencial e ao sistema de micro e macrorrelações que o fenômeno mantém com o universo essencial circundante. Também será sempre inatingível pela consciência virtual, pois esta é antiessencial. Porém, apesar da inesgotabilidade e da inatingibilidade da verdade essencial, a verdade científica deverá sempre procurá-la com ansiedade para que seu discurso teórico-científico possa expandir cada vez mais o sistema de relação virtual com ela e, conseqüentemente, possa também expandir cada vez mais as conseqüências científicas. A inesgotabilidade e inatingibilidade da verdade essencial tornam também inesgotáveis a ciência, a cultura e as artes.

Devemos nos lembrar de que, assim como podemos reconstruir o "outro" de maneira distorcida, podemos construir as "verdades científicas" sobre as avenidas do autoritarismo das idéias, sem um sistema de relação com a verdade essencial dos objetos e fenômenos de estudo. Isso tem acontecido com freqüência na ciência. Nas relações humanas, elas também têm ocorrido com grande freqüência até os dias de hoje, o que se expressa, por exemplo, pelo discurso da superioridade dos brancos em relação aos negros, pelo discurso nazista da superioridade da raça ariana em relação à raça judia e demais povos, pelo discurso dos povos do primeiro mundo em relação aos trabalhadores clandestinos em suas sociedades. Esses discursos intelectualmente superficiais maculam a história, deixam profundas cicatrizes anti-humanísticas.

O processo de interpretação se constitui dos sistemas de co-interferências de variáveis presentes, a cada momento existencial, nos bastidores inconscientes da inteligência. O processo de interpretação se constitui de cinco importantes etapas da interpretação, das quais as três primeiras são inconscientes e as duas últimas conscientes. Nas etapas iniciais se formam as matrizes dos pensamentos essenciais históricos, que são inconscientes. Os conhecimentos científicos e coloquiais são formados na quarta e quinta etapas da interpretação.

A complexidade dos sistemas de variáveis da interpretação que atuam no âmago da psique faz com que a construção do conhecimento sofra, em todas as etapas da interpretação, complexos e sofisticados sistemas de encadeamentos distorcidos, que leva essa construção a ultrapassar os limites da lógica. Assim, pelo fato de o conhecimento ser produzido pelo processo de interpretação, ele facilmente pode ser distorcido, contaminado. Por isso, como eu já disse, as verdades científicas podem possuir pouca ou nenhuma relação com a verdade essencial, o que as fazem ser revisadas e modificadas ao longo das gerações.

Devido ao sistema de encadeamento distorcido, ocorrido no processo de construção do conhecimento, o homem não apenas pode distorcer com facilidade a verdade essencial, mas também entrar facilmente no território das contradições intelecto-emocionais. Ele é capaz de experimentar intensas reações fóbicas diante de pequenos e inofensivos animais e de antecipar situações do futuro e vivenciá-las como se fossem reais, embora o futuro ainda seja uma irrealidade. Ele também é capaz de se preocupar intensamente com sua imagem social, ou seja, com o que os outros pensam e falam de si, embora o "outro" jamais penetre essencialmente dentro do seu próprio universo intrapsíquico.

Concluindo, todo conhecimento é produzido invariavelmente pelo processo de interpretação multifocal, advindo da leitura e utilização da história intrapsíquica, debaixo da influência dos sistemas de co-interferências das variáveis da interpretação. Todos os objetos e fenômenos de estudos intrapsíquicos e extrapsíquicos não são acessíveis essencialmente à consciência existencial ou intelectual, pois esta é virtual, antiessencial. Por isso, o processo de interpretação tem a complexa tarefa de reconstruí-los interpretativamente através da construção de pensamentos dialéticos e antidialéticos. A construção desses pensamentos produz a consciência existencial, que nos tira da dramática e indescritível condição da solidão da inconsciência existencial.

A consciência existencial discursa sobre os fenômenos e objetos intrapsíquicos e extrapsíquicos. Porém, ela não incorpora a realidade essencial dos fenômenos e dos objetos, mas é uma interpretação deles na esfera da virtualidade. Por um lado, a consciência existencial, além de ser devedora da realidade essencial, pode ser excessivamente distorcida pela flutuabilidade das variáveis intrapsíquicas e contaminada pelos julgamentos prévios contidos na história intrapsíquica e socioeducacional, bem como pela ação psicotrópica de determinadas drogas e das substâncias psicoativas neuroendócrinas determinadas geneticamente. Por outro lado, quanto mais a consciência existencial mantém um sistema de relação com a verdade essencial, mais ela conquista um *status* de verdade científica, capaz de resultar em aplicabilidade e previsibilidade de fenômenos.

Se a verdade essencial é um objetivo a ser procurado ansiosamente pela ciência, mas nunca atingido pela consciência existencial, e se a universalidade científica (a verdade científica universal), principalmente no terreno da construção dos pensamentos dialéticos, fonte de construção da própria ciência, submete-se ao campo da flutuabilidade e evolutividade de determinadas variáveis intrapsíquicas, então por que o sistema acadêmico possui, na prática, ainda que não admita no discurso teórico, uma postura universal rígida, como se fosse idêntica à inalcançável verdade essencial, de ser o centro da produção de intelectuais? Nunca na história uma instituição teve a função de ser um canteiro da inteligência, mas paradoxalmente engessou a arte de pensar. Essa frase, derivada da relação da verdade científica com a verdade essencial, é uma síntese do meu pensamento crítico-epistemológico dessa postura das universidades. Muitas universidades se fecharam em torno de determinadas convenções, comprometendo, assim, a nobilíssima vocação de serem uma universidade de idéias, uma usina do pensamento.

Quais as conseqüências disto? Entre elas está a incapacidade que a ciência tem de resolver os problemas essenciais da sociedade. Faltam idéias e pensadores brilhantes que possam contribuir para dar soluções para os problemas humanos fundamentais.

No século XIX e principalmente no século XX, a ciência teve um desenvolvimento explosivo. Alicerçado na ciência, o homem se tornou ousado em seu sonho de progresso e modernidade. A ciência se tornou o deus do homem. Ela prometia conduzi-lo a dar um salto nos amplos aspectos da prosperidade biológica, psicológica e social. A solidariedade cresceria, a cidadania floresceria, a solidariedade seria a tônica das relações sociais, a riqueza material se expandiria e atingiria todo ser humano, a miséria social seria extinta. As guerras, as discriminações e as demais violações dos direitos humanos seriam lembradas apenas nas páginas da história.

A ciência fazia uma grande e espetacular promessa. Era uma promessa não expressa por palavras, mas, ainda assim, era forte e arrebatadora. Era uma promessa sentida a cada momento que a ciência dava um salto espetacular na engenharia civil, na mecânica, na eletrônica, na medicina, na genética, na química, na física. A expansão do conhecimento se tornava incontrolável. Cada ciência se multiplicava em novas ciências. Cada viela do conhecimento se expandia e se tornava bairros inteiros de informações. Encontrava-se um microcosmo dentro das células. Descobria-se um mundo dentro dos átomos. Compreendia-se um mundo com bilhões de galáxias que pulsava no espaço.

As universidades foram fundamentais nesse processo. Elas se tornaram a força motriz do desenvolvimento humano. Porém, com o passar do tempo, como aconteceu com as grandes instituições que atingiram o topo do sucesso, as universidades entraram em decadência, ainda que a maioria das pessoas não consigam perceber. O conhecimento foi institucionalizado, os grandes teóricos se tornaram escassos, a hierarquia acadêmica substituiu o livre pensamento, as grandes teorias desapareceram. O resultado é que a ciência, embora tenha-se expandido como nunca na história, frustrou o homem.

De um lado ela fez muito e continua fazendo muito. Ela causou uma revolução tecnológica no mundo extrapsíquico e até mesmo no corpo humano, através dos avanços da medicina. Ela revolucionou o mundo exterior, o mundo de fora do homem, mas não revolucionou o mundo intrapsíquico, o mundo de dentro do homem, o cerne da sua alma. Ela levou o homem a conhecer o imenso espaço, mas não sabe como prevenir as doenças psíquicas e psicossomáticas, bem como os homicídios e os suicídios. Ela produziu veículos automotores facilmente dirigíveis, mas não produziu veículos psíquicos capazes de levar o homem a gerenciar seus pensamentos negativos e a proteger sua emoção nos focos de tensão. Ela produziu máquinas para arar a terra e cultivar alimentos, mas não produziu princípios psicológicos e sociológicos para "arar" a rigidez intelectual humana e cultivar a tolerância, a preocupação com o outro, o prazer de viver, o sentido da vida. Ela produziu máquinas computadorizadas que executam tarefas intelectuais rápidas e brilhantes, mas não produziu mecanismos para que o diálogo e a solidariedade sejam usados como ferramentas para solucionar as crises humanas e prevenir não apenas os conflitos interpessoais que vertem as lágrimas, mas também as guerras que vertem o sangue.

A ciência não causou a tão sonhada revolução da qualidade de vida e da preservação dos direitos humanos. O homem do terceiro milênio se sentiu frustrado, perdido, confuso, sem âncora intelectual para se segurar. Se as universidades não revirem seus pilares e paradigmas fundamentais continuaremos a não multiplicar a arte de pensar e o mundo das idéias, continuaremos a ter um conceito deturpado sobre o que é um ser que pensa, o que é ser um intelectual, o que é ser uma pessoa inteligente e quais as funções mais importantes da inteligência.

A PESQUISA EMPÍRICA ABERTA GEROU A TEORIA MULTIFOCAL

Pesquisa empírica é a pesquisa que interpreta os seus objetos de estudo. Neste livro, toda pesquisa científica é chamada de "empírica", pois todos os objetos e fenômenos de estudos das ciências, tanto das ciências físicas, químicas e biológicas como das ciências da cultura (Psicologia, Educação, Direito) são essencialmente inacessíveis à consciência intelectual e, portanto, precisam ser interpretados para serem conscientizados nos palcos conscientes da mesma.

Os objetos e fenômenos intrapsíquicos (idéias, reações fóbicas, humor deprimido) e extrapsíquicos (células, reações químicas, materiais) são sempre inacessíveis essencialmente. Porém, a grande maioria dos objetos e fenômenos extrapsíquicos têm uma grande vantagem em relação aos intrapsíquicos, ou seja, são tangíveis ou perceptíveis sensorialmente, seja pela simples observação ou por utilização de técnicas e instrumentos, por isso são passíveis de serem controlados. Chamo as pesquisas nas ciências físicas, químicas e biológicas de "pesquisas empíricas controladas". São "empíricas" porque são frutos do processo de interpretação e, conseqüentemente, a produção de conhecimento decorrente das mesmas apenas acusa e discursa dialeticamente sobre os fenômenos e os objetos interpretados, mas não os incorpora essencialmente. São controladas porque são tangíveis sensorialmente, e as variáveis que norteiam seus objetos e fenômenos, tais como luminosidade, temperatura, umidade etc., são passíveis de ser controladas por técnicas e instrumentos no processo de pesquisa.

Nas ciências da cultura, as pesquisas são chamadas de "pesquisas empíricas abertas". São "empíricas" porque são frutos do processo de interpretação e, conseqüentemente, a produção de conhecimento derivada das mesmas apenas discorre teoricamente sobre os fenômenos psíquicos e psicossociais interpretados, mas não os incorpora essencialmente. São "abertas" porque seus fenômenos de estudo, além de ser imperceptíveis sensorialmente, as variáveis que os envolvem não são controladas no processo da pesquisa. Não há técnicas nem instrumentos que possam investigar a essência intrínseca da ansiedade, do desespero, da insegurança, dos sentimentos de prazer, das idéias etc., nem que possam controlar as variáveis que participam da construção delas. No máximo, pode-se observar sistemática e criteriosamente o comportamento humano; mas eles são expressões pobres, restritivas, das complexas experiências psíquicas; ou então fazer um processo de introspecção aberta e crítica para observar, também criteriosa e sistematicamente, os processos e fenômenos envolvidos na construção dos pensamentos.

Hoje é também possível fazer pesquisas sobre bioquímica e fisiologia cerebral dentro dos limites da bioética, principalmente com pacientes portadores de patologias neurológicas e psiquiátricas ou com animais, visando transpor o conhecimento do sistema nervoso central deles para o homem. Ainda é possível fazer o mapeamento cerebral pela cintilografia computadorizada e por outras técnicas de ponta. Porém, todas essas técnicas trazem pouquíssimas evidências sobre o complexo campo de energia psíquica e a sofisticada operacionalidade multifocal dos fenômenos que promovem o funcionamento da mente.

A construtividade dos pensamentos e da consciência existencial é complexa e multivariável. A inteligência não sofre apenas uma influência da carga genética, do metabolismo dos neurotransmissores, dos fatores socioculturais e emocionais; sua construtividade é muito mais complexa do que até hoje a ciência tem descoberto.

Há mais de três dezenas de variáveis que co-interferem na construção da inteligência, dificílimas de ser investigadas, e que fazem mesmo o mais simples pensamento ter uma arquitetura psicodinâmica indescritível. Diante de todos esses entraves no processo de pesquisa sobre a psique humana, é possível ter uma idéia de por que há tantas teorias psicológicas, filosóficas, sociológicas, psicopedagógicas tão diferentes umas das outras.

Todos esses entraves evidenciam a necessidade de usar na "pesquisa empírica aberta" procedimentos mais amplos e complexos do que os procedimentos ortodoxos usados na pesquisa acadêmica, tais como a simples utilização de uma teoria como suporte da interpretação, os levantamentos bibliográficos, o estabelecimento de postulados prévios, as aplicações metodológicas, a seletividade de dados e a análise unifocal dos mesmos.

Precisamos usar procedimentos, tais como a "tríade de arte da pesquisa", a análise das variáveis da interpretação, a análise dos sistemas das variáveis, que co-interferem para gerar os processos de construção da inteligência, a busca do caos intelectual, para que possamos expandir o mundo das idéias sobre o funcionamento da mente e o processo de construção dos pensamentos. A pesquisa empírica aberta abre as janelas de nossa inteligência.

Capítulo 3

A Memória e os Três Tipos de Pensamentos

O HOMO INTERPRES E O INTELLIGENS

Homo interpres é o homem inconsciente, representado pelos territórios da memória e pelo conjunto de fenômenos inconscientes que produzem o funcionamento da mente humana, dos quais destaco os fenômenos RAM, da psicoadaptação, da autochecagem, da âncora da memória, do autofluxo. Como estudaremos, eles são responsáveis pelo registro das informações na memória, pela leitura da mesma e pela construção das cadeias de pensamentos e das reações emocionais.

Homo intelligens é o homem consciente, representado pelo eu, o grande fenômeno consciente da inteligência. Através do eu, temos a consciência existencial, ou seja, a consciência de que existimos e de que há um mundo que existe e pulsa ao nosso redor. Além disso, temos a consciência de que pensamos e nos emocionamos e podemos administrar os pensamentos e as emoções.

O *Homo intelligens* é resultado do *Homo interpres,* pois todos os fenômenos que produzem a nossa consciência são inconscientes. Para confirmar esse fato, basta citar que não sabemos como penetramos nos labirintos da memória e resgatamos as informações que constituem os pensamentos conscientes.

O eu faz leitura da memória e constrói cadeias de pensamentos, porém, ao contrário daquilo em que até hoje a psicologia acreditou, a maioria dos pensamentos que diariamente produzimos não é produzida debaixo do controle consciente do eu, mas pelos complexos fenômenos que estão imersos no campo de energia inconsciente da alma humana.

O *Homo interpres* faz com que, freqüentemente, os processos de construção dos pensamentos e da consciência existencial ultrapassem os limites da lógica. Por que o homem consciente é freqüentemente ilógico? Por que diante de pequenos problemas ele sofre grande impacto emocional e, às vezes, diante de grandes problemas mantém sua coerência e lucidez? Por que diante de uma pequena barata ou diante de elevador algumas pessoas têm reações fóbicas inadministráveis? O grande motivo desses paradoxos é que no seu território inconsciente há uma série de variáveis e fenômenos que ele não controla.

Quem controla todos os pensamentos produzidos no palco de nossa mente? E as emoções, quem consegue submetê-las plenamente ao governo de sua vontade? Podemos gerenciar o mundo mas é muito difícil administrar a colcha de retalhos que constituem a nossa inteligência. A partir de agora, vamos estudar o cerne do funcionamento da mente e, talvez, o maior de todos os espetáculos do universo: o espetáculo da construção dos pensamentos.

A MEMÓRIA

A memória é uma das estruturas mais misteriosas e fundamentais da inteligência humana. Grande parte dos textos que produzi sobre a memória não será abordada neste livro. A localização anatômica da memória no córtex cerebral, bem como a fisiologia e bioquímica da mesma não pertencem à minha área de pesquisa, mas às neurociências. Aqui estudaremos algo mais importante do que sua anatomia. Analisaremos os seus papéis, investigaremos a memória como suporte da construção da racionalidade, do mundo intelectual.

O senso comum confunde erroneamente memória com inteligência. Para ele, quem tem melhor memória ou melhor capacidade de lembrança é mais inteligente. Esse conceito é desprovido de fundamento, pois estudaremos que, ao contrário do que milhões de educadores pensam, não existe lembrança. Não há lembrança das informações contidas na memória, mas reconstrução das mesmas. Esse fato rompe com um dos mais sólidos paradigmas que sustenta a educação clássica. Os professores enfileiram os alunos durante toda a vida escolar para lhes transmitir informações, tendo a falsa crença de que a memória é um depósito delas. Todavia, a memória simplesmente não tem essa função.

A memória armazena a história intrapsíquica, que é composta de milhões de experiências de prazer, medo, apreensão, tranqüilidade, raiva, que temos durante toda nossa vida, iniciando pela vida intra-uterina. Entretanto, pelo fato de a memória armazenar os segredos de nossa história, pensamos ingenuamente que a função dela é funcionar como depósito de informações. Assim, cremos falsamente que a hora que quisermos poderemos usá-las de maneira pura — como retirar uma roupa do armário ou um alimento da dispensa. Armazenamos as informações na memória, mas, quando as lemos e utilizamos, elas não são mais exatamente as mesmas informações. É como você colocar uma peça de roupa no armário e depois de uma semana, quando for utilizá-la, ela mudou de cor, encolheu ou aumentou.

Temos de ter consciência de que a leitura da memória é uma das mais importantes variáveis que participam da construção da inteligência. Existem dezenas de outras variáveis que também participam dessa leitura. Por isso, o resgate das informações, principalmente das experiências do passado carregadas de emoções, nunca é uma lembrança pura, mas uma reconstrução distinta, ainda que minimamente, dessas experiências. Retomaremos esse assunto adiante.

O REGISTRO DAS INFORMAÇÕES

Como as informações se armazenam na memória? Como as complexas experiências emocionais, tais como a insegurança, o prazer e as reações fóbicas, se registram na memória e ficam disponíveis para serem resgatadas? Essas questões são fundamentais.

Cada informação ou experiência psíquica é armazenada na memória como um sistema de código físico-químico, que chamo de representação psicossemântica, RPS. As RPSs são sistemas de códigos físico-químicos que representam o significado (semântica) ou conteúdo das experiências psíquicas (pensamentos, idéias, raciocínios analíticos, ansiedades, angústias existenciais, prazeres) e das informações psíquicas (nomes, números, símbolos lingüísticos, símbolos visuais, fórmulas matemáticas).

As "informações psíquicas" são mais objetivas; por isso, as RPSs que as representam na memória são mais bem organizadas. Essas condições facilitam a leitura e a recordação ou interpretação das mesmas, que normalmente são realizadas com menos distorções.

As "experiências psíquicas" são mais subjetivas e complexas; portanto, são menos organizadas, e sua reconstrução pela interpretação é realizada com mais distorção. Dentre as experiências psíquicas, os pensamentos existenciais, as idéias, os raciocínios analíticos, enfim, as construções psicodinâmicas dos pensamentos são mais organizadas do que as transformações da energia emocional, o que facilita a leitura e a interpretação das mesmas com mais fidelidade em relação às experiências psíquicas originais, ou seja, em relação às experiências psíquicas que deram origem às RPSs iniciais.

As experiências emocionais e motivacionais são complexas e difíceis de ser organizadas em sistemas de códigos físico-químicos; por isso, suas leituras e reconstrução pela interpretação são passíveis de ser recordadas ou reconstruídas interpretativamente com muitas distorções. Como organizar adequadamente, em sistemas de códigos físico-químicos, uma complexa experiência fóbica, uma angústia decorrente de algum problema existencial ou uma experiência de prazer? As RPSs das experiências emocionais e motivacionais são sempre redutoras e simplistas em relação às mesmas.

A trajetória de pesquisa e produção de conhecimento sobre a memória, do ponto de vista psicológico, psicodinâmico e psicossocial, inclui:

1. A qualidade e quantidade das RPSs, representações psicossemânticas das experiências psíquicas, arquivadas na memória.
2. As RPSs diretivas, ou seja, relacionadas diretamente com o estímulo interpretado.
3. As RPSs associativas, ou seja, relacionadas associadamente com o estímulo interpretado.
4. A lógica do processo de arquivamento das matrizes dos pensamentos essenciais.
5. As dificuldades de organização lógica do processo de arquivamento das experiências emocionais e motivacionais.
6. A morte do "eu sou" gerando o "fui histórico", ou seja, o caos psicodinâmico descaracterizando as experiências psíquicas do passado e arquivando-as na memória, para formar a história intrapsíquica.
7. A atuação do fenômeno RAM — registro automático da memória — produzindo um processo espontâneo e inevitável de formação da história intrapsíquica. A preferência do fenômeno RAM por registrar privilegiadamente as experiências que tenham mais tensão.
8. A redutibilidade da complexidade das experiências psíquicas, tais como as idéias, as análises, as angústias existenciais, as inseguranças, as reações fóbicas, etc., no processo de arquivamento físico-químico das mesmas na memória e na conseqüente produção das RPSs. Por exemplo, uma RPS físico-química que representa uma angústia existencial, vivenciada num determinado período histórico, é muito pobre em relação à realidade da experiência em si.
9. Os mecanismos psicodinâmicos que promovem os níveis de estabilidade e de disponibilidade histórica das RPSs, tais como: a qualidade dos estímulos da interpretação; a qualidade do processo de interpretação do observador num determinado momento; a qualidade dos

impactos psicodinâmicos intelecto-emocionais das experiências resultantes do processo de interpretação; as condições psicodinâmicas de arquivamento dessas experiências como RPSs na memória e freqüência dos resgates da construção das RPSs, etc.
10. A descaracterização das RPSs na memória.
11. A interpretação das RPSs.
12. Os sistemas de relações existentes entre os códigos físico-químicos das RPSs e as experiências psíquicas.
13. Os sistemas de relações existentes entre os códigos físico-químicos da memória e os estímulos extrapsíquicos.
14. O processo de construção da história intrapsíquica na memória do feto.
15. O processo de construção da história intrapsíquica na memória na vida extra-uterina.
16. A leitura da memória pelos quatro fenômenos que fazem a leitura da mesma.
17. Os deslocamentos psicodinâmicos da âncora da memória nos seus territórios permitem a leitura, numa determinada circunstância psicossocial, de um grupo de RPSs diretivas e associativas para o fenômeno da autochecagem, do autofluxo e o eu construírem as matrizes dos pensamentos essenciais históricos.

Os pontos psicológicos, psicodinâmicos e psicossociais relativos à memória são muito complexos, semelhantemente aos pontos relativos aos processos de construção dos pensamentos. Por isso, seriam necessários muitos livros para abrangê-los todos.

Como podemos perceber através de todos estes pontos, a abordagem da memória é muito mais complexa do que os conceitos neurocientíficos relacionados com a memória de curto prazo e a memória de longo prazo.[4] Deixarei de lado o uso da memória de longo prazo e de curto prazo por não considerá-lo adequado.

A MEMÓRIA EXISTENCIAL E A MEMÓRIA DE USO CONTÍNUO FORMANDO A HISTÓRIA INTRAPSÍQUICA

Existem dois tipos de memória. A memória existencial (ME) e a memória de uso contínuo (MUC). Essas duas memórias formam a totalidade da história intrapsíquica de um ser humano, contendo, portanto, todos os segredos de sua vida. A memória existencial representa as experiências que vão sendo registradas ao longo da vida e a memória de uso contínuo representa as informações que vão sendo usadas e rearquivadas continuamente, tais como os endereços das residências e dos e-mails, os números telefônicos, as fórmulas matemáticas, as palavras que compõe uma língua. Por que conseguimos nos "lembrar" de maneira mais exata de determinadas informações? Porque elas são usadas continuamente e, conseqüentemente, são novamente arquivadas, ficando mais disponíveis para serem lidas. Se deixarmos de usar determinadas informações, elas vão sendo substituídas e arquivadas na memória em zonas de acesso mais difícil.

Na base do desenvolvimento da dependência de drogas, das fobias, dos transtornos obsessivos e da síndrome do pânico existe uma produção contínua de idéias e experiências emocionais semelhantes, que vão sendo arquivadas em zonas privilegiadas da memória de uso contínuo, ficando, assim, mais disponíveis para serem lidas e, conseqüentemente, para reproduzir novamente um desejo compulsivo por usar a droga, uma reação fóbica, uma idéia obsessiva ou precipitar um novo ataque de pânico.

O processo de arquivamento da memória humana não é segmentado como nos computadores. Nestes, os arquivos são segmentados e as informações são arquivadas em sistemas de códigos ou endereços. Nos computadores procuramos as informações através de rígidos e engessados sistemas de códigos, da mesma forma como procuramos um livro numa biblioteca. Na memória humana não ocorre assim, sua leitura não é unidirecional, mas multifocal. Nela, ao contrário dos computadores, os arquivos têm canais de comunicação entre si. Além disso, o registro das informações é feito por um complexo sistema de significado ou conteúdo (representação psicossemântica- RPS). É como se pudéssemos entrar em diversos livros de uma biblioteca e utilizarmos o conteúdo deles ao mesmo tempo.

O sistema de leitura da história intrapsíquica é tão complexo, que uma pequena flor, um estímulo tão simples, pode nos levar ao passado e nos fazer resgatar momentos ricos de nossa infância que, aparentemente, não têm nada a ver com a anatomia da flor que está diante dos nossos olhos. Nos computadores, o estímulo da flor nos induziria a resgatar apenas a fauna, mas na memória humana ela pode nos induzir a resgatar as brincadeiras, os momentos ingênuos, os passeios singelos e despreocupados. Do mesmo modo, um pequeno gesto de uma pessoa pode nos levar a ter reações de alegria, apreensão ou ansiedade, pois nos remete à leitura da memória que resgata conteúdos importantes de nossa história.

Lembro-me de duas educadoras que tinham reações fóbicas intensas diante de uma lagartixa. Uma delas tinha reações psicossomáticas dramáticas diante deste animal, desencadeava crises de vômitos. O problema não era mais a lagartixa, mas o monstro que ela criou dentro dela, ou seja, a representação ou significado deste animal que ela criou na sua memória.

O PASSADO NÃO É LEMBRADO, MAS RECONSTRUÍDO

Os processos de construção da inteligência desencadeados pela leitura da história intrapsíquica, principalmente pela memória existencial, são tão complexos que, ao estudá-los, compreendemos que não existe a "recordação" ou "lembrança" original das experiências do passado, mas uma interpretação em que reconstruímos essas experiências no palco de nossas mentes.

Não nos lembramos das experiências originais do passado; sempre reconstruímos interpretativamente essas experiências a partir da leitura multifocal da história intrapsíquica e dos sistemas de variáveis intrapsíquicas do presente que atuam psicodinamicamente nessas experiências.

Nunca recordamos nem nos lembramos da essência das nossas dores emocionais, das nossas angústias existenciais, das nossas idéias etc., mas, como disse, as reconstruímos na mente. A história existencial (intrapsíquica) está morta essencialmente na memória. Para que ela possa ser utilizada na confecção das cadeias de pensamentos, nas transformações da energia emocional, ela tem de ser reconstituída (reconstruída) essencialmente. Tais reconstruções pela interpretação são passíveis de inúmeras distorções.

A realidade essencial das experiências psíquicas do passado sofreram o caos psicodinâmico. À medida que isso aconteceu, elas sofreram, ao mesmo tempo, um processo de registro físico-químico na memória, gerando as RPSs. Quem registra automaticamente as experiências do passado? O fenômeno RAM. Ele, à medida que os pensamentos e as emoções são construídos no palco de nossas mentes, registra-os na memória do córtex cerebral, em forma de sistemas de códigos físico-químicos. Assim surgem as RPSs, que são representações físicas das experiências psíquicas. As RPSs são sistemas de códigos decorrentes, provavelmente, de arranjos eletrônicos ou atômicos em determinados sítios do córtex cerebral, onde se localiza a memória, tais como complexo amigdalóide, o hipocampo, o sistema límbico,[5] etc.

As RPSs são sistemas de códigos físico-químicos que representam semanticamente as experiências psíquicas que sofreram o caos psicodinâmico ao longo do processo de formação da personalidade. Porém, as RPSs, como arranjo físico-químico, seja atômico, eletrônico ou qualquer outro sistema de código, são e serão sempre "pobres", restritivas, em relação à experiência original.

O primeiro beijo, o primeiro diploma, o primeiro desafio, o primeiro salário, a primeira derrota, nunca mais são resgatados de maneira pura, de maneira tão intensa. Toda "recordação" tem um débito emocional em relação à experiência original. Embora esse assunto talvez nunca tenha sido estudado na psicologia, ele está no âmago do processo de formação da personalidade.

Os melhores momentos de prazer, bem como as mais amargas experiências de dor emocional, de solidão, de desespero e de ansiedade, foram registradas como sistemas de códigos físicos "frios", que precisarão dos fenômenos que lêem a memória para serem reconstruídos interpretativamente no campo da energia psíquica e assim ganharem "vida", realidade psíquica. Assim, tais sistemas de códigos saem da condição física do córtex cerebral para conquistar energia psíquica. Por que a memória é redutora e contraidora das experiências do passado, da história existencial? Porque o objetivo fundamental da memória é ser utilizado para produzir continuamente novas experiências, idéias, pensamentos e emoções, e, assim, promover e até provocar a evolução psicossocial, o desenvolvimento da personalidade, da construção da inteligência como um todo.

Já pensou se pudéssemos resgatar o passado exatamente como ele é e se tivéssemos, ainda, a capacidade plena de lembrar de todas as experiências contidas na memória? Isso poderia paralisar a produção de novas experiências, o que engessaria o desenvolvimento da inteligência.

Tem de haver a morte ou o caos do "eu sou", ou seja, da realidade das experiências psíquicas do presente, tais como os raciocínios analíticos, as idéias, as angústias existenciais, as ansiedades, os prazeres, etc., para que surja o "fui histórico", ou seja, para que ocorra o processo de registro dessas experiências e se produza, conseqüentemente, a formação da história passada. A experiência mais bela que temos hoje tem de morrer, se desorganizar e ser armazenada fisicamente no córtex cerebral. Notem que nem mesmo o momento mais feliz de nossa vida dura mais do que horas ou dias.

O caos do "eu sou" expande a história intrapsíquica, ou seja, a descaracterização das experiências do presente expande o registro da memória. Para que possamos enriquecer nossa capacidade de pensar e de sentir do presente, precisamos enriquecer nossa memória. Todavia, para enriquecer a memória, os pensamentos e as emoções do presente têm que "morrer" e se registrar nela. "Morrendo", descaracterizando-se, eles abrem espaços para novas leituras da memória e para a produção de novos pensamentos e emoções.

A morte do presente é a única possibilidade de expansão do próprio presente, de enriquecimento do "eu sou", pois o presente se alimenta das informações. Se essas não forem acumuladas na memória, se paralisaria a evolutividade intelecto-emocional.

Notem que aprendemos milhões de informações na escola, mas quando adultos somos capazes de, no máximo, lembrar de milhares delas. O objetivo da memória não é dar um excelente suporte para que se processe a lembrança pura das experiências e das informações passadas, mas suporte para produzir novas experiências e informações a partir da leitura do passado. Por isso, grande parte das informações se perde, o que fica é seu conteúdo, seu significado, que funcionarão como tijolos para novas construções intelectuais.

O "eu sou" (as experiências do presente) sofre o caos psicodinâmico, desorganiza sua essência e simultaneamente registra-se na memória, tornando-se o "fui histórico", ou seja, a história intrapsíquica. Num processo de retorno ou rebote existencial, o "fui histórico" influencia o "eu sou", ou seja, os processos de construção da inteligência no momento existencial do presente. Porém, o "eu sou" tem dimensões distintas em relação ao fui histórico (o passado); ele representa o fui histórico somado às variáveis intrapsíquicas do presente. Assim, a cada momento da existência, o "eu sou" está experimentando o caos e se tornando o fui histórico, e renascendo ou reorganizando-se como um "novo eu sou", expandindo as possibilidades de construção das experiências e promovendo o processo de evolução psicossocial do homem.

A realidade das dores, alegrias e ansiedades do passado findou-se e se tornou a história; a história, uma vez lida, renasce e participa da realidade do presente. Essa abordagem, mais uma vez, expressa a importância da união da Psicologia com a Filosofia num mesmo corpo teórico para compreendermos o homem total.

Nossas idéias, emoções, análises estão sempre evoluindo no processo existencial, ainda que essa evolução não seja qualitativa. Na gênese das ansiedades há uma leitura contínua de determinadas zonas da memória que produzem reações ansiosas, que são descaracterizadas e registradas novamente, retroalimentando as áreas doentias de nossa história.

Ao contrário dos computadores, uma das mais marcantes características da mente humana não é a lógica, nem a mesmice intelectual nem a estabilidade intocável, mas a evolução, a distinção, a diferenciação na produção intelectual. Todos gostaríamos de ter a lógica e a habilidade dos computadores em resgatar informações da memória, mas se tivéssemos tal habilidade os computadores não existiriam, pois a inteligência humana não se desenvolveria e, portanto, não seria capaz de construí-los. O grande paradoxo é que só uma mente que não é estritamente lógica, como é a mente humana, poderia construir máquinas lógicas como a dos computadores.

Se a energia psíquica não estivesse num fluxo vital de transformações essenciais, em que se organiza, desorganiza e reorganiza continuamente, não haveria o homem pensante, não haveria a evolução intelectual da espécie humana.

A leitura das RPSs contidas na memória e a organização instantânea dessas RPSs na formação das cadeias das matrizes dos pensamentos essenciais e, conseqüentemente, na produção das experiências emocionais e na construção de pensamentos conscientes (dialéticos e antidialéticos) não é uma reprodução das experiências originais, não é uma recordação ou lembrança essencial dessas experiências, mas uma interpretação do passado.

As cadeias de pensamentos essenciais, dialéticos e antidialéticos, bem como as experiências emocionais e motivacionais produzidas pelo resgate das RPSs, podem ter grande ou pouca relacionalidade com a realidade das experiências psíquicas vivenciadas no passado.

A cada momento em que resgatamos e reconstruímos uma experiência do passado, nós o fazemos de maneira diferente, com proximidade ou grande distanciamento em relação às dimensões intelecto-emocionais da experiência original. É por esse motivo que nossas recordações da interpretação reproduzem de maneira diferente as experiências do passado nos diversos momentos em que as recordamos. Em determinado momento, podemos recordar uma experiência de angústia existencial vivenciada no passado, ligada a uma perda, a uma frustração psicossocial ou a uma dificuldade socioprofissional etc., e ficarmos comovidos com ela e, em outro momento, podemos recordá-la sem grandes emoções. Uma mãe pode recordar a perda de um filho com grande sofrimento num determinado momento e, em outro momento, recordá-la sem grandes dores emocionais.

A experiência original e a freqüência da reconstrução das experiências passadas e a qualidade desses resgates formam as complexas tramas de RPSs que influenciarão na qualidade das novas recordações a serem produzidas no futuro. Esse complexo mecanismo psicodinâmico e psicossocial, associado à atuação do fenômeno da psicoadaptação (a ser estudado), gera a diminuição dos níveis de intensidade emocional, seja de sofrimento ou de prazer, dos resgates das experiências emocionais. Assim, com o passar do tempo, todos os prazeres decorrentes das premiações (Oscar, Nobel, Grammy, títulos acadêmicos, títulos esportivos etc.), dos elogios e dos bons momentos da vida, bem como todos os sofrimentos e todas as angústias decorrentes das perdas, frustrações, estímulos estressantes etc., diminuem de intensidade à medida que se processam os resgates da construção dessas experiências. Se não ocorressem esses mecanismos, gravitaríamos em torno das experiências do passado e não promoveríamos uma revolução na construção de novas idéias que estimulariam o processo de formação da personalidade e o processo de evolução da história social do homem.

Quando uso neste livro a expressão "recordar o passado" ela não deve ser entendida, como foi dito, como uma reprodução original das experiências do passado, mas uma reconstrução da interpretação, ou melhor, uma interpretação realizada a partir da leitura e manipulação das RPSs, contidas na história intrapsíquica que formam as matrizes dos pensamentos essenciais. A leitura da história intrapsíquica, a formação das matrizes dos pensamentos essenciais e a atuação psicodinâmica dessas matrizes sofrem influência das variáveis intrapsíquicas do presente, tais como o fenômeno da psicoadaptação, a energia emocional e motivacional presente no momento da leitura da história intrapsíquica, o fenômeno da credibilidade autógena.

A história intrapsíquica, contida na memória, e a história social, contida nos livros, nos museus, na arquitetura, são irrevogáveis na sua essência original; ambas são invariavelmente interpretadas e reconstruídas nos bastidores da psique humana.

Embora os conceitos e postulados da neuroanatomia, da neurofisiologia e da bioquímica cerebral das neurociências, referentes à memória, sejam importantes e passíveis de serem usados na compreensão de algumas variáveis que participam do processo de construção da história intrapsíquica e dos demais processos da inteligência, é preciso avançar muito na compreensão da memória. Precisamos pesquisar e procurar compreender as complexas e sofisticadas esferas psicológicas, psicodinâmicas e psicossociais ligadas à memória.

Todo ser humano que possui uma memória preservada, capaz de armazenar as experiências psíquicas (construções psicodinâmicas) produzidas pelos processos de construção da psique em forma de RPS (representações psicossemânticas) desenvolverá, paulatinamente, ao longo do seu processo existencial, sua história intrapsíquica.

A qualidade da história intrapsíquica dependerá "diretamente" da qualidade das RPSs, que dependerá "diretamente" da qualidade das construções psicodinâmicas, que dependerá "parcialmente" da qualidade dos estímulos socioeducacionais e do gerenciamento do eu sobre os processos de construção da inteligência.

Analisaremos que o gerenciamento do eu sobre os processos de construção dos pensamentos possui limitações. Agora, a respeito dos estímulos socioeducacionais nos processos de construção dos pensamentos, a relação qualitativa entre eles com as construções psicodinâmicas (experiências psíquicas) e, conseqüentemente, com a formação da história intrapsíquica, não é completa, mas parcial, pois dependerá da ação psicodinâmica de múltiplas variáveis intrapsíquicas. Por isso, um pai alcoólatra, agressivo e socialmente alienado poderá gerar dois filhos com personalidades totalmente distintas, pois a cada momento da interpretação eles possuem variáveis intrapsíquicas qualitativamente diferentes, que interpretarão os estímulos advindos do pai de maneira diferente, gerando construções psicodinâmicas diferentes; que se arquivarão em suas memórias como RPSs diferentes; que produzirão histórias diferentes; que sofrerão leituras multifocais e financiarão a produção de matrizes de pensamentos essenciais diferentes; que sofrerão um processo de leitura virtual e produzirão pensamentos dialéticos e antidialéticos diferentes; que, finalmente, estimularão e redirecionarão o desenvolvimento da personalidade por trajetórias diferentes.

Todos esses complexos mecanismos ocorridos nos bastidores da mente poderão levar um filho a desenvolver uma personalidade que reproduz algumas características do pai alcoólatra, tais como o alcoolismo, reações agressivas, indiferença quanto às responsabilidades socioprofissionais etc., e outro filho a desenvolver uma personalidade totalmente diferente da dele, podendo ser avesso a bebidas alcoólicas ou ingeri-las com controle e ser emocionalmente dócil e tranqüilo.

O processo de interpretação, os processos de construção dos pensamentos, o processo de leitura da memória e os sistemas de variáveis intrapsíquicas existentes nos bastidores da mente são tão complexos que podem reduzir, abortar ou mesmo redirecionar as possíveis influências genéticas que poderiam contribuir para o desenvolvimento do alcoolismo e demais doenças psíquicas, tais como a depressão, a psicose maníaco-depressiva, os transtornos obsessivo-compulsivos etc.

OS PENSAMENTOS DIALÉTICOS

Os pensamentos dialéticos são conscientes, lógicos (embora possam ser usados em análises ilógicas), bem organizados em cadeias psicodinâmicas, bem definidos psicolingüisticamente, gerenciados com facilidade pelo eu e, por isso, são utilizados com freqüência na análise, na síntese das idéias, nos discursos teóricos, na produção científica, na produção tecnológica, nas relações sociais. Os pensamentos dialéticos são expressos com facilidade na comunicação social e interpessoal, pois são facilmente codificados pelo sistema nervoso central e pelo aparelho fonador; por isso são chamados aqui de "pensamentos dialéticos". Os pensamentos dialéticos, no entanto, têm dimensões muito maiores do que a expressa pela comunicação social e interpessoal através da verbalização. Por isso, freqüentemente, temos a sensação de que as palavras não conseguem expressar o conteúdo dos nossos pensamentos, das nossas idéias. A dimensão das idéias é maior do que a dimensão das palavras.

Os pensamentos dialéticos são psicolingüisticamente organizados e definidos porque a mente utiliza, ao longo do processo de formação da personalidade, os símbolos sonoros da linguagem verbalizada para constituí-los em códigos, para mimetizá-los psicolingüisticamente. A psicolingüística dos pensamentos dialéticos, que, às vezes, se parece com um som inaudível na mente, não é obviamente um som e nem tem a restritividade física dos símbolos sonoros produzidos pelas ondas sonoras mecânicas.

Os pensamentos dialéticos surgem a partir do processo de leitura virtual das matrizes dos pensamentos essenciais, que são pensamentos inconscientes. Assim, o nascedouro dos pensamentos dialéticos, que são os pensamentos mais conscientes da mente, ocorre a partir dos pensamentos essenciais inconscientes.

O processo de leitura virtual das matrizes dos pensamentos essenciais é realizado por um fenômeno intrapsíquico, chamado de fenômeno LVD ou fenômeno da leitura virtual dialética. A leitura das matrizes de pensamentos essenciais pelo fenômeno LVD gera as cadeias psicodinâmicas dos pensamentos dialéticos, conferindo-lhes um formato psicolingüístico consciente que mimetiza psicodinamicamente os símbolos sonoros. Desse fato, podemos inferir que as matrizes dos pensamentos essenciais, ao serem construídas, já trazem na sua "estrutura psicodinâmica" arquivados na memória um sistema de relação lógica com os símbolos sonoros, que facilita o processo de leitura virtual do fenômeno LVD. Por isso, os pensamentos dialéticos possuem linearidade lógica, possibilitando sua utilização no desenvolvimento da ciência e da racionalidade, embora seus processos de construção ultrapassem paradoxalmente os limites da lógica. Falaremos sobre esses sistemas de relação lógica quando estudarmos adiante os pensamentos essenciais.

Lemos em milésimos de segundos a memória e produzimos as matrizes dos pensamentos essenciais inconscientes. Em milésimos de segundos depois, o fenômeno LVD faz um processo de leitura virtual dessas matrizes e gera os pensamentos dialéticos utilizados na comunicação interpessoal, na mídia, na literatura, na ciência. Tudo se passa tão rápido na mente, que não nos damos conta de como é que conseguimos ler a memória e produzir milhares de pensamentos dialéticos diariamente. Como já comentei, incorporamos nas cadeias de pensamentos dialéticos sujeitos, verbos, substantivos, adjetivos etc., antes que tenhamos consciência deles. Como é possível tal incorporação? Através das matrizes dos pensamentos essenciais inconscientes, o que prova a sua existência. Porém, diante disso, podemos inferir uma importantíssima pergunta psicossocial e filosófica: Pensamos o que queremos pensar ou apenas fazemos leituras virtuais dos pensamentos inconscientes, que são produzidos previamente sem a consciência crítica do "eu"? Se o pensamento consciente tem seu nascedouro no pensamento inconsciente, como o pensamento consciente tem controle sobre si mesmo? Até onde somos agentes históricos ou vítimas de processos que lêem a memória e constroem cadeias inconscientes de pensamentos sem a autorização do "eu"? É provável que as teorias psicológicas e filosóficas não entraram nessas questões fundamentais. Creio que é impossível ter uma resposta completa sobre esses assuntos, mas uma resposta parcial se encontrará nos meandros dos textos posteriores.

Quando pensamos sobre os mistérios que envolvem os processos de construção da ciência, ficamos estarrecidos com a nossa pobre e limitada ciência. Esta existe porque o homem pensa; mas quando a ciência resolve investigar a si mesma, sua origem como pensamento, ela enfrenta sua própria debilidade e limitações.

Enquanto as cadeias de pensamentos essenciais são lidas pelo processo de leitura virtual, também é realizada uma leitura que identifica os símbolos lingüísticos a serem usados na mimetização dialética. Os poliglotas têm que fazer, inclusive, uma opção de escolha do tipo de símbolos lingüísticos (língua) que usam em seus pensamentos. Por isso, afirmei que a leitura da história intrapsíquica arquivada na memória é multifocal. Porém, a versatilidade, a liberdade criativa e a plasticidade construtiva das matrizes dos pensamentos essenciais, e das leituras virtuais dos pensamentos dialéticos, são muito mais expansivas, sofisticadas e complexas do que as produzidas pelas ondas mecânicas que constituem os símbolos sonoros.

Nas pessoas surdas, a mimetização psicolingüística dialética é feita, ou pode ser feita, por símbolos visuais. Teoricamente, é possível produzir uma mimetização psicodinâmica a partir de estímulos mais "plásticos", "livres" e menos restritivos do que os produzidos a partir da linguagem verbalizada (símbolos sonoros) e da linguagem visual (símbolos visuais), pois o que importa no processo de leitura virtual é produzir uma mimetização psicodinâmica que possa dar uma movimentação psicolingüística consciente aos pensamentos dialéticos. Quero dizer com isso, que é teoricamente possível ter uma psicolingüística dos pensamentos dialéticos mais eficiente do que a que temos produzido e usado até hoje nas relações humanas e na produção científica. Seria bom que outros pesquisadores se dedicassem a descobertas de linguagens supradialéticas.

A mimetização psicodinâmica dos pensamentos dialéticos não é dada em si por eles, mas pelas matrizes de pensamentos essenciais históricos. A psicolingüística dos pensamentos dialéticos é produzida a partir de uma sofisticada leitura virtual dessas matrizes.

Os pensamentos dialéticos são produzidos por uma leitura lógica das matrizes dos pensamentos essenciais e pela mimetização psicodinâmica dos símbolos físicos; por isso, são psicolingüisticamente bem-definidos e bem-traduzidos na verbalização. Os pensamentos antidialéticos são produzidos por uma leitura virtual mais difusa, provavelmente por outro fenômeno que não o LVD, ou então por um processo de leitura difusa desse fenômeno. Por isso, pensamentos antidialéticos são psicolingüisticamente indefinidos ou pouco definidos. Devido à psicolinguagem lógica dos pensamentos dialéticos e à facilidade com que o eu gerencia sua construtividade, elas são usadas na produção do conhecimento científico, do conhecimento coloquial, da comunicação verbal, na produção literária etc. De outro lado, devido à psicolinguagem dos pensamentos antidialéticos ser difusa, pouco definida e pouco administrada logicamente pelo eu, ela é utilizada mais para desenvolver as fantasias, a consciência do tempo, a consciência das dores emocionais, a consciência das inspirações, a consciência das angústias existenciais, a consciência dos prazeres etc.

O pensamento antidialético define o indefinível, produz a consciência dos fenômenos que escapam à definição lógica dos pensamentos dialéticos. A produção de pensamentos antidialéticos freqüentemente fica "represada" na mente ou, às vezes, é traduzida pelas artes, pela pintura, escultura, música, teatro etc.

Os pensamentos antidialéticos também podem ser traduzidos pela comunicação verbal; porém, nesse caso, as imagens mentais, as fantasias, as "esculturas tempo-espaciais", a consciência das emoções etc., têm que ser formatadas pelos pensamentos dialéticos para depois serem verbalizadas. Nessa situação, dá para termos uma idéia da redutibilidade intelectual que os pensamentos dialéticos realizam quando tentam traduzir os pensamentos antidialéticos sobre as angústias existenciais, o prazer, a insegurança, a inspiração etc. Os pensamentos dialéticos reduzem as dimensões dos pensamentos antidialéticos quando os traduzem dialeticamente e os canalizam pela verbalização. Essa abordagem evidencia que a consciência humana é construída por um intrincado sistema de códigos psicolingüísticos, um sofisticado sistema de leitura desses códigos e um complexo processo de cointerferência entre os tipos de pensamentos.

Todos temos dificuldade para expressar dialeticamente os sofisticados e quase indescritíveis pensamentos antidialéticos. Freqüentemente, as "cadeias psicodinâmicas dos pensamentos antidialéticos" são associadas e até mesmo "mescladas" com as "cadeias psicodinâmicas dos pensamentos dialéticos". Por isso, temos dificuldade para expressar toda a arquitetura psicodinâmica dos pensamentos que produzimos. Por isso também temos freqüentemente a sensação de que, apesar de termos abordado dialeticamente, com tanto empenho, um determinado assunto, ainda ficou algo para dizer. Essa sensação de "algo não dito" é produzida, muitas vezes, pelos pensamentos antidialéticos que são difíceis de ser expressos. As pessoas que vivenciam quadros dramáticos de depressão, síndromes do pânico, transtornos obsessivo-compulsivos etc., geralmente se frustram ao tentar expressar as dimensões da sua dor emocional e da sua angústia existencial, pois, além de conseguirem expressar dialeticamente muito pouco a consciência antidialética de suas emoções, seus ouvintes, freqüentemente, reconstroem interpretativamente essas dores emocionais e angústias existenciais de maneira reduzida e distorcida.

Os pensamentos dialéticos podem ser gerados tanto à deriva do eu, ou seja, sem a autorização do "eu", sem a leitura desta pela história intrapsíquica, como podem ser construídos pelo determinismo do eu, pelo gerenciamento que ela exerce sobre os processos de construção dos pensamentos. Os pensamentos dialéticos construídos psicodinamicamente sob a autorização, determinismo lógico e controle do eu são mais organizados, mais administrados, possuem uma base analítica mais profunda, têm uma cadeia psicodinâmica que considera mais os parâmetros da lógica e os referenciais históricos.

Os pensamentos dialéticos produzidos pelos demais fenômenos da mente são mais restritivos do ponto de vista analítico e dos parâmetros histórico-críticos. Os sonhos, produzidos pelo fenômeno do autofluxo (a ser estudado), possuem uma liberdade criativa e uma plasticidade construtiva riquíssima, mas sem uma base analítica sólida, sem parâmetros históricos passíveis de sofrer uma reciclagem crítica durante a construção das cadeias psicodinâmicas dos pensamentos dialéticos e antidialéticos.

Há uma rica interconexão entre os pensamentos dialéticos e antidialéticos produzidos pelos fenômenos inconscientes da mente e os pensamentos dialéticos e antidialéticos produzidos pelo gerenciamento do eu. Um pensamento dialético e um antidialético produzidos pelo fenômeno do autofluxo ou pelo fenômeno da autochecagem da memória podem desencadear uma administração do eu, levando a uma continuidade da produção da cadeia psicodinâmica dos pensamentos. Porém, quando o eu dá continuidade às cadeias psicodinâmicas produzidas pelos demais fenômenos que lêem a memória, ele o faz através de uma construção mais analítica e histórico-crítica, ou seja, que considera mais os parâmetros da lógica e os referenciais históricos. Por exemplo, o fenômeno do autofluxo pode fazer uma leitura da memória e resgatar matrizes de pensamentos essenciais que, em última análise, poderão ser traduzidas dialeticamente e antidialeticamente como situações existenciais do passado, tais como uma experiência discriminatória, um grande elogio ou uma situação fóbica vivenciada na infância. Esses pensamentos dialéticos e antidialéticos podem desencadear a ação administrativa do eu que "atua construtivamente" nas cadeias psicodinâmicas dos pensamentos produzidos pelo fenômeno do autofluxo e, assim, acrescentar a elas a produção de novas idéias dialéticas e pensamentos antidialéticos, tais como crítica sobre os fatos envolvidos, resgate de causas, imaginação de personagens e circunstâncias etc.

Os processos de construção dos pensamentos envolvem, como enumerei, pelo menos cerca de três dezenas de pontos sofisticados e complexos, muitos dos quais não poderão ser aqui comentados.

OS PENSAMENTOS ANTIDIALÉTICOS

Os pensamentos antidialéticos são conscientes, embora nem sempre plenamente conscientes. Eles não são bem formatados psicolingüisticamente, ultrapassam freqüentemente os limites da lógica e necessitam da participação estreita do fenômeno de uma credibilidade autógena para dar crédito conceitual aos mesmos. Devido à sua linguagem psíquica difusa, que advém mais da perceptividade da consciência do que da mimetização psicodinâmica dos símbolos sonoros e visuais, eu digo que eles têm uma antipsicolinguagem. Como disse, os pensamentos antidialéticos se expressam através de imagens mentais, conceitos difusos, fantasias, consciência das experiências emocionais e motivacionais.

No processo de formação da personalidade, primeiro se desenvolvem os pensamentos antidialéticos e, depois, pouco a pouco, o eu vai se organizando e aprendendo a produzir e gerenciar a construção de pensamentos dialéticos e exercer a difícil tarefa de traduzir e expressar dialeticamente o *pool* de pensamentos antidialéticos produzidos diariamente na mente. Toda criança deficiente mental que tem preservadas algumas áreas da memória tem uma rica construção de pensamentos antidialéticos; mas ela, dependendo do grau de comprometimento da memória e, conseqüentemente, do desenvolvimento da história intrapsíquica, poderá ter grande dificuldade para organizar o eu e desenvolver o processo de gerenciamento sobre a construção de pensamentos dialéticos.

O grande desafio socioeducacional em relação às crianças deficientes mentais, que merecem o nosso mais profundo respeito e dedicação, é levá-las a organizar as cadeias psicodinâmicas dos pensamentos dialéticos segundo os critérios existentes nos parâmetros da realidade extrapsíquica e nos referenciais histórico-críticos contidos na memória. Os profissionais que cuidam de crianças deficientes mentais precisam catalisar as microrrevoluções das idéias existentes nos bastidores da mente das mesmas, visando expandir a formação da história intrapsíquica e o processo de construção dos pensamentos.

Os pensamentos antidialéticos são úteis para produzir complexas e difusas antecipações de situações do futuro, resgates de experiências passadas, imaginar circunstâncias existenciais e tempo-espaciais, desenvolver consciência sobre as angústias existenciais, a insegurança, as reações fóbicas, o prazer. Quando vivemos uma experiência fóbica ou sentimos angústia devido a algum problema existencial, temos consciência antidialética sobre essas experiências, mas não conseguimos descrevê-las dialeticamente com facilidade, ou seja, não conseguimos traduzi-las com facilidade pela linguagem psíquica dialética e, muito menos, traduzi-las pela verbalização; por isso, como disse, é comum termos a sensação de que não conseguimos nos expressar para os nossos ouvintes.

Há um verdadeiro "truncamento da comunicação" na tradução dialética dos pensamentos antidialéticos e na tradução antidialética das experiências emocionais e motivacionais. O "truncamento da comunicação" entre as experiências emocionais, a consciência antidialética dessas experiências e a tradução reduzida da consciência antidialética pelos pensamentos dialéticos e, conseqüentemente, pela verbalização e gesticulação, ocorre em todos os níveis das relações humanas, gerando as mais variadas incompreensões e até as mais variadas atitudes anti-humanísticas dos ouvintes. Os ouvintes freqüentemente não conseguem, através do processo de subjetivação derivado do processo de interpretação, reconstruir interpretativamente as dimensões das idéias, da insegurança, da angústia existencial, das dores emocionais e do prazer que o "outro" vivencia realmente dentro de si mesmo. Por isso, uma dramática experiência emocional, tais como um ataque de pânico ou uma reação claustrofóbica, pode ser compreendida pelo ouvinte ou pelo observador como se fosse uma banalidade emocional e não como uma reação de grande sofrimento.

O truncamento da comunicação ocorre também nas artes. Nelas, as obras dos artistas são sempre reduzidas em relação às obras antidialéticas arquitetadas psicodinamicamente nos bastidores e palcos conscientes das suas mentes. A construção dos pensamentos do autor é maior do que a expressão dessa construção, ou seja, do que sua obra, mesmo da sua obra-prima. Porém, costuma-se admirar mais a obra do que o autor porque a obra, construída nos meandros da mente do autor, logo experimenta o caos psicodinâmico, enquanto que a obra exterior do artista (escultura, pintura, obra literária etc.) resiste ao tempo e permanece em museus, em exposições. Por isso, tem-se a sensação de que a obra contemplada é mais sofisticada e completa do que a obra produzida nos meandros da psique humana.

O "truncamento da comunicação dialética-antidialética" ocorre também na relação psicoterapeuta-paciente. Muitos psicoterapeutas, pelo fato de não conhecerem as complexas relações entre a experiência emocional, a consciência antidialética e a consciência dialética, não conseguem desenvolver um processo de interpretação e, conseqüentemente, um processo de subjetivação da experiência do paciente mais condizente com o que ele é. Assim, não conseguem avaliar as dimensões da dor emocional e da angústia existencial do paciente, o que dificulta sua atuação como psicoterapeuta, catalisador e redirecionador do gerenciamento do eu do paciente sobre os processos de construção da inteligência e sobre os conflitos psicossociais e estímulos estressantes que vivencia.

As relações médico-paciente, executivo-empregado, professor-aluno, pai-filho etc., estão saturadas de desencontros, de "truncamentos da comunicação dialética-antidialética". Já é uma tarefa difícil formatar os pensamentos antidialéticos que não têm uma psicolingüística definida e traduzi-los na linguagem dialética verbal; agora, imagine o leitor se o processo de interpretação do "outro", como geralmente acontece, for realizado superficialmente... Essa é uma das maiores causas da violação histórica dos direitos humanos.

Na comunicação interpessoal, há uma redução e distorção nas dimensões da reconstrução do outro mais intensa e complexa do que podemos imaginar. Por isso, muitos pais, professores, executivos, psicoterapeutas etc., por não questionarem e reorganizarem continuamente seus processos de subjetivação decorrentes de seus processos de interpretação, pensam que estão dialogando com o "outro" e conhecendo-o, quando, na realidade, estão dialogando com eles mesmos, conhecendo a si mesmos. Por isso, o que falam ou pensam do outro se relaciona muito mais com o que são do que com o que o outro é.

OS PENSAMENTOS ESSENCIAIS

Os pensamentos essenciais são os pensamentos inconscientes que dão origem aos conscientes, ou seja, aos dialéticos e aos antidialéticos. Se os pensamentos conscientes são virtuais, portanto, destituídos de realidade, quem é que os forma? São os pensamentos essenciais. Uma vez que eles sofrem um processo de leitura virtual, eles dão origem a um dos mais fantásticos fenômenos da ciência: aos pensamentos conscientes.

Os pensamentos essenciais recebem esse nome porque se constituem da essência intrínseca da energia psíquica. Portanto, diferentemente dos pensamentos dialéticos e antidialéticos, que são de natureza virtual, eles são de natureza real, são constituídos de matrizes de códigos de energia psíquica. Só podemos investigá-los indiretamente através da pesquisa empírica aberta.

Hoje, talvez, já tenhamos pensado nos compromissos que teremos amanhã ou nos problemas que enfrentamos ontem. O tempo não existe, o amanhã e o ontem são produtos imaginários, virtuais, de nossas mentes. O que é virtual não pode ser produzido por si mesmo, pois é desprovido de realidade; como, então, produzimos os pensamentos imaginários? Na realidade, eles foram produzidos porque fizemos uma leitura da memória, geramos os pensamentos essenciais, que são sistemas de códigos "reais" de energia psíquica. Esses sistemas de códigos sofreram uma leitura virtual que, por sua vez, gerou os fantásticos pensamentos imaginários sobre os problemas de ontem e de amanhã.

Os pensamentos essenciais são produzidos através da leitura da história intrapsíquica realizada pelos fenômenos da autochecagem, do autofluxo, da âncora da memória e pelo eu. Toda vez que a memória é lida, ocorre a formação das matrizes dos pensamentos essenciais.

É um erro científico achar que os pensamentos dialéticos e antidialéticos sejam formados diretamente da leitura da memória. A leitura da memória não é simplesmente um resgate de informações, mas uma organização dessas informações, e essa organização não é virtual, mas essencial, real. Portanto, as matrizes dos pensamentos essenciais, que são de natureza essencial, é que são formadas através das milhares de leituras da memória realizadas diariamente.

Comentei que as experiências psíquicas (idéias, raciocínios analíticos, angústia existencial, ansiedade, insegurança etc.) e as informações psíquicas (símbolos lingüísticos, símbolos visuais, nomes, números etc.) são arquivadas como sofisticados sistemas de códigos físico-químicos na memória, que chamo de representação psicossemântica (RPS). A leitura das RPSs geram as matrizes dos códigos dos pensamentos essenciais históricos.

A leitura das RPSs, que representam as informações simples (os números de telefone, endereço residencial etc.) e os nomes (de pessoas, livros, animais etc.) contidas na memória de uso contínuo, gera matrizes de pensamentos essenciais que representam com determinada fidelidade os sistemas de códigos físico-químicos das RPSs, as quais, por sua vez, representam com mais fidelidade as informações do passado que deram origem às mesmas. De outro lado, a leitura das RPSs, que representam as experiências psíquicas contidas na memória existencial, não representam com fidelidade os códigos físico-químicos das mesmas na memória, pois tal leitura não é uma simples lembrança das experiências do passado, mas, como disse, uma interpretação das mesmas que é influenciada por diversos sistemas de variáveis intrapsíquicas.

Além disso, a leitura das RPSs que representam as experiências existenciais não é apenas uma sofisticada interpretação das mesmas, mas uma nova reorganização das mesmas, gerando complexas e particulares cadeias de matrizes de pensamentos essenciais históricos, que darão origem às complexas e particulares experiências emocionais e às complexas e particulares cadeias psicodinâmicas de pensamentos dialéticos e antidialéticos.

As cadeias das matrizes dos pensamentos essenciais não são, portanto, apenas originárias da leitura das RPSs contidas na memória, mas também de rapidíssimas e refinadíssimas manipulações psicodinâmicas inconscientes das mesmas. Todos os dias, reconstruímos diversas experiências psíquicas ligadas ao nosso passado, tais como um elogio, uma ofensa, as palavras de um amigo, um momento de excitação, uma situação conflitante.

As RPSs que representam essas experiências na memória são sistemas de códigos físico-químicos frios, sem vida intelecto-emocional. A leitura dessas RPSs desencadeia uma interpretação que reorganiza o caos da energia psíquica e dá "cores" e "sabores" intelecto-emocionais a elas. Além disso, a leitura das RPSs são reorganizadas de modo particular, gerando não apenas resgates das experiências psíquicas do passado passíveis de distorções, mas reconstruções pela interpretação que geram novas cadeias das matrizes dos pensamentos essenciais e novas experiências emocionais.

Quando uma mãe perde um filho, as reconstruções pela interpretação das RPSs, ao longo do tempo, que representam psicossemanticamente esse filho na memória, geram cadeias de matrizes de pensamentos essenciais e, conseqüentemente, pensamentos dialéticos e antidialéticos sobre o mesmo, bem como transformações da energia emocional e motivacional. Por isso, ela tem emoções diferentes em momentos em que se lembra do filho.

Se a memória fosse um "baú que armazenasse a energia psíquica" das experiências existenciais, e as recordações não fossem, como afirmei, reconstruções pela interpretação das RPSs que representam essas experiências na memória, mas fossem resgates das experiências originais, então, toda vez que essa mãe recordasse a perda do filho, ela teria que sentir o sofrimento vivenciado no momento da consciência da perda do mesmo, nos mesmos níveis, o que, felizmente, não ocorre; caso contrário, as angústias existenciais se perpetuariam na mesma intensidade ao longo de toda a trajetória de vida.

A recordação das experiências relativas às perdas, aos elogios, às ofensas, aos momentos de hesitação, às reações fóbicas, ao prazer, às frustrações psicossociais etc., não apenas são resgates das RPSs, mas reconstruções psicodinâmicas que manipulam rapidissimamente essas RPSs, gerando novas cadeias psicodinâmicas dos pensamentos essenciais, dialéticos e antidialéticos, bem como novas experiências emocionais. Parece que nossas recordações nos remetem à reprodução original das experiências psíquicas do passado; porém, se formos analisar qualitativa e quantitativamente as "arestas psicodinâmicas" das idéias e emoções produzidas nessas recordações, verificaremos que elas, freqüentemente, são micro ou macrodistintas.

As reconstruções pela interpretação priorizam o processo evolutivo da personalidade e da história psicossocial, que, por sua vez, rompe com a reprodução idêntica e paralisante das experiências psíquicas do passado. A personalidade humana e a história psicossocial evoluem não apenas pela determinação consciente do "eu", mas também por processos intrapsíquicos inevitáveis.

As reconstruções pela interpretação das experiências passadas produzem inevitáveis micro ou macrotraições da interpretação que promovem a revolução das idéias e o desenvolvimento psicossocial do homem, estabelecendo um dos mais importantes princípios da evolução da personalidade humana e das sociedades como um todo.

A personalidade humana e as sociedades evoluem, não apenas porque o homem é capaz de realizar uma produção de conhecimento científico e socioeducacional com coerência e lógica, mas também porque a fonte que gera essa produção é sustentada por processos que ultrapassam os limites da lógica. Até na física e nas demais ciências naturais a produção de conhecimento é sustentada por processos que ultrapassam os limites da lógica. Essa é uma das áreas mais importantes da teoria da interpretação; por isso ela deveria ser incorporada por todas as teorias.

As matrizes dos pensamentos essenciais produzidas pelos fenômenos da mente nem sempre sofrem ação do fenômeno responsável por realizar o processo de leitura virtual e, conseqüentemente, nem sempre geram pensamentos dialéticos e antidialéticos. Embora muitas dessas matrizes não sofram uma leitura virtual consciente, elas geram reações emocionais, instintivas e reações motoras (musculares) inconscientes. As teorias do "condicionamento" e de "estímulo-resposta" que dão suporte teórico às psicoterapias comportamentais e cognitivas, embora desconheçam os processos de construção dos pensamentos, estão ligadas invariavelmente à construção, à práxis e ao registro contínuo das matrizes de pensamentos essenciais na memória.

Os fenômenos inconscientes que lêem a história intrapsíquica produzem continuamente inúmeras cadeias psicodinâmicas das matrizes dos pensamentos essenciais, que geram diariamente tanto uma revolução das idéias dialéticas e antidialéticas como centenas ou milhares de reações emocionais, reações instintivas e movimentos musculares que não são apreendidos conscientemente.

As matrizes dos pensamentos essenciais têm de produzir diversos sistemas de relação lógica para financiar o desenvolvimento dos processos de construção dos pensamentos e da consciência existencial.

Sem a existência dos sistemas de relações lógicas produzidas pelas matrizes dos pensamentos essenciais, não seria possível organizar as cadeias psicodinâmicas dos pensamentos e produzir idéias, análises, inferências, sínteses, reconstrução da interpretação do passado, e relacioná-las com o mundo extrapsíquico, intrapsíquico e com a história intrapsíquica.

A dialética dos conceitos, das idéias, não é produzida pela contrapartida da negação. Pensei durante anos que a contrapartida da negação produzisse os conceitos e definições dos fenômenos e objetos que contemplamos. Eu pensava que um objeto, tal como um sofá, distinto de milhares de outras coisas, ou seja, de uma casa, de um astro, de um caderno, de uma janela, era definido pela contrapartida da negação, gerando os conceitos, as idéias. Porém, na medida em que pesquisei os sistemas de relações dos pensamentos essenciais, percebi que são eles que desencadeiam o financiamento dialético das idéias, produzem as diretrizes lógicas dos pensamentos, dos conceitos, das definições. Destacarei, no momento, três importantes sistemas de relação produzidos pelas matrizes dos pensamentos essenciais.

Primeiro, as matrizes dos pensamentos essenciais têm de manter um sistema de relação com os códigos físico-químicos do cérebro captados pelo sistema sensorial e, por extensão, elas têm de manter um sistema de relação com os estímulos extrapsíquicos contidos no meio ambiente, tais como os fenômenos físicos, o comportamento humano, o comportamento dos animais.

Sem esse sistema de relação, não seria possível fazer uma ponte de ligação entre os complexos estímulos extrapsíquicos, que se constituem de milhares ou milhões de detalhes visuais, sonoros, táteis, gustativos, e as matrizes dos pensamentos essenciais. Sem a ponte de ligação entre as matrizes de pensamentos essenciais históricos e os sistemas de códigos dos estímulos extrapsíquicos não seria possível produzir pensamentos dialéticos e antidialéticos capazes de gerar uma consciência existencial sobre o mundo extrapsíquico, não seria possível identificar e discriminar os estímulos contidos nesse mundo.

Segundo, as matrizes dos pensamentos essenciais têm de manter um sistema de relação com as RPSs arquivadas na memória, ou seja, com as representações psicossemânticas das experiências e das informações psíquicas contidas na história intrapsíquica. Sem esse sistema de relação, não seria possível identificar na memória do córtex cerebral um estímulo extrapsíquico (elogio, ofensa, rejeição, apoio etc.) e nem um estímulo intrapsíquico (reações fóbicas, prazer, angústia existencial, idéias).

A ponte de ligação entre as matrizes dos pensamentos essenciais históricos e os sistemas de códigos físico-químicos dos estímulos extrapsíquicos, comentada no "primeiro sistema de relação", passa invariavelmente pela mediação desse segundo sistema de relação. Os sistemas de relações entre as matrizes dos pensamentos essenciais e as RPSs arquivadas na memória financiam a ponte de ligação entre essas matrizes e os sistemas de códigos físico-químicos. Sem esses sistemas de relação, o mundo extrapsíquico e a nossa história intrapsíquica não teriam conexão. Não teríamos consciência do mundo; estaríamos mergulhados num indescritível vácuo da inconsciência existencial.

Terceiro, as matrizes de pensamentos essenciais têm de manter um sistema de relação com o processo de leitura virtual que produz as cadeias psicodinâmicas dos pensamentos dialéticos e antidialéticos. Sem esse sistema de relação, não seria possível haver uma relacionalidade entre os pensamentos dialéticos e antidialéticos e os fenômenos físicos, o comportamento das pessoas e todos os elementos do mundo extrapsíquico. Não seria possível nem mesmo haver uma consciência antidialética sobre as emoções que vivenciamos no passado e uma consciência dialética sobre as inúmeras idéias, raciocínios analíticos, intempéries existenciais, relações interpessoais etc., também vivenciadas no passado.

Sem os sistemas de relação das matrizes dos pensamentos essenciais com os estímulos extrapsíquicos, com a história intrapsíquica e com o processo de leitura virtual que formam as cadeias psicodinâmicas dos pensamentos dialéticos e antidialéticos, não seria possível produzir os processos de construção dos pensamentos e da consciência existencial. Com isso, não haveria a construção da consciência do mundo intrapsíquico e do mundo extrapsíquico. Identificamos as expressões faciais das pessoas e percebemos que elas estão tristes, alegres, apreensivas. Como temos segurança nesta identificação? Através do sistema de relação lógica entre o estímulo físico e as etapas do processo de construção de pensamentos.

O eu, ao produzir as cadeias psicodinâmicas das matrizes dos pensamentos essenciais, não tem consciência de como se processa essa produção, porque a leitura da memória, o impressionante resgate das informações, em meio a bilhões de opções existentes, e a manipulação psicodinâmica das RPSs são processos realizados inconscientemente. As matrizes de pensamentos essenciais são produzidas inconscientemente e em milésimos de segundos; depois de serem produzidas, elas sofrem um processo de leitura virtual que gera os pensamentos dialéticos e antidialéticos na esfera da virtualidade, desencadeando a formação da consciência existencial num determinado momento.

Precisamos procurar aprender não apenas a utilizar os pensamentos, mas a compreender os processos de construção dos pensamentos, os fenômenos e as variáveis que neles atuam, em frações de segundos, para gerar os três tipos fundamentais de pensamentos, e a indescritível e sofisticada consciência existencial. Precisamos ir além da produção de conhecimento explicacionista e psicologista sobre o comportamento humano, e do discurso teórico superficial sobre o inconsciente, para investigar os processos de construção dos pensamentos, que nascem e se desenvolvem clandestinamente nos bastidores da psique humana.

Sem investigar os processos de construção da inteligência não compreenderemos a formação da consciência humana, da identidade psicossocial, nem entenderemos quais são os limites do gerenciamento do eu sobre os pensamentos. Sem tal investigação não compreenderemos também os paradoxos que envolvem a única espécie pensante desse planeta. Embora sejamos detentores do espetáculo da inteligência, as cenas de guerras e violação dos direitos humanos macularam as principais páginas de nossa história.

É preciso compreender os fenômenos que estão na base do funcionamento da mente para enxergarmos por que nos tornamos gigantes na ciência e na tecnologia, mas pequenos no desenvolvimento das funções mais altruístas da inteligência, tais como a tolerância, a solidariedade, a capacidade de pensar antes de reagir, de expor e não impor as idéias.

OS PROCESSOS DE CONSTRUÇÃO MULTIFOCAL DOS PENSAMENTOS

A construção dos pensamentos envolve diversos pontos complexos que são dificílimos de ser observados e investigados e, conseqüentemente, de se produzir conhecimento sobre eles. A seguir farei uma recapitulação dos pontos que analisei e dos que ainda precisam ser examinados: 1. A natureza dos pensamentos. 2. Os três tipos básicos dos pensamentos produzidos na mente (o essencial, o dialético e o antidialético). 3. Os sistemas de relações existentes entre os tipos de pensamentos. 4. Os sistemas de relações que os pensamentos mantêm com o mundo intrapsíquico e extrapsíquico. 5. A lógica dos pensamentos. 6. Os processos psicodinâmicos que os constroem e que ultrapassam os limites da lógica. 7. Os sistemas de códigos que reorganizam a construção dos pensamentos. 8. O processo de desorganização dos pensamentos. 9. Os limites e o alcance dos três tipos básicos de pensamentos. 10. A práxis ou materialização dos pensamentos. 11. Os sistemas de validação científica dos pensamentos. 12. O gerenciamento da construção dos pensamentos pelo eu. 13. A leitura da memória e a formação das matrizes de pensamentos essenciais históricos. 14. A construção de pensamentos gerada pelo fenômeno da autochecagem da memória. 15. O fluxo da construção vital e inevitável dos pensamentos produzidos pelo fenômeno do autofluxo. 16. A disponibilidade histórica da memória produzida pela âncora da memória, que gera e, ao mesmo tempo, limita a construção dos pensamentos produzida pelo fenômeno da autochecagem da memória, fenômeno do autofluxo e consciência do eu. 17. O uso espontâneo, inevitável e instantâneo das RPSs (representações psicossemânticas das experiências psíquicas e das informações contidas na memória) nas "cadeias psicodinâmicas dos pensamentos". 18. A leitura da memória e o resgate inconsciente das RPSs, que constituirão as "cadeias psicodinâmicas dos pensamentos". 19. O processo seletivo e inconsciente de cada RPS em meio a bilhões de opções existentes na memória. 20. A conjugação tempo-espacial dos verbos e suas inserções nas "cadeias psicodinâmicas dos pensamentos", antes que elas tenham se tornado conscientes pelo homem. 21. A pista de decolagem virtual preparada pelas matrizes de pensamentos essenciais e suas relações com o processo de leitura virtual que dá origem aos pensamentos dialéticos e antidialéticos. 22. Os pensamentos essenciais histórico-dependentes e histórico-independentes. 23. A influência do fenômeno da psicoadaptação nos processos de construção dos pensamentos. 24. A "psicolinguagem inconsciente" das matrizes dos pensamentos essenciais. 25. A "psicolinguagem consciente" dos pensamentos dialéticos. 26. A "antipsicolinguagem consciente" dos pensamentos antidialéticos. 27. A aplicabilidade do fenômeno da credibilidade autógena na produção dos pensamentos dialéticos e na produção dos pensamentos antidialéticos na esfera da virtualidade ou antiessencialidade. 28. A organização da cadeia de idéias que constituem as análises, as sínteses, os sistemas dos referenciais, enfim, os discursos teóricos dos pensamentos. 29. A desorganização psicótica da "cadeia psicodinâmica" dos pensamentos. 30. Os sistemas de encadeamentos distorcidos ocorridos na construção de pensamentos. 31. O resgate e utilização das experiências passadas no ciclo da construção dos pensamentos e no processo de formação da personalidade etc.

A inteligência multifocal possui três grandes áreas: uma construção multifocal, através da construção de pensamentos; uma influência multifocal através das variáveis da interpretação; um desenvolvimento multifocal contínuo, através dos estímulos intrapsíquicos, socioeducacionais e da carga genética. Existem teorias respeitáveis que enfatizam a terceira grande área, ou seja, a área do desenvolvimento da inteligência, como a Teoria das Inteligências Múltiplas de Howard Gardner,[6] que aborda a inteligência lingüística, lógico-matemática, espacial, musical, interpessoal etc.

Na realidade, só existe uma psique, um campo de energia psíquica, uma mente, e, portanto, só existe uma inteligência. Neste livro ela é chamada formalmente de inteligência multifocal apenas porque sofre uma construção, uma influência e um desenvolvimento multifocal. Esse desenvolvimento se manifesta através de múltiplas possibilidades intelectuais, chamada de inteligências múltiplas na teoria que há pouco citei.

Tenho uma visão particular da terceira grande área, a área do desenvolvimento da inteligência. Para mim, esse desenvolvimento precisa ser psicossocial e filosófico e envolve a formação do homem como democrata das idéias; como pensador que tem afinidade com a arte da dúvida, a arte da crítica, a arte de ouvir, a arte da contemplação do belo; como um engenheiro de idéias que aprende a pensar antes de reagir, que aprende a interiorizar-se, a repensar-se; como pensador humanista que desenvolve a cidadania, que aprende a colocar-se no lugar do outro, que valoriza os direitos humanos e conquista uma macrovisão da espécie humana, etc. Porém, a ênfase principal deste livro é a primeira área, ou seja, a área da construção da inteligência, encabeçada pela construção dos pensamentos. Essa construção, por abordar a leitura da memória, os fenômenos que geram o nascedouro das idéias, os tipos fundamentais de pensamentos, a natureza dos pensamentos, a formação da consciência existencial etc., pode contribuir para expandir e revisar as outras teorias que abordam a terceira área do desenvolvimento da inteligência, tais como a Teoria da Inteligência Múltipla e a Inteligência Emocional.

Há pouco listei mais de trinta pontos que se referem apenas à área da construção de pensamentos. Se acrescentasse a influência das variáveis da interpretação na construção dos pensamentos, representada pelas variáveis intrapsíquicas (energia emocional, história intrapsíquica etc.), intraorgânicas (carga genética, *stress* físico, distúrbios metabólicos etc.) e extrapsíquicas (meio ambiente intra-uterino, estímulos socioeducacionais, *stress* socioprofissional etc.), muitos pontos ainda teriam que ser acrescentados a essa lista. Imagine a rica influência de cada uma dessas variáveis no momento específico da ação dos fenômenos que fazem a leitura da memória e constroem as cadeias de pensamentos. Quando uma pessoa, por exemplo, está sob efeito de uma droga psicotrópica ou de um *stress* socioprofissional, a leitura da memória e a construção das cadeias de pensamentos sofrem diversas interferências.

A investigação desses pontos exige um processo de observação e interpretação continuamente aberto, crítico e reorganizável para que possamos expandir as possibilidades de construção do conhecimento sobre eles. Excetuando o ponto ligado à desorganização psicótica das "cadeias psicodinâmicas dos pensamentos", todos os outros pontos são universais, o que evidencia a complexidade e sofisticação de cada ser humano.

Pelo fato de esses pontos estarem na base universal da construção dos pensamentos, eles podem ser usados para auxiliar, fundamentar, criticar e abrir avenidas de pesquisas para outras teorias psicológicas, tais como as teorias da personalidade. Por exemplo, a estrutura da personalidade de Freud, expressa pelo id, pelo ego e pelo superego, poderia ser ainda mais desenvolvida. O "id" poderia ser mais bem elucidado a partir da influência da energia biofísica (instinto) na produção de matrizes de pensamentos essenciais inconscientes. O "ego" poderia ser mais bem elucidado a partir dos fenômenos que fazem a leitura da memória e que produzem a construção das cadeias de pensamentos dialéticos e antidialéticos. Por sua vez, o "superego" poderia ser mais bem compreendido a partir dos complexos deslocamentos da âncora da memória e, conseqüentemente, das mudanças dos territórios de leitura da história intrapsíquica. Por outro lado, as teorias comportamentais e cognitivas, que têm uma linha psicoterapêutica e um embasamento teórico distintos da psicanálise de Freud, também poderiam ser mais elucidadas através dos processos de construção de pensamentos. Por exemplo, as técnicas comportamentais poderiam ser melhor desenvolvidas e ter outras possibilidades de pesquisas se incorporassem, entre outros pontos, o conhecimento sobre o fenômeno da autochecagem da memória, a construção das cadeias de pensamentos essenciais e o registro automático dessas cadeias na memória pelo fenômeno RAM (registro automático da memória).

Não é objetivo deste livro aplicar a *teoria da inteligência multifocal* em outras teorias. Seria bom que essa tarefa pudesse ser realizada por outros pesquisadores. A construção dos pensamentos é extremamente abrangente e complexa.

Capítulo 4

Os Três Mordomos da Mente Educando e Formando Silenciosamente o "Eu"

O "EU" É PRODUZIDO PARADOXALMENTE POR PROCESSOS INCONSCIENTES

Como o "eu" é formado? Como ele lê a memória e resgata com extremo acerto, em milésimos de segundos e em meio a bilhões de opções, cada RPS que representa as experiências passadas? Como ele organiza essas RPSs, formando complexas cadeias psicodinâmicas das matrizes de pensamentos essenciais históricos, antes que essas matrizes sofram um processo de leitura virtual? Como o processo de leitura virtual das matrizes de pensamentos essenciais gera os pensamentos dialéticos e antidialéticos? Como ele conjuga complexamente os verbos, antes que tenhamos consciência dos tipos de verbos que serão utilizados nas cadeias de pensamentos? Como o "eu" gerencia "inconscientemente", e com extrema fineza, os processos de construção dos pensamentos nos bastidores da mente para administrar a racionalidade humana? Essas perguntas estão no cerne da psicologia e não foram respondidas até hoje.

Se não estudarmos com detalhes a construção dos pensamentos e não questionarmos continuamente nossa produção de conhecimento, fatalmente caminharemos nas trajetórias do psicologismo e não progrediremos na compreensão dos fenômenos que nos torna uma espécie inteligente.

Um dos mais complexos paradoxos intelectuais é expresso pelo gerenciamento do "eu" sobre a construção de pensamentos. O "eu", embora ocorra nos palcos conscientes da inteligência, vive um paradoxo intelectual indescritível, pois gerencia "inconscientemente" a construção de pensamentos, a racionalidade humana; ele lê inconscientemente a memória, organiza inconscientemente as RPSs e produz inconscientemente as cadeias de pensamentos conscientes.

A construtividade do mundo das idéias, que promove toda racionalidade dialética, toda ciência, toda produção de arte, toda comunicação social, enfim, toda "consciência existencial do eu" sobre o mundo que somos e em que estamos, é produzida por processos inconscientes que são operacionalizados nos bastidores da psique.

O HOMEM É UM ENGENHEIRO QUANTITATIVO E NÃO QUALITATIVO DE IDÉIAS

O homem, em detrimento de possuir uma inteligência complexa, expressa pela construção de pensamentos, gerenciada ou não pelo eu, historicamente pouco se interiorizou e se interessou em procurar conhecer os processos e fenômenos que estão envolvidos na construção dos pensamentos, em procurar conhecer os elementos mais íntimos que nos constituem como seres pensantes. É mais confortável se postular como um semideus do que ser alguém que se investiga, que se indaga, que duvida de si mesmo, que questiona a validade, os limites e o alcance das suas idéias. Toda macro ou microditadura nasce da aversão à arte da formulação de perguntas, à arte da dúvida, à arte da crítica.

Ao longo da história humana, o homem viveu inevitavelmente sob o regime da revolução da construção das idéias. Ler a memória e resgatar informações, produzir cadeias de pensamentos, construir o mundo das idéias, ainda que não-qualitativas, sempre foi o destino histórico do *Homo sapiens*. Porém, a construção das idéias, que ocorre clandestinamente nos bastidores da mente, nem sempre foi reorganizada, promovida e redirecionada, enfim, administrada pelo eu para a produção das artes, das relações sociais, das ciências, do humanismo, da cidadania.

O ser humano é um engenheiro que constrói uma grande quantidade de idéias, porém, freqüentemente, não é um engenheiro que constrói idéias com qualidade, que administra com coerência e humanismo sua construção de pensamentos. Por isso, o espetáculo da construção dos pensamentos em muitos períodos da história foi conduzido para promover as mazelas humanas, fomentar a destrutividade social, as guerras, as dores biopsicossociais, a violação dos direitos humanos etc. A trajetória intelectual humana espontânea não é o processo de interiorização, não é a expansão do humanismo, a maturidade intelecto-emocional, mas a síndrome da exteriorização existencial. Tal conclusão não tem nada a ver com uma postura negativista, pessimista, diante da vida, mas é derivada da análise da construção de pensamentos.

O humanismo, a maturidade intelecto-emocional, a capacidade de trabalhar dores, perdas e frustrações psicossociais, enfim, o processo de interiorização, tem de ser conquistado psicossocialmente no processo existencial, através do gerenciamento dos processos de construção dos pensamentos. Sem tal conquista, não teremos parâmetros para compreender que a grandeza de um homem não está no quanto ele possui de poder e *status* socioeconômico-político, mas no quanto ele se interioriza, se investiga, tem consciência da suas limitações e desenvolve o seu humanismo.

As sociedades humanas não precisam de homens que amem a estética social, que amem o poder sociopolítico, mas de homens que sejam grandes no humanismo, grandes como pensadores, grandes na percepção dos seus limites, grandes na capacidade de se colocar no lugar do outro e perceber suas dores e necessidades psicossociais.

OS LIMITES DA CONSCIÊNCIA COMO "REI-EU" DOS PROCESSOS DE CONSTRUÇÃO DOS PENSAMENTOS

É difícil realizar a conquista psicossocial das funções mais nobres da inteligência. O gerenciamento do eu sobre os processos de construção dos pensamentos é difícil de ser conquistado, pois construir pensamentos não é apenas um atributo do eu, mas, pelo menos, de três outros fenômenos intrapsíquicos. Por isso o homem tem uma produção intelectual extremamente complexa, o que gera alguns entraves importantíssimos no gerenciamento do eu sobre a racionalidade humana.

O fenômeno da autochecagem da memória, o fenômeno do autofluxo e a âncora da memória funcionam como três mordomos psicodinâmicos que, associados a outras variáveis, organizam, nutrem e educam o "eu" como o grande gerenciador e redirecionador dos processos de construção da inteligência. Chamarei o "eu" pejorativamente, neste tópico, de "rei-eu". O exercício mais importante do "rei-eu" na mente é o de gerenciar e administrar, pelo menos parcialmente, os processos de construção da inteligência, fazendo com que o homem não seja apenas vítima da revolução das idéias, vítima da sua carga genética, principalmente das propensões genéticas do humor, e vítima dos estímulos do ambiente socioeducacional, mas agente modificador de sua própria história psicossocial.

Uso pejorativamente o termo "rei-eu" para indicar que, ao contrário do que crê o senso comum científico e coloquial, o "eu", ou *self* não é de fato um grande "rei-eu", um senhor absoluto dos processos de construção da inteligência. Grande parte das idéias, pensamentos, emoções e motivações produzidos na mente, como temos visto, não são determinados logicamente e conscientemente pelo "rei-eu", mas pela operacionalização espontânea dos três outros fenômenos inconscientes que lêem a história intrapsíquica e produzem as matrizes de pensamentos essenciais desde a aurora da vida fetal.

Na vida extra-uterina, as matrizes de pensamentos essenciais históricos, produzidas pelos "mordomos" da mente, sofrem um processo de leitura virtual que gera uma riquíssima produção de pensamentos dialéticos e antidialéticos. Porém, a produção das matrizes de pensamentos essenciais históricos e, conseqüentemente, a produção dos pensamentos dialéticos e antidialéticos, derivados da operacionalidade dos "mordomos" da mente, não se submetem a uma administração histórico-crítica que questiona as informações da memória, como se submetem à produção das matrizes de pensamentos essenciais e à produção dos pensamentos dialéticos e antidialéticos produzidos pelo eu.

Nos sonhos, nos delírios e nas alucinações há uma rica construção de pensamentos produzida pelos mordomos da mente, principalmente pelo fenômeno do autofluxo. Porém, o gerenciamento da construção dos pensamentos exercida pelos mordomos da psique não é, como disse, histórico-crítica, pois a "cadeia psicodinâmica dos pensamentos", expressa pela identidade dos personagens, pelas circunstâncias psicossociais, pela conjugação tempo-espacial dos verbos, enfim, pelos discursos teóricos e antidialéticos dos pensamentos, não se submeteu a uma análise e a uma reciclagem crítica construtiva que leva em consideração os parâmetros da história intrapsíquica e da realidade extrapsíquica. Portanto, apesar de os mordomos psicodinâmicos da psique produzirem uma rica construção de matrizes de pensamentos essenciais históricos e, conseqüentemente, uma rica construção de pensamentos dialéticos e antidialéticos, somente o "eu" (do "rei-eu") tem a capacidade, ainda que parcial, de gerenciar, de reciclar, de reorganizar e de reorientar a construção de pensamentos e todos os demais processos de construção da inteligência a partir dos parâmetros histórico-críticos da memória e da realidade extrapsíquica.

Todos esses três mordomos contribuem para produzir o eu num determinado momento existencial. À exceção de uma parcela dos pensamentos essenciais que não chegam a sofrer um processo de leitura virtual, o eu se conscientiza de todos os pensamentos dialéticos e antidialéticos produzidos pelos mordomos psicodinâmicos, embora não determine consciente e logicamente a construtividade dos mesmos.

Cumpre à consciência do eu, ao "rei-eu", atuar no processo de construção de pensamentos e administrá-lo, caso contrário, ela será sempre vítima da construtividade de pensamentos dos três outros fenômenos. Portanto, há diferença entre o "eu" e o gerenciamento do eu. O eu refere-se à consciência dos pensamentos dialéticos e antidialéticos de origem multifocal, que organizam a "consciência existencial" do mundo extrapsíquico e intrapsíquico. O gerenciamento é um passo além, ou seja, é a atuação do eu procurando não apenas se conscientizar da construção das cadeias de pensamentos conscientes, mas administrá-la. Compreenderemos melhor este assunto nos próximos capítulos.

Se o homem não aprende a gerenciar seus pensamentos e emoções, ele se torna marionete dos estímulos estressantes, vítima do meio em que vive e dos focos de tensão que ele mesmo cria no palco de sua mente, através de sua rigidez, sentimento de culpa, perfeccionismo, antecipação de situações futuras.

O eu, embora tenha limites para exercer a governabilidade psíquica, como "rei-eu", embora tenha limites para gerenciar todos os processos de construção dos pensamentos, pode e deve atuar nas cadeias psicodinâmicas dos pensamentos iniciadas pelos "mordomos" da mente. Pois somente assim ele deixa de ser vítima e passa a conquistar terrenos como agente modificador da sua história psicossocial.

A grande maioria das pessoas é vítima e não agente modificadora da sua personalidade. Diversas doenças psíquicas, tais como os transtornos obsessivo-compulsivos e a farmacodependência, tem suas origens nas sofisticadas relações entre o eu e os três fenômenos intrapsíquicos inconscientes que constroem multifocalmente as cadeias de pensamentos.

OS MORDOMOS DA MENTE EDUCANDO SILENCIOSAMENTE O EU

Não deveríamos considerar a rica construção de pensamentos produzidos pelos mordomos da psique humana como um problema; pelo contrário, ela é de fundamental importância. Sem essa rica e inevitável construção de pensamentos, a vida humana se tornaria um tédio insuportável, uma solidão indescritível, pois ela é a mais importante fonte de entretenimento humano. Além disso, sem a rica construção de pensamentos produzida pelos mordomos da mente, a história intrapsíquica e o eu não se desenvolveriam.

Os mordomos da inteligência são fenômenos que lêem continuamente a memória e reorganizam o caos da energia psíquica. Portanto, são fenômenos que promovem os processos de construção da inteligência. Promovem também o desenvolvimento da história intrapsíquica desde a vida intra-uterina, preparando caminho para que o eu comece a se desenvolver nos primeiros anos de vida extra-uterina, através da produção das primeiras cadeias psicodinâmicas de pensamentos dialéticos e antidialéticos que expressam as intenções, os desejos das crianças.

Os mordomos da mente exercem um trabalho psicodinâmico-educacional clandestino para com o eu, preparando-a como "rei-eu". Fiquei, como disse, anos e anos intrigado e me perguntando como o eu lê com extremo acerto, em frações de segundos e em meio a bilhões de opções, cada RPS que participará das cadeias psicodinâmicas dos pensamentos, e como ele organiza essas cadeias. Compreendi que os mordomos da mente realizam uma refinadíssima educação psicodinâmica do eu, conduzindo-a, paulatinamente, a ler "inconscientemente" a história intrapsíquica e a resgatar, com incrível acerto, as RPSs que participarão das matrizes dos pensamentos essenciais históricos.

À medida que esses mordomos ou "mestres-mordomos" lêem a memória e produzem milhares de pensamentos diários, o eu aprende a traçar os mesmos caminhos psicodinâmicos e a realizar sua construção de pensamentos. A atuação dos mordomos da mente no processo de desenvolvimento do eu é psicodinâmica e psicossocialmente complexa e sofisticada.

Com o decorrer do tempo, o eu se desenvolve e se torna um "rei-eu" que adquire indescritível liberdade criativa e plasticidade construtiva para gerenciar os processos de construção dos pensamentos e produzir idéias no tempo que deseja, na freqüência que deseja e na cadeia psicodinâmica que deseja (conteúdo). O "rei eu" torna-se, assim, um exímio engenheiro de idéias, um exímio construtor de pensamentos dialéticos e antidialéticos.

A ATUAÇÃO DOS MORDOMOS DA MENTE NA FORMAÇÃO DA PERSONALIDADE

Toda a construção de pensamentos é produzida inconscientemente nos bastidores da mente. Dezenas de milhares de cientistas estão pesquisando e produzindo uma enormidade de pensamentos dialéticos e antidialéticos, embora não tenham consciência de que aprenderam com os fenômenos que estão contidos nos bastidores da inteligência os caminhos psicodinâmicos que permitem que eles leiam a memória em milésimos de segundos e resgatem, com extrema fineza, cada RPS que constituirá suas idéias.

O desenvolvimento do "eu", o "rei-eu", deve muito mais aos mordomos da mente do que ao processo educacional. Se não houvesse a educação psicodinâmica e psicossocial dos mordomos da mente, poderíamos colocar as crianças nas melhores escolas e ensiná-las por décadas, mas elas não assimilariam nenhuma informação, pois não desenvolveriam a consciência existencial.

Sem a existência dos fenômenos intrapsíquicos, que constroem as cadeias de pensamentos desde a vida intra-uterina, a história da personalidade não se desenvolveria, o eu não conseguiria aprender os caminhos psicodinâmicos da memória, não conseguiria ler as RPSs da história intrapsíquica e construir e administrar as cadeias de pensamentos. Não haveria ciência, livros e qualquer comunicação consciente.

Fico encantado em observar o ser humano pensando e expressando suas idéias, independentemente de quem seja. Costumeiramente, contemplo atenta e embevecidamente a produção intelectual das pessoas que me envolvem e fico impressionado com a sofisticação da construção das cadeias de pensamentos. Freqüentemente, as pessoas não têm esse tipo de prazer, de deleite. Elas não conseguem contemplar a produção intelectual humana na perspectiva de espécie.

A grande maioria dos membros da nossa espécie desconhece a complexidade e a beleza ímpar dos processos de construção do mundo das idéias ocorridos em cada ser humano. Os laços genéticos nos acusam como espécie, mas a falta de contemplação do espetáculo dos pensamentos indica que perdemos historicamente a perspectiva de espécie.

O espetáculo da construção de pensamentos é indescritivelmente sofisticado. Em frações de segundos, posso estar em Londres; nos momentos seguintes, estou em Paris e, segundos depois, estou pensando nas circunstâncias que vou enfrentar amanhã, ainda que o amanhã não exista essencialmente; momentos depois, me transporto para a minha infância, ainda que a recordação seja uma interpretação da história. Porém, não sabemos "onde", "quando" e "como" tivemos um sofisticado aprendizado "psicodinâmico e psicossocial" que nos habilitou a sermos engenheiros de idéias.

Na realidade, o "rei-eu" começa sua faculdade psicodinâmica e psicossocial no campo de energia psíquica desde a aurora da vida fetal, cujos mestres foram os mordomos inconscientes que lêem inevitavelmente a história intrapsíquica e promovem os processos de construção dos pensamentos. Por isso, como afirmei, há nos bastidores da mente um mundo a ser descoberto, cujas raízes ocultas, mais íntimas, nos alimentam como seres pensantes, como seres que têm consciência existencial.

Assim como enumerei mais de três dezenas de pontos teóricos relativos aos processos de construção dos pensamentos que precisariam do espaço de outros livros para serem abordados, o assunto relativo aos três mordomos da mente, que estudaremos nos próximos textos, também é muito extenso; por isso, neste livro, farei apenas uma síntese deles. Há diversas conseqüências psicológicas, filosóficas, sociológicas e educacionais que podem ser derivadas desses textos.

Capítulo 5

O Fenômeno da Autochecagem: O Gatilho da Memória

O FENÔMENO DA AUTOCHECAGEM DA MEMÓRIA E A HISTÓRIA INTRAPSÍQUICA

O fenômeno da autochecagem é o fenômeno que lê automaticamente a memória. É o primeiro fenômeno que atua na inteligência. Diante de um estímulo qualquer, seja um pensamento ou um estímulo físico, ele é acionado e em milésimos de segundos lê a memória, assimila seu conteúdo e, conseqüentemente, produz as primeiras reações no cerne da inteligência. Como temos contato com centenas de milhares de estímulos por dia, o fenômeno da autochecagem é acionado também centenas de milhares de vezes.

Cada vez que vemos um estímulo e o identificamos automaticamente como uma poltrona, uma mesa, um pássaro, uma pessoa, temos que ter consciência que essa identificação automática não foi produzida de maneira mágica e nem muito menos pelo desejo do eu em produzir esta identificação, mas pela ação deste fenômeno.

Possuir uma história intrapsíquica, onde são arquivadas as experiências existenciais, é um privilégio da espécie humana. O registro da história intrapsíquica na memória é involuntário e automático, produzido, como disse, por um fenômeno que chamo de fenômeno RAM — registro automático da memória. Do mesmo modo, a leitura da memória diante de um estímulo também não é opcional, mas inevitável. Entre os fenômenos que lêem inevitavelmente a memória, encontra-se o fenômeno da autochecagem da memória. O fenômeno da autochecagem inicia as primeiras leituras da memória, por isso ele também pode ser chamado de fenômeno do gatilho da memória.

A reação frente a um objeto fóbico não é produzida pelo eu, mas pelo fenômeno do gatilho da memória. Do mesmo modo grande parte dos movimentos musculares, inclusive aqueles que meneiam a cabeça, concordando ou discordando das palavras que ouvimos, são freqüentemente produzidos pelo gatilho da memória, ou seja, são autochecados nos arquivos da memória e produzidos espontaneamente sem a autorização do eu. As reações impulsivas também são produzidas por este fenômeno. Toda vez que reagimos sem pensar somos dirigidos não pelo eu, mas pela autochecagem espontânea e automática da memória.

O eu pode administrar seletivamente determinadas leituras da memória, mas grande parte dessa leitura é realizada involuntariamente. Quando essa leitura é produzida pelos "mordomos da mente", o eu tem grande dificuldade e, às vezes, até a impossibilidade de administrá-la.

Ao contemplar auditiva ou visualmente uma palavra pertinente a uma "língua" que dominamos, a definição da palavra torna-se um processo automático e inevitável, pois foi checada automaticamente na memória. Ao contemplarmos uma criança, um veículo, uma residência, a cor das roupas, um barco pintado num quadro, enfim, qualquer estímulo extrapsíquico que tem RPSs (diretivas e associativas) na nossa história intrapsíquica, elas serão lidas automaticamente pelo fenômeno do gatilho da memória. Essa autochecagem da memória produz cadeias de pensamentos essenciais que, lidas virtualmente, geram os pensamentos antidialéticos e dialéticos, estabelecendo, assim, a consciência existencial do estímulo.

Não é atributo do eu definir a maioria das imagens e sons que sensibilizam nossos sistemas sensoriais; eles simplesmente são autochecados na memória e compreendidos automaticamente. O eu só entra em ação numa fase posterior do processo de interpretação, segundos depois, para discorrer, discursar, enfim, produzir cadeias de pensamentos mais complexas sobre os estímulos contemplados.

É impossível conter no estado de vigília a operação psicodinâmica do fenômeno da autochecagem da memória, a não ser que o processo de observação esteja comprometido pelo intenso efeito de alguma substância psicotrópica, ou se a energia emocional estiver submetida a um forte *stress*. Neste caso, poderia se comprometer qualitativamente a assimilação do conteúdo do estímulo, mas não conter o processo de leitura automático da memória.

O fenômeno da autochecagem atua na etapa inicial do processo de interpretação. A primeira etapa do processo de interpretação é produzida pela sensibilidade do estímulo no sistema sensorial até ocorrer a autochecagem da memória do mesmo na memória. Através dela se inicia a definição histórica do estímulo contemplado.

Pela definição histórica, desencadeamos a produção intelectual. Porém, apesar da importância fundamental da atuação psicodinâmica do fenômeno da autochecagem da memória, podemos colocar o estímulo observado em um cárcere, por submetê-lo exclusivamente às dimensões das informações contidas na memória. Uma pessoa que tem preconceitos contra alguém pode autochecar seus comportamentos e produzir reações que desprezam completamente o conteúdo dos mesmos, sem submetê-los a uma análise posterior.

Uma pessoa que só gravita em torno dos pensamentos produzidos pelo gatilho da memória é incapaz de repensar suas reações e gerenciar suas idéias, portanto, vive debaixo da ditadura do preconceito. O gatilho autocheca o estímulo na memória e produz os primeiros pensamentos, mas cumpre ao eu refletir sobre eles e criticá-los depois de produzidos.

Ao observar uma pessoa tensa, ansiosa, irritada, desesperada, é fácil julgá-la superficialmente através das cadeias de pensamentos produzidas pelo fenômeno da autochecagem, sem considerarmos, através do gerenciamento do eu, as causas intrapsíquicas e psicossociais que geraram esses comportamentos.

Os estímulos extrapsíquicos, captados pelo sistema sensorial, são assimilados pelo córtex cerebral, gerando sistemas de códigos físico-químicos. Esses sistemas de códigos são transmutados, através de sítios específicos do cérebro, no campo de energia psíquica, transformando-se nos sistemas de códigos dos pensamentos essenciais, que ainda são "a-históricos".

Estes sistemas de pensamentos essenciais "a-históricos" são autochecados na memória, em regiões específicas do córtex cerebral, conquistando historicidade. A atuação do fenômeno da autochecagem gera as mais diversas formas de preconceito dos estímulos que interpretamos. Se o eu não gerenciar esses preconceitos, gera-se, então, a ditadura do preconceito e do preconceituosismo que comprometem a democracia das idéias.

Os sistemas de códigos dos pensamentos essenciais "a-históricos", advindos dos estímulos extrapsíquicos, são histórico-dependentes, ou seja, são autochecados automaticamente pela ação do fenômeno da autochecagem na memória.

A autochecagem da memória é produzida através das leituras das RPSs diretivas (ligada diretamente ao estímulo extrapsíquico) e das RPSs associativas (relacionada com o mesmo). Nesse processo de leitura existe uma correspondência entre os sistemas de códigos físico-químicos recebidos pelo sistema sensorial, os sistemas de códigos dos pensamentos essenciais "a-históricos" e os sistemas de códigos físico-químicos (provavelmente eletrônicos) que representam psicossemanticamente as experiências psíquicas que foram registradas no arquivo existencial da memória, localizada no córtex cerebral.

O FENÔMENO DA AUTOCHECAGEM CONSTRÓI PENSAMENTOS E ESTIMULA A EMOÇÃO SEM A AUTORIZAÇÃO DO "EU"

Os estímulos extrapsíquicos, como disse, são histórico-dependentes, ou seja, precisam ser invariavelmente autochecados na memória intrapsíquica para serem compreendidos. Antes de serem compreendidos no palco consciente da mente, eles são autochecados na memória, produzindo as matrizes de pensamentos essenciais históricos. As matrizes de pensamentos essenciais históricos têm de ter, por sua vez, um sistema de correspondência entre a leitura virtual dos pensamentos dialéticos e os sistemas de códigos físico-químicos das RPSs.

Sem esses sofisticados sistemas de relação, não seria possível haver determinados níveis de "correspondência ou relação lógica" entre o pensamento dialético sobre uma determinada pessoa e a pessoa em si. Por isso, reitero que, embora a construção de pensamentos ultrapasse os limites da lógica, ela possui um sistema de relação lógica; caso contrário, não seria possível produzir ciência, não haveria verdade científica.

Entre os pensamentos dialéticos e antidialéticos, e a realidade dos objetos e pessoas que nos circundam, há uma distância infinita, insuperável, pois os pensamentos são virtuais, antiessenciais, e os objetos e as pessoas são reais, essenciais. Essa distância nunca é superada, na realidade; nós apenas temos a sensação, a impressão e a consciência dessa superação pelos níveis de "relação lógica" produzidos pelos sistemas de relações existentes nos processos de construção dos pensamentos. Como disse, apesar da intransponibilidade entre a consciência da essência e a realidade intrínseca da própria essência, é possível que a construção de pensamentos possa gerar conseqüências científicas, tais como previsão de fenômenos, comprovação dos argumentos teóricos e aplicações científicas, através dos sistemas de relação lógica e de materialização das matrizes dos pensamentos essenciais históricos que estão na base dos pensamentos dialéticos e antidialéticos.

As matrizes dos pensamentos essenciais, produzidas pelo fenômeno da autochecagem, não apenas sofrem um processo de leitura virtual e geram os pensamentos dialéticos e antidialéticos; elas também reorganizam o caos da energia como um todo. Elas atuam psicodinamicamente no processo de transformação da energia emocional e motivacional e, em pequenas frações de segundos depois, sofrem um processo de leitura virtual que gera a construção dos pensamentos conscientes. Assim, as ofensas, os elogios, as situações fóbicas, as circunstâncias existenciais, etc. antes de serem conscientizadas pelo eu, são autochecadas na história intrapsíquica, tornam-se matrizes de pensamentos essenciais históricos, que transformam primeiramente a energia emocional e motivacional para, em fração de segundos, sofrerem uma leitura virtual que gerarão os pensamentos dialéticos e antidialéticos no palco da consciência intelectual.

Há vários exemplos que, se observados através de uma "pesquisa empírica aberta" disciplinada, e que reorienta continuamente o processo de observação, interpretação e produção de conhecimento, podem comprovar indiretamente que os estímulos extrapsíquicos são autochecados historicamente antes de ocorrer a assimilação ou compreensão intelectual do mesmo.

Uma pessoa que assiste a um filme de terror pode resolver não sofrer nenhuma sensação fóbica com as cenas de terror, devido à conscientização de que existe um diretor de cinema, um artista plástico, um câmera, um iluminador por detrás de cada cena bem como devido à conscientização de que o "monstro" do filme é meramente um ator, que repetidas vezes ensaiou seu comportamento e, provavelmente, ironizou os textos que interpreta. Porém, se o espectador estiver sozinho na sua sala de TV e se ela estiver à meia-luz, quando a porta começa a ranger, sugerindo a iniciação da cena de terror, o espectador, ainda que esteja racionalizando os estímulos e determinado a ficar indiferente a eles, sofrerá a ação inconsciente do fenômeno da autochecagem, que lerá automaticamente a sua memória. Nessa leitura, ele resgatará um grupo de RPSs ligadas às experiências fóbicas vividas na sua infância e que se relacionam ou se associam aos estímulos extrapsíquicos contidos nas cenas. Assim, ele sofrerá, ainda que não deseje, determinado grau de ansiedade fóbica, principalmente se seu passado for rico em fobias e superstições.

O exemplo acima evidencia um dos segredos do funcionamento da mente humana. O fenômeno da autochecagem lê a memória, constrói pensamentos e transforma a energia psíquica sem a autorização do eu.

O GATILHO DOS PROCESSOS DE CONSTRUÇÃO MULTIFOCAL DOS PENSAMENTOS

O fenômeno da autochecagem desencadeia, em frações de segundos, o gatilho das primeiras reações da inteligência. Quando um observador contempla os estímulos extrapsíquicos (ex., a arquitetura das casas, o comportamento humano, os sons musicais, um quadro etc.) ele produz, em última análise, nos bastidores da sua mente, as matrizes dos pensamentos essenciais "a-históricas", que autochecadas na memória produzem as matrizes dos pensamentos essenciais "históricos". Essas matrizes atuam psicodinamicamente no processo de transformação da energia emocional. Frações de segundos depois, elas sofrem o processo de leitura virtual que gerará a produção de pensamentos dialéticos e antidialéticos.

Quando os pensamentos dialéticos e antidialéticos são formados, o eu entra em cena e, dependendo de sua capacidade de gerenciamento, exerce uma revisão crítica das idéias e das reações emocionais desencadeadas e produzidas pelo fenômeno da autochecagem ou do gatilho da memória.

O desencadeamento da construção da inteligência ocorre freqüentemente através dos mordomos psicodinâmicos da mente sem a participação do eu. Porém, cumpre a ela ser o agente modificador da sua história psicossocial e exercer um redirecionamento desses processos de construção que se desencadearam sem a sua determinação consciente e lógica.

A autochecagem dos estímulos extrapsíquicos começa na vida intrauterina. Com o decorrer do tempo, se processa também a autochecagem dos estímulos intrapsíquicos, ou seja, das idéias, das análises, das emoções etc., que são geradas diariamente na mente humana. Ao longo do processo existencial, o fenômeno do gatilho da memória opera-se psicodinamicamente bilhões de vezes, expandindo a história da personalidade, pois cada experiência gerada por ele é registrada automaticamente pelo fenômeno RAM.

A leitura desta história, produzida pelo fenômeno da autochecagem, e as cadeias de pensamentos geradas por ele contribuem, paulatinamente, para educar o eu, "orientando-o" inconscientemente a utilizar a memória, estimulando-a a percorrer as mesmas trajetórias psicodinâmicas.

A seguir, será apresentado um quadro didático sobre o fenômeno da autochecagem da memória e sua atuação psicodinâmica na construção das cadeias de pensamentos e na formação da consciência existencial.

GRÁFICO 1
FENÔMENO DA AUTOCHECAGEM DA MEMÓRIA (GATILHO)

PRODUÇÃO AUTOMÁTICA DE CADEIAS DE PENSAMENTOS E DE EXPERIÊNCIAS EMOCIONAIS PELA AUTOCHECAGEM DA MEMÓRIA DIANTE DOS ESTÍMULOS EXTRAPSÍQUICOS E INTRAPSÍQUICOS

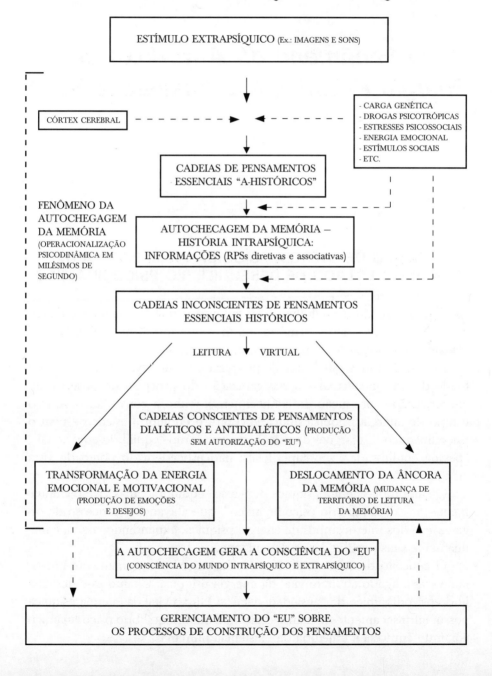

Capítulo 6

O Fenômeno do Autofluxo da Energia Psíquica e a Ansiedade Vital

O CAMPO DE ENERGIA PSÍQUICA EXPERIMENTA UM CONTÍNUO ESTADO DE DESEQUILÍBRIO PSICODINÂMICO

O fenômeno do autofluxo é o fenômeno que lê continua e diariamente inúmeros territórios da memória produzindo uma "usina" de emoções e de pensamentos cotidianos.

Depois de todos estes anos de pesquisa em que vivi continuamente a tríade de arte intelectual e a reorganização do processo de observação, interpretação e produção de conhecimento, tenho a convicção de que o campo de energia psíquica nunca encontra o equilíbrio estático e nem o psicodinâmico. Os jargões da psicologia, tais como "equilíbrio emocional", "pessoa equilibrada", são superficiais; não procedem do ponto de vista científico.

O campo de energia psíquica nunca se "equilibra", mas vive continuamente um "desequilíbrio psicodinâmico", que alavanca o processo de organização dos microcampos de energia psíquica, expandindo, assim, continuamente suas possibilidades de construção.

O conceito do "desequilíbrio psicodinâmico" é extremamente importante e está ligado ao fluxo vital da energia psíquica. Chamo esse desequilíbrio psicodinâmico de "ansiedade vital". O fluxo vital da energia psíquica possui intrinsecamente uma ansiedade vital ou desequilíbrio psicodinâmico contínuo em toda a trajetória da existência humana.

A ANSIEDADE VITAL

Todo ser humano vive continuamente, nos bastidores da sua mente, uma ansiedade vital. Ninguém pode se livrar da ansiedade vital. A ansiedade vital é diferente da ansiedade patológica, da tensão emocional doentia, que normalmente é angustiante e, freqüentemente, é acompanhada de sintomas psicossomáticos. A ansiedade vital é fundamental no processo de leitura da história intrapsíquica e de construção da inteligência. A ansiedade vital anima e provoca psicodinamicamente os processos de construção dos pensamentos, da consciência existencial e as transformações da energia emocional e motivacional.

Embora todo ser humano tenha essa ansiedade vital, ela é qualitativamente diferente de pessoa para pessoa. As crianças hiperativas ou hipercinéticas têm uma ansiedade vital intensa; por isso, provocam inconscientemente e de maneira exacerbada os fenômenos que fazem a leitura da memória, gerando um hiperfluxo de transformações emocionais e motivacionais e uma hiperconstrutividade de pensamentos, que se expressa na hiperatividade psicomotora. Algumas crianças autistas, ao contrário, têm sua ansiedade vital diminuída e, com isso, têm uma estimulação psicodinâmica reduzida dos fenômenos que fazem a leitura da memória, que se traduz numa redução da transformação da energia emocional, numa redução da construção quantitativa dos pensamentos e numa redução pela interação e interesse social. Por isso, elas criam um mundo particular dentro de si mesmas. Nas crianças autistas o grande desafio psicoterapêutico é estimular os mordomos psicodinâmicos que constroem os pensamentos a contribuírem para formar o eu (a consciência de si mesmo e a consciência do mundo extrapsíquico).

A ansiedade vital está intimamente ligada aos níveis de desorganização e reorganização pelos quais as experiências psíquicas passam no campo da energia psíquica. A ansiedade vital é o estado de desequilíbrio psicodinâmico contínuo e irrefreável que anima o fluxo vital da energia psíquica, que, como disse, é o "princípio dos princípios" do processo de transformação da própria energia psíquica, do processo de formação da personalidade.

A ansiedade vital está ligada psicodinamicamente tanto à qualidade quanto à velocidade da leitura da memória e, conseqüentemente, à qualidade e velocidade dos processos de construção da psique, e também, conseqüentemente, à qualidade do processo de formação da personalidade. Diversas variáveis atuam psicodinamicamente na ansiedade vital determinando seus níveis qualitativos, tais como os microcampos de energia físico-química determinadas pelo metabolismo neuroendócrino (determinado geneticamente), o *pool* de experiências vivenciadas no meio ambiente intra-uterino, a qualidade da história intrapsíquica, a estimulação socioeducacional, a operacionalidade psicodinâmica do fenômeno da psicoadaptação, etc.

A ansiedade vital é, portanto, uma variável intrapsíquica influenciada psicodinamicamente por variáveis de origem genética, socioeducacional e intrapsíquica. Apesar da importância da ansiedade vital na construção da inteligência, eu me restringirei apenas a esta abordagem sintética sobre ela.

O FENÔMENO DO AUTOFLUXO E SUA RELAÇÃO COM A ANSIEDADE VITAL

O autofluxo é uma palavra conjugada que aqui significa um fluxo por si mesmo, um fluxo espontâneo e contínuo. Fenômeno do autofluxo é uma expressão que representa um conjunto de fenômenos que atua nos bastidores da mente humana e que financia um fluxo espontâneo e inevitável da energia psíquica, gerando continuamente uma produção de pensamentos, idéias, motivações, emoções. A energia psíquica está continuamente fluindo ou se transformando na forma de pensamentos e emoções. Cada pensamento e emoção produzida no campo da energia psíquica se desorganiza e se reorganiza continuamente em outros pensamentos e emoções.

Ninguém consegue interromper a transformação da energia psíquica. Ela sofre a ação contínua e inevitável do fenômeno do autofluxo. É impossível interromper a produção de pensamentos. Todos viajam nas avenidas dos pensamentos e se desligam, ainda que por instantes, do mundo concreto. Os juízes viajam enquanto julgam os réus. Os psicoterapeutas, por mais atentos que sejam, viajam enquanto atendem seus pacientes. Os cientistas viajam enquanto pesquisam. As crianças viajam no mundo dos seus sonhos. Os idosos, nas trajetórias do seu passado.

Alguns viajam muito, estão sempre flutuando nos seus pensamentos. Outros viajam menos, mas mesmo assim fazem constantes viagens intelectuais. Uns sofrem muito com seus pensamentos traumáticos, outros se alegram com suas idéias, pois elas estimulam seus projetos. Uns pensam e logo se concentram nas suas tarefas. Outros pensam tanto que se desligam do que estão fazendo, por isso têm grande déficit de concentração e, conseqüentemente, se esquecem facilmente dos fatos cotidianos. Todavia, esse déficit de memória não é neurológico, mas psicodinâmico, portanto não é grave. Ele é fruto apenas da hiperprodução de pensamentos, situação que ocorre quando alguém vive intensamente o fenômeno do autofluxo. As pessoas hiperativas e as estressadas freqüentemente apresentam esse déficit de memória psicodinâmico.

Comentei que a psique humana é um campo de energia psíquica que sofre um fluxo vital contínuo de transformação essencial; por isso tenho falado que, da aurora da vida fetal até o último suspiro da existência, todos vivemos uma revolução da construção das idéias e uma usina psicodinâmica de emoções. O fenômeno do autofluxo contribui decisivamente para gerar o fluxo vital da energia psíquica.

A ansiedade vital é uma variável intrapsíquica que participa do fenômeno do autofluxo. A ansiedade vital está ligada psicodinamicamente também a outras variáveis intrapsíquicas, tais como o fenômeno da autochecagem da memória, a âncora da memória, o eu, etc.

O fenômeno do autofluxo é um fenômeno intrapsíquico que ocupa um lugar de destaque como mordomo da mente. Ele é responsável pela leitura da história intrapsíquica, pela reorganização do caos da energia psíquica, pela construção inconsciente das idéias e, conseqüentemente, pela educação, orientação e organização do eu. Quem forma o "eu" não é a educação escolar e familiar, como até hoje pensávamos, mas principalmente o fenômeno do autofluxo. A educação social apenas dá um pequeno empurrão num processo belo e inevitável.

Milhares de pensamentos são produzidos por dia no palco da mente de um bebê, através das leituras do fenômeno do autofluxo. Num ano são milhões. Cada pensamento é registrado automaticamente pelo fenômeno RAM, tornando-se um pequeno e precioso tijolo da arquitetura do "eu". Quando uma criança de três anos diz que tem medo de ficar num quarto fechado, esta pequena reação fóbica não é produzida apenas pela palavra medo, mas pela consciência do medo, uma consciência que é gerada pela leitura instantânea de milhares de informações contidas na sua memória, ligadas à ausência de sua mãe, insegurança, sentimento de solidão, vazio, angústia.

Os computadores jamais sentirão medo e solidão, mas o homem, por desenvolver a consciência de si mesmo, por possuir um "eu", sentirá e terá consciência dessas emoções. Os computadores são mais lógicos do que o homem, mas o homem é indescritivelmente mais complexo do que eles. Até a memória humana é mais complexa que a dos computadores. No homem ela não é lida por índice, mas por conteúdos seletivos.

O ciclo de construção do campo de energia psíquica, expresso pela organização, pelo caos e reorganização da construção dos pensamentos é, freqüentemente, muito mais rápido do que o ciclo físico-químico da construção. Uma casa de alvenaria demoraria décadas ou séculos para se submeter completamente ao caos físico-químico e ser incorporada à terra e, a partir daí, participar de outras estruturas físicas. De outro lado, como vimos, as idéias, os pensamentos, as análises, a ansiedade, o prazer, as reações fóbicas, etc., embora sejam construções psicodinâmicas extremamente complexas, vivem o caos em segundos ou frações de segundos para, em seguida, serem reorganizadas em novos microcampos de energia psíquica, que definimos como novas emoções, motivações e matrizes de pensamentos essenciais.

Se o campo de energia psíquica não passasse, milhares de vezes ao dia, por um "ciclo de construção psicodinâmico" extremamente rápido, não seria possível desorganizar a estrutura psicodinâmica intrínseca dos pensamentos, das emoções e das motivações e reorganizá-las novamente em outras construções psicodinâmicas. Sem a sofisticação e rapidez do "ciclo de construção psicodinâmico" não seríamos o que somos. O homem, como vimos, não seria o complexo e sofisticado *Homo intelligens*, não desenvolveria sua personalidade nem construiria história e uma identidade psicossocial, pois sua mente não viveria sob o regime de uma construção inevitável de idéias e de transformações da energia emocional e, conseqüentemente, não experimentaria diariamente um conjunto de pensamentos antecipatórios, de análises, de sínteses, de resgates de experiências passadas, de prazer, de angústia, de ansiedade, de insegurança, de desejo, de impulso.

Reitero, o fenômeno do autofluxo participa decisivamente do "ciclo psicodinâmico da construção" da mente, participa decisivamente da construção de pensamentos e de experiências emocionais. O fenômeno do autofluxo não apenas participa da leitura da memória, mas ele mesmo é multifocal, pois é composto de um conjunto de fenômenos ou de variáveis intrapsíquicas da mente. Entre as variáveis que participam da composição e ação psicodinâmica do fenômeno do autofluxo está a ansiedade vital, o fenômeno da psicoadaptação, a energia emocional.

A energia psíquica jamais pára de se transformar. Todos sabemos que produzimos milhares de pensamentos diariamente. Se nos interiorizarmos e fizermos uma análise desses pensamentos, verificaremos que apenas uma pequena parte desses pensamentos foi produzida debaixo do gerenciamento do eu. Quem, então, é responsável pela produção clandestina de pensamentos que ocorre na mente humana? Diversos fenômenos, dos quais o fenômeno do autofluxo é o mais importante. Ninguém consegue interromper a construção dos pensamentos e as transformações da energia emocional, porque ninguém consegue interromper a atuação psicodinâmica do fenômeno do autofluxo. O homem (a psique) vive para pensar e pensa para viver. Pensar não é uma opção do homem; pensar é o seu destino inevitável. A opção do homem ocorre apenas no que tange ao gerenciamento da construção inevitável dos pensamentos.

O fenômeno do autofluxo lê multifocalmente a história intrapsíquica, produzindo em grande parte do processo existencial diário inúmeras matrizes de pensamentos essenciais históricos. Essas matrizes atuarão no campo de energia emocional e motivacional, produzindo uma usina psicodinâmica de emoções e motivações. Além disso, elas sofrerão um processo de leitura virtual, produzindo a construção dos pensamentos dialéticos e antidialéticos.

A construção de pensamentos, gerada pelo fenômeno do autofluxo, ocorre freqüentemente, como comentei, sem a determinação consciente do eu, ou seja, através de mecanismos psicodinâmicos espontâneos que envolvem a ansiedade vital, a estimulação da energia motivacional, a leitura da história intrapsíquica, a formação das matrizes dos pensamentos essenciais, a leitura virtual dessas matrizes, a produção de pensamentos dialéticos e antidialéticos na esfera da virtualidade ou da perceptividade.

O mundo dos pensamentos e das emoções produzidos pelo fenômeno do autofluxo e pelos demais fenômenos intrapsíquicos que fazem a leitura da história intrapsíquica, é um dos maiores mistérios da mente humana, um mistério que está no âmago da inteligência.

A MAIOR FONTE DE ENTRETENIMENTO HUMANO

O fenômeno do autofluxo é acionado através dos estímulos extrapsíquicos, intraorgânicos e intrapsíquicos. Porém, independentemente desses estímulos ele é acionado pela atuação psicodinâmica da ansiedade vital, gerando um fluxo por si mesmo, um fluxo vital e espontâneo da energia psíquica. Na ausência de pensamentos essenciais, dialéticos, antidialéticos (estímulo intrapsíquico), de estímulos extrapsíquicos (ex., imagens e sons) e de estímulos intraorgânicos (ex., endorfinas, drogas psicotrópicas, mensagens dos neurotransmissores) o fenômeno do autofluxo é psicodinamicamente ativado pela ansiedade vital que o constitui.

A ansiedade vital provoca um processo de leitura espontânea, sem motivação consciente da memória, gerando pensamentos essenciais que transformarão a energia emocional e motivacional e que servirão de base para a produção de pensamentos dialéticos e antidialéticos sem a autorização do eu, promovendo, assim, o autofluxo vital da energia psíquica.

Os estímulos extrapsíquicos provocam primeiramente a atuação do fenômeno da autochecagem da memória, que produz cadeias de pensamentos essenciais, dialéticas e antidialéticas e, depois, acionam o fenômeno do autofluxo. Ao observar o comportamento de uma pessoa (estímulo extrapsíquico), produzimos o primeiro grupo de pensamentos através do fenômeno da autochecagem da memória; porém, o segundo grupo de pensamentos será fruto do gerenciamento do eu ou do fenômeno do autofluxo. Se o segundo grupo de pensamentos foi aleatório, sem uma agenda lógica e coerente, ele normalmente foi construído pelo fenômeno do autofluxo. O fenômeno do autofluxo produz aquelas viagens intelectuais em que nos distanciamos da situação real e divagamos por nossas idéias.

Os estímulos intra-orgânicos também acionam primeiramente o fenômeno da autochecagem da memória. Se os estímulos intraorgânicos forem decorrentes de distúrbios metabólicos graves ou se forem drogas psicotrópicas alucinógenas, a autochecagem da memória será totalmente bizarra, incoerente, ilógica, gerando cadeias de pensamentos alucionatórios e delirantes, que não possuem um sistema de relação com a realidade extrapsíquica e intrapsíquica (memória). Após a atuação do fenômeno da autochecagem da memória e, conseqüentemente, após a produção das primeiras cadeias de pensamentos e das primeiras reações emocionais, o fenômeno do autofluxo é acionado. Uma vez acionado, ele continuará a construção das cadeias de pensamentos e das experiências emocionais. Porém, a qualquer momento, o eu pode se conscientizar de que não está gerenciando a construção de pensamentos e retomar esse gerenciamento, dando coerência a essa construção. Muitas vezes estamos fazendo viagens intelectuais absurdas em nossas mentes e, de repente, nos conscientizamos desse processo e, assim, interrompemos a produção das fantasias e das idéias incoerentes e redirecionamos a construção dos pensamentos.

Confesso que, na minha trajetória de pesquisa, fiquei pasmado em perceber a complexidade da construção dos pensamentos sem a autorização do eu. Eu pensava que todos os pensamentos produzidos na mente tinham algum tipo de ligação com o eu, que por sua vez, de alguma forma, atuaria administrando a sua construtividade. Porém, como explicar a rica construção de pensamentos e das experiências emocionais ocorridas nos sonhos? Como explicar a multiplicidade de pensamentos e fantasias que diariamente são construídas em nossa mente e que, às vezes, nos causam intensa ansiedade e angústia existencial, tais como resgatar situações angustiantes do passado e antecipar situações traumáticas do futuro, e que são produzidas à revelia da determinação consciente do "eu"? Como explicar as idéias fixas de conteúdo negativo, como ocorre nos transtornos obsessivos, ligadas a acidentes, a perdas, a doenças graves, a mortes etc., que geram forte tensão emocional e que são rejeitadas sem sucesso pelo eu?

Nos transtornos obsessivos há uma hiperconstrutividade de idéias de conteúdo negativo que não é explicada por nenhum princípio que rege o processo de formação da personalidade estabelecido pelos teóricos da personalidade. O princípio do prazer de Sigmund Freud, o *self* criador de Carl Gustav Jung, a busca da superioridade de Adler, a busca do sentido existencial de Viktor Frankl etc., não explicam a hiperconstrutividade de idéias fixas de conteúdo negativo ocorrida nos transtornos obsessivo-compulsivos (TOC) e que não são administradas pelo eu. Porém, os transtornos obsessivos podem ser explicados pelo fluxo vital da energia psíquica, que é o princípio dos princípios da psique, pois evidencia que ocorre um processo vital e inevitável de autotransformações da energia psíquica.

O fluxo vital da energia psíquica é o princípio vital que anima e promove o processo de formação da personalidade e o desenvolvimento da história psicossocial do homem. Os fenômenos psíquicos estão imersos no fluxo vital da energia psíquica; por isso lêem continuamente a história intrapsíquica, produzindo as cadeias de pensamentos. O fluxo vital da energia psíquica sofre um "ciclo psicodinâmico de construção", expresso por um processo contínuo e inevitável de organização, desorganização e reorganização.

Quando estudamos os processos de construção dos pensamentos, compreendemos que ocorre uma riquíssima operacionalidade dos fenômenos que estão na base do funcionamento da mente, bem como uma riquíssima participação das variáveis intrapsíquicas que atuam nessa leitura. É impossível interromper o fluxo vital da energia psíquica; por isso, como disse, é impossível interromper a construção das idéias e as transformações emocionais.

Se fosse possível interromper o fluxo vital da energia psíquica, a vida humana seria um tédio insuportável, uma solidão angustiante, pois a construção das idéias e a produção das emoções e motivações, geradas sem a autorização do eu, são a mais importante fonte de entretenimento humano.

Gastamos, diariamente, grande parte do nosso tempo mergulhados em nosso mundo intrapsíquico, envolvidos com a construção contínua e inevitável das idéias, emoções e desejos produzidos à revelia da determinação do eu. Até mesmo a vida dos autistas seria intensamente angustiante se não houvesse a operacionalização espontânea dos fenômenos que realizam a construção dos pensamentos.

Toda a indústria do turismo e todas as demais fontes de entretenimentos, tais como o cinema, a TV, as artes, a literatura etc., produzidas pelo homem são restritivas se comparadas à "fábrica" de idéias e de emoções produzidas espontaneamente no campo de energia psíquica. O fenômeno do autofluxo é uma variável que contribui significativamente para produzir o processo contínuo de transformação da energia psíquica, conduzindo o homem em toda a sua trajetória existencial, dormindo ou em estado de vigília, a viver sob o regime dos pensamentos e das emoções.

O fenômeno do autofluxo é o grande gerador inconsciente do fluxo vital da energia psíquica, independentemente das características doentias ou saudáveis dos pensamentos que produz. Quem é que teria coragem de chamar os amigos e os parentes para fazer uma conferência sobre o universo de pensamentos que produzimos no silêncio de nossas mentes? Pensamos tantas coisas bizarras, que provavelmente nem o mais puritano dos homens teria coragem de fazer uma exposição de todos os pensamentos construídos em sua mente.

O FENÔMENO DO AUTOFLUXO CONTRIBUINDO PARA A FORMAÇÃO DA HISTÓRIA INTRAPSÍQUICA E DO "EU"

A atuação psicodinâmica e construtiva do fenômeno do autofluxo, associada à atuação psicodinâmica e construtiva do fenômeno da autochecagem da memória, produz desde a aurora da vida do feto um grupo contínuo de experiências psíquicas que, registrado automaticamente pelo fenômeno RAM, enriquece a história intrapsíquica. À medida que a história intrapsíquica se enriquece, os fenômenos intensificam o ciclo psicodinâmico de construção de matrizes de pensamentos essenciais que, na vida extra-uterina, gerará a produção de pensamentos dialéticos e antidialéticos. Com a expansão da produção de pensamentos dialéticos e antidialéticos, o eu começa a se organizar e a ler continuamente as informações pertinentes a história intrapsíquica para construir pensamentos e produzir emoções sob uma determinação consciente.

Na criança, em seus primeiros anos de vida, o eu constrói conscientemente pensamentos simples, que expressam pequenos desejos, tais como tomar água, deslocar-se para determinado ambiente, querer determinado objeto etc., embora a leitura da história intrapsíquica e a produção inconsciente das matrizes de pensamentos, que estão na base desses simples pensamentos, sejam altamente complexas. Com o passar do tempo, à medida que o eu aprende com os mordomos da mente os caminhos psicodinâmicos da leitura e utilização da memória, ele começa a enriquecer a construção de pensamentos e o gerenciamento dessa construção. Penetrar nos arquivos da memória, utilizar os parâmetros e as informações neles contidos, processar a construção dos pensamentos e expandir cada vez mais o gerenciamento dessa construção, são os mais sofisticados trabalhos intelectuais do eu.

O processo de leitura da memória e da construção dos pensamentos pelos fenômenos intrapsíquicos, que gera uma aprendizagem psicodinâmica e psicossocial lenta e gradual do eu, é uma das áreas mais importantes e complexas da Psicologia. Sem compreendê-lo, haverá grandes lacunas teóricas não apenas na Psicologia, mas também nas demais ciências que estudam a psique e suas manifestações.

No ambiente clandestino e inconsciente dos bastidores da mente, o "eu" aprende um dos mais refinados, complexos e sofisticados paradoxos da inteligência, que é aprender silenciosamente os caminhos psicodinâmicos "inconscientes" da leitura da história intrapsíquica e do gerenciamento dos processos de construção dos pensamentos. O eu só pode se organizar e gerenciar o processo de construção dos pensamentos, e os demais processos de construção da inteligência, se ele paradoxalmente aprender a ler "inconscientemente" a história intrapsíquica e produzir também, "inconscientemente", as cadeias psicodinâmicas das matrizes de pensamentos. Os mais complexos trabalhos intelectuais da mente humana não são a construção dos computadores, as grandes obras de engenharia, a produção da ciência, mas são a leitura da memória, a construção dos pensamentos e o gerenciamento dessa construção, pois esses trabalhos, além de serem sofisticadíssimos, são produzidos por processos totalmente inconscientes. A ciência, as artes e a tecnologia estão apenas na ponta do *iceberg* da inteligência multifocal.

Ao observar as pessoas que nos circundam produzindo idéias e expressando-as, deveríamos ficar intrigados com o gerenciamento sobre fenômenos inconscientes que participam do espetáculo da construção dessas idéias, mesmo das mais ínfimas. Todos pensamos, mas não nos surpreendemos com os mistérios contidos no espetáculo da construção dos pensamentos, mesmo dos mais débeis. Quando observamos um cientista produzindo pensamentos complexos e uma pessoa deficiente mental produzindo uma pequena idéia, não temos a consciência de que as enormes diferenças desses pensamentos existe apenas na sua expressão consciente, exterior, pois interiormente ambos foram produzidos pela sofisticada operacionalidade dos mesmos fenômenos inconscientes. Se a pessoa deficiente mental não tivesse uma memória comprometida, e se tivesse um ambiente socioeducacional adequado, ela poderia desenvolver toda a agenda de formação do eu e, assim, ter um gerenciamento e uma construção de pensamentos também complexa.

Inúmeras vezes, gastei horas e horas contemplando atenta e embevecidamente as pessoas produzindo e expressando seus pensamentos, bem como a minha própria construção de pensamentos. Ao observar a construção de uma idéia, mesmo produzida por uma criança pequena, eu fazia a mim mesmo centenas de perguntas sobre ela, e exercia a arte da dúvida, da crítica para procurar entender os processos de construção que a envolviam. O uso desses procedimentos não me era confortável, pois me conduzia ao caos intelectual e revelava minha limitação intelectual.

O caos intelectual, por um lado, pode ser desconfortável, pois desorganiza nossos paradigmas intelectuais, postulados, conceitos históricos e teóricos, mas, por outro lado, expande as possibilidades de compreensão e de construção do conhecimento. A luz que emerge do caos é reveladora. Após anos de caos intelectual, fui compreendendo paulatinamente a atuação clandestina do fenômeno do autofluxo na construção da inteligência.

O processo socioeducacional apenas contribui com um pequeno "empurrão extrapsíquico", um pequeno redirecionamento socioeducacional para a silenciosa e inevitável formação do eu a partir da operação psicodinâmica espontânea dos mordomos inconscientes da mente.

O eu, ao se conscientizar das cadeias de pensamentos produzidas inconscientemente pelo fenômeno da autochecagem da memória e pelo fenômeno do autofluxo, interrompe ou continua essas cadeias. A continuação da construção dessas cadeias é também uma forma silenciosa e importante de aprender a se organizar e desenvolver o gerenciamento dos processos de construção dos pensamentos. Nos adultos, é fácil verificar isso. O fenômeno do autofluxo faz uma leitura da memória e produz pensamentos referentes a uma situação ocorrida na infância, por exemplo, um atrito com algum colega de escola. Nesse exemplo, o fenômeno do autofluxo pode ter sido ou não desencadeado por algum pensamento anterior (ex., pensamento sobre a dificuldade nas relações interpessoais) ou por algum estímulo do meio ambiente (ex., imagem de duas crianças brigando) ou, então, pela leitura aleatória da memória estimulada pela ansiedade vital. Durante a produção de pensamentos dialéticos e antidialéticos produzidos pelo fenômeno do autofluxo, o eu se conscientiza dessa produção e começa a gerenciá-la. Assim, ele penetra nos meandros da memória, utiliza informações e continua a construção de pensamentos iniciada pelo fenômeno do autofluxo. Nesse caso, é possível que o eu comece a questionar por que o atrito surgiu, de que maneira ele poderia ser solucionado, como está o colega depois de tantos anos que esse fato ocorreu etc. Embora não percebamos, freqüentemente o eu continua a construção de pensamentos não iniciada por ele, mas pelo fenômeno do autofluxo ou pelo fenômeno da autochecagem da memória. Essa frase evidencia que a inteligência humana é multifocal, pois é formada sobre os alicerces da construção de pensamentos.

O eu se conscientiza de toda cadeia psicodinâmica virtual dos pensamentos dialéticos e antidialéticos produzida ou não por ele, embora nunca chegue a se conscientizar da cadeia psicodinâmica das matrizes dos pensamentos essenciais. Gastamos boa parte do nosso tempo pensando, produzindo idéias, antecipando situações do futuro, resgatando situações do passado, construindo pensamentos sobre os problemas existenciais etc. Enfim, gastamos boa parte do nosso tempo voltados para o mundo das idéias e das emoções desencadeadas pelos fenômenos inconscientes da mente.

Uma pessoa dirigindo um veículo, uma pessoa assistindo a uma palestra, a um culto religioso, a uma peça teatral etc., faz com freqüência inserções dentro do seu próprio ser, produzindo ricas viagens intelectuais que o desconecta da realidade exterior, expressa por idéias e emoções que muitas vezes não têm relação com os estímulos que estão à sua volta. Uns viajam mais outros menos, mas no mundo intelectual todos são viajantes.

É impossível se concentrar ou se fixar plenamente no mundo extrapsíquico, a não ser por determinados períodos. Os psicoterapeutas viajam intelectualmente quando atendem a seus pacientes; os alunos viajam quando estão diante dos seus professores; os juízes viajam quando estão julgando os réus; os jornalistas viajam quando tentam organizar os fatos. Os filósofos e os cientistas estão sempre viajando e se entretendo intelectualmente. Claro que precisamos nos concentrar no mundo extrapsíquico, principalmente para ouvir atentamente o "outro"; mas quando o "outro" reclamar que estamos distraídos, temos que pedir desculpas e assumir que somos viajantes no mundo das idéias. Viajar muito, às vezes, é um problema, pois dificulta a concentração nos estímulos externos, comprometendo as construções dos pensamentos, a materialização da produção intelectual, a práxis dos pensamentos; mas deixar de viajar é impossível, pois pensar é o destino do homem. Fazemos, diariamente, centenas ou milhares de viagens curtas ou longas no mundo das idéias. Porém, o problema freqüentemente não está na quantidade das viagens intelectuais que fazemos, mas na qualidade dessas viagens, que pode refletir as dificuldades de gerenciamento da construção dos pensamentos pelo eu.

As pessoas portadoras de transtornos obsessivos sofrem, como veremos, pela quantidade exagerada e, principalmente, pela qualidade ruim das suas viagens intelectuais produzidas pelo fenômeno do autofluxo.

TRÊS POSTURAS DO EU DIANTE DA REVOLUÇÃO DAS IDÉIAS. OS TRANSTORNOS OBSESSIVOS

O eu pode assumir três posturas diante da construção de pensamentos e das transformações emocionais: a) Ser um espectador passivo, que apenas se conscientiza das mesmas. b) Ser um agente psicodinâmico coadjuvante, que tem pequena participação na construção das mesmas. c) Ser um agente psicodinâmico principal, que tem grande controle qualitativo e quantitativo das mesmas.

Na maior parte do tempo, o eu é um espectador passivo ou um agente coadjuvante da revolução das idéias ocorrida no palco de nossas mentes. Nos transtornos obsessivos, a passividade ou atuação psicodinâmica coadjuvante é evidente. Nesses transtornos, os mordomos da mente produzem uma espécie de "conspiração construtiva" contra o eu, produzindo idéias fixas, geralmente de conteúdo negativo, que não são autorizadas pelo eu.

Imagine um jurista de alto nível cultural produzindo a idéia fixa de que tem um câncer na garganta, indo toda semana a médicos otorrinolaringologistas, durante anos, para tirar suas dúvidas com respeito a ter ou não essa doença. Imagine um cientista produzindo obsessivamente, durante vinte anos, centenas de vezes ao dia, imagens mentais (pensamentos antidialéticos) sobre um acidente de carro em que seu corpo está preso nos escombros. Imagine um engenheiro e professor de faculdade produzindo obsessivamente, centenas de vezes ao dia, pensamentos dialéticos e antidialéticos sobre uma faca penetrando no corpo dos filhos que ele ama. A análise minuciosa da intencionalidade do eu e das cadeias psicodinâmicas desses pensamentos evidencia claramente que esses pacientes rejeitam a idéia de câncer, de acidente e de morte dos filhos.

Precisamos compreender que não apenas o desejo consciente e inconsciente de algo ou de alguma coisa privilegia o arquivo de uma experiência em áreas mais nobres ou disponíveis da memória, facilitando sua leitura e a construção obsessiva de determinadas idéias. Há teorias psicológicas ingênuas e psicoiatrogênicas que, desconhecendo os processos de construção dos pensamentos, sobrecarregam de culpa os pacientes obsessivos, afirmando que o desejo inconsciente que possuem é a fonte que sustenta sua produção de idéias fixas. Ao contrário, freqüentemente, a aversão a algo ou a alguma coisa, tal como a aversão ao câncer, ao infarto, aos acidentes de carros, à morte dos filhos, etc., gera experiências tão angustiantes que estimula a ansiedade vital e a construção de idéias fixas pelo fenômeno do autofluxo. Essas idéias são registradas de maneira privilegiada na memória e, por isso, são lidas continuamente pelo fenômeno do autofluxo e inseridas em novas cadeias de pensamentos, gerando um "ciclo de construção de idéias obsessivas" que dificulta o gerenciamento dos processos de construção dos pensamentos.

Há possibilidade de haver a participação da variável genético-metabólica na construção das obsessões através da ansiedade vital. Nesse caso, é possível inferir um postulado biológico dizendo que a alteração de determinados neurotransmissores cerebrais ou qualquer outra substância neuroendócrina pode estimular a ansiedade vital e, conseqüentemente, estimular exageradamente o fenômeno do autofluxo, gerando uma propensão genética para as obsessões. Porém, toda a agenda complexa e sofisticada da construção de pensamentos é estritamente psicológica; por isso é possível que os fatores psicodinâmicos e psicossociais possam produzir um eu, que é capaz de realizar um gerenciamento eficiente dessa construção e, assim, redirecionar a propensão genética para as obsessões e para outras doenças psíquicas.

A construção psicodinâmica do fenômeno do autofluxo, o registro das experiências psíquicas na memória, a leitura das mesmas e as cadeias psicodinâmicas dos pensamentos são mais complexas do que qualquer achado metabólico que, porventura, possa participar da gênese dos transtornos obsessivos ou de qualquer outra doença psíquica, psicossocial e psicossomática. Se as neurociências podem explicar pouco a gênese das doenças psíquicas, elas, por outro lado, podem ser mais eficientes na produção de pesquisas para o tratamento das mesmas, pois a ação terapêutica das drogas psicotrópicas pode, em determinadas doenças, contribuir indiretamente com o gerenciamento do eu, por reorganizar os humores e atuar nos níveis da ansiedade vital. Portanto, as neurociências não anulam a Psicologia e vice-versa, mas são coexistentes e complementares.

A aversão a uma experiência gera, como disse, à medida que ela se desorganiza caoticamente no campo de energia psíquica, um registro privilegiado na memória, fazendo com que as RPSs que as representam estejam mais disponíveis para serem lidas e utilizadas na produção de idéias dialéticas e antidialéticas de conteúdo semelhante. Uma vez produzidas, essas idéias provocam uma experiência emocional angustiante e uma reação aversiva, que expande a ansiedade vital e facilita novamente o arquivo das mesmas, aumentando sua disponibilidade histórica, sua leitura e reinterpretação, o que gera novas cadeias semelhantes de pensamentos, que são expressas por idéias fixas de conteúdo angustiante. Assim se produzem psicodinamicamente e psicossocialmente os transtornos obsessivo-compulsivos (TOC).

Nos transtornos obsessivo-compulsivos, os fenômenos da mente, principalmente o fenômeno do autofluxo, lêem continuamente as RPSs de conteúdo negativo e reconstroem-nas interpretativamente gerando experiências angustiantes que o eu não consegue administrar. Com isso, formam-se na história intrapsíquica "tramas de RPS" doentias que alimentam a produção de idéias fixas, gerando, assim, o "ciclo de construção de idéias obsessivas".

O nascedouro das obsessões ocorre, em sua grande maioria, na infância e se desenvolve ao longo do processo de formação da personalidade, principalmente se não aprendermos a exercer uma administração dos pensamentos. Infelizmente ninguém nos ensina a intervir no nosso mundo e gerenciar nossos pensamentos e emoções.

Crescemos aprendendo a intervir no mundo de fora, mas ficamos inertes diante de nossas dores emocionais, pensamentos antecipatórios, ansiedades. Um dia, depois de explanar a construção dos pensamentos para um executivo de uma grande empresa, ele concluiu que, apesar de ter atingido o topo da carreira, de estar acima de milhares de funcionários, não sabia atuar no seu medo, sintomas psicossomáticos, angústias. Era um líder no mundo de fora, mas um prisioneiro no mundo de dentro.

Todos os três exemplos de transtornos obsessivos que citei evidenciam que o fenômeno do autofluxo "conspirou construtivamente" contra o eu, porque este assumiu, ao longo do processo de formação da personalidade, um papel de espectador passivo ou pobremente atuante no gerenciamento da construção dos pensamentos.

O último exemplo que citei, o caso do pai produzindo idéias fixas sobre uma faca que penetrava no peito do filho, perdurou por vinte anos e foi tratado por onze psiquiatras. Sua doença psiquiátrica era tão grave que houve psiquiatras que a tratavam como psicose esquizofrênica. Porém, essa pessoa, em detrimento do absurdo das suas idéias fixas, não era psicótica, porque o eu conservava os parâmetros da realidade, tinha consciência crítica de que essas imaginações obsessivas eram irreais, de que não passavam de fantasias, embora não conseguisse gerenciá-las e reciclá-las. Esse paciente tomou alguns tipos de neuroléticos e, praticamente, todos os tipos de antidepressivos disponíveis, principalmente os tricíclicos e em diversas dosagens, porém não obteve melhora. Nos últimos quatros anos, antes de se tratar comigo, ele se isolou do mundo, não desenvolvia mais nenhuma atividade socioprofissional, isolou-se, inclusive, dos seus próprios filhos. Quando chegou ao meu consultório, ele não olhava nos meus olhos. Cabisbaixo e expressando intenso sofrimento, contou-me sua história.

Ao longo do tratamento, fui-lhe expondo os processos de construção da inteligência e os fenômenos que produzem idéias fixas sem o "aval" do eu. Além disso estimulei-o a desenvolver algumas importantes funções da inteligência, tais como a arte da crítica, para descaracterizar o conteúdo intrapsíquico das suas idéias fixas, a arte da contemplação do belo, para resgatar o prazer de viver, o gerenciamento dos processos de construção dos pensamentos, para resgatar a liderança do eu nos focos de tensão. Com isso, pouco a pouco, após um período de seis meses, esse paciente, que parecia ser um caso sem solução na Psiquiatria e Psicologia clínica, aprendeu a reorganizar e redirecionar a construção das idéias obsessivas e voltou a ter uma vida psíquica e socioprofissional normal, para espanto das pessoas que com ele conviviam.

Os outros dois pacientes que citei também, felizmente, aprenderam a administrar a revolução das idéias obsessivas ocorridas em suas mentes, redirecionando-a para a construção de pensamentos, emoções e desejos saudáveis.

A PSICOTERAPIA É UM INTERCÂMBIO DE IDÉIAS PRODUZIDAS NO CLIMA DA DEMOCRACIA DAS IDÉIAS

A teoria da inteligência, aqui exposta, abrange múltiplas áreas da Psicologia, da Filosofia, da Sociologia, da Educação, da Sociopolítica etc.; portanto, sua utilidade vai muito além do que sua aplicação nas psicoterapias. Porém, apesar disso, eu gostaria de fazer um comentário sobre elas.

Durante grande parte do meu tempo, estou unindo a Psicologia, a Filosofia e outras ciências para produzir conhecimentos sobre a psique, mesmo quando estou no meu consultório. Pelo fato de pesquisar a psique na perspectiva dos fenômenos que constroem os pensamentos, tenho procurado ter uma visão abrangente da mente. Por isso, como citei no primeiro capítulo, na psicoterapia multifocal tenho usado os princípios derivados dos processos de construção dos pensamentos, da transformação da energia emocional, da formação do eu e da formação da história da existência.

Esses princípios podem ser úteis para qualquer psicoterapeuta de qualquer corrente de psicoterapia. A maioria deles também pode ser usada para formar cientistas, pensadores, executivos, líderes sociais, ou por qualquer pessoa que queira expandir sua qualidade de vida.

Quando compreendemos, ainda que com limitações, os processos de construção da inteligência, o projeto psicoterapêutico torna-se sofisticado, pois fundamenta-se na construção dos pensamentos, torna-se humanístico e democrático, pois é realizado no ambiente intelectual do humanismo e da democracia das idéias, e torna-se ambicioso, pois objetiva muito mais do que resolver doenças psíquicas, psicossociais (ex., farmacodependência) e psicossomáticas, mas produzir homens que brilham na arte de pensar, que saibam navegar no território da emoção e resgatar o sentido da vida.

A psicoterapia, para mim, é um intercâmbio de idéias em que o psicoterapeuta ajuda os pacientes com sua técnica e suas interpretações, mas no qual também os pacientes não deixam de contribuir com seus psicoterapeutas. A psicoterapia é uma escola da existência, um processo de aprendizado mútuo. Aprender a se colocar em contínuo processo de aprendizagem expressa o humanismo e a sabedoria existencial do psicoterapeuta, bem como do médico, do jornalista, do cientista, do jurista, enfim de qualquer ser humano.

A psicoterapia deve ser realizada no clima da democracia das idéias; caso contrário, as interpretações e os procedimentos dos psicoterapeutas tornam-se uma maquiagem intelectual em que se camufla o autoritarismo das idéias. O terapeuta deve expor e nunca impor suas idéias; deve estimular a inteligência dos pacientes, deve honrar sua capacidade intelectual e respeitar seus direitos fundamentais. A democracia das idéias exige dos psicoterapeutas uma postura em que eles propiciam liberdade para que seus pacientes critiquem suas interpretações, suas técnicas e a teoria que utilizam como suporte da interpretação.

Os psicoterapeutas poderiam achar que, com a democracia das idéias, perderiam o controle do processo psicoterapêutico. Sim, o controle autoritário é perdido; mas, por outro lado, eles estariam criando um clima intelectual que estimula a inteligência dos pacientes, que os estimulam a desenvolver a arte da dúvida, a arte da crítica, a capacidade de gerenciamento da construção dos pensamentos e sobre a transformação da energia emocional.

A busca da sabedoria existencial e o debate de idéias que são metas da Filosofia nunca foram adequadamente incorporadas na relação terapeuta-paciente pela Psicologia e pela Psiquiatria; por isso elas se tornaram excessivamente psicopatológicas, curativas e, ao mesmo tempo, pobres na prevenção das doenças psíquicas, psicossociais e psicossomáticas, pobres na formação de pensadores.

A Psicologia e a Psiquiatria têm uma grande dívida com a Filosofia, pois ela foi, ao longo de muitos séculos, a fonte das idéias humanísticas. Elas são ciências jovens, têm muito o que aprender com a Filosofia, mas, infelizmente, a juventude e a prepotência delas a sufocaram. Muitos cursos de especialização de Psiquiatria nem estudam a Filosofia.

Nos cursos de Psicologia, ela é estudada nos anos básicos, mas diversos alunos de Psicologia me disseram que ela é estudada com grande desinteresse, como se fosse um apêndice de pouco valor do conhecimento. Sem a Filosofia, o mundo das idéias psiquiátricas e psicológicas fica pequeno; o homem passa a ser tratado como um doente passivo que precisa, com o uso de medicamentos psicotrópicos e de técnicas psicoterapêuticas, resolver suas doenças e não como um ser humano complexo e sofisticado, que tem grande potencialidade psicossocial que precisa ser expandida.

Nos três pacientes portadores de transtornos obsessivos que citei e que retornaram a uma vida psicossocial saudável, embora eu tenha usado procedimentos de investigação da mente e produção de conhecimentos sobre os processos de construção dos pensamentos, a melhora deles não dependeu muito de mim. Eu sinto que não fiz muito; apenas funcionei como catalisador do gerenciamento do "eu", estimulando-os na arte de pensar e a gerenciar a construção das idéias obsessivas ocorrida dentro deles, produzida pelo fenômeno do autofluxo.

Nenhum psicoterapeuta ou psiquiatra pode se gabar de ter por si mesmo sucesso no tratamento dos seus pacientes; somente o eu é que pode ter tal sucesso, pois somente ele pode penetrar, e com limites, no fluxo vital da energia psíquica, lugar que nenhum psiquiatra ou psicoterapeuta pode penetrar. Somente ele pode ler multifocalmente a história intrapsíquica, construir as cadeias psicodinâmicas dos pensamentos e aprender a redirecionar os processos de construção dos pensamentos, da história intrapsíquica e da transformação da energia emocional.

UM EXCELENTE MORDOMO DA MENTE HUMANA

Aprendemos, com os mordomos da mente, a percorrer os caminhos psicodinâmicos que lêem a memória e que formam as matrizes dos pensamentos essenciais históricos. Porém, nem sempre assumimos uma administração da inteligência; por isso, tendemos a gravitar em torno da produção de pensamentos não autorizada por nós. Cumpre à nossa vontade consciente, ao "eu", redirecionar a construção das idéias e das emoções para a produção das artes, da ciência, das relações interpessoais qualitativas, da tecnicidade, dos mecanismos de superação das intempéries existenciais e dos estímulos estressantes.

A qualidade do gerenciamento do eu sobre o mundo dos pensamentos e das emoções é que determinará a capacidade do homem como agente modificador da sua história intrapsíquica e social. A tendência natural do homem é ser vítima de suas misérias psíquicas.

Se o fluxo vital da energia psíquica não for conduzido para a produção de pensamentos e experiências emocionais saudáveis e enriquecedores, ele será conduzido inevitavelmente para a produção de experiências angustiantes, tensas, agressivas, autopunitivas.

O fenômeno do autofluxo lê as RPSs mais disponíveis da história intrapsíquica arquivada na memória, e embora não queira entrar em detalhes neste livro, digo que a ordem da disponibilidade dessas RPSs dependerá de vários fatores, tais como o período do registro (tempo em que foi vivenciada e registrada a experiência psíquica como RPSs no córtex cerebral); da qualidade da experiência emocional original (angústia, ansiedade, raiva, ódio, amor, prazer, desejo de destrutividade, complacência etc.); do "eco introspectivo" na mente da experiência original (o quanto gerou de autocrítica, reflexão, intolerância, indignação); da freqüência da leitura da mesma e da qualidade da reinterpretação desse resgate. Dependendo da disponibilidade das RPSs lidas, sem direção consciente e lógica, pelo fenômeno do autofluxo teremos a qualidade da construção dos pensamentos e das reações da energia emocional e motivacional.

O fenômeno do autofluxo é um importantíssimo mordomo intrapsíquico que contribui para o processo de formação do "eu". Sem ele, que desde a aurora da vida fetal enriquece a história intrapsíquica, provavelmente na vida extra-uterina jamais chegaríamos a desenvolver a consciência existencial, o que faria de nós seres impensantes e inconscientes. Porém, apesar dele ser fundamental para o desenvolvimento do "eu", ele não deve, à medida que ele é formado, tomar a preponderância qualitativa da produção dos pensamentos, pois essa é a tarefa intelectual do eu, embora inevitavelmente tome a preponderância quantitativa, pois ele é quem promove o fluxo vital da energia psíquica.

A seguir, será apresentado um quadro didático sobre a atuação psicodinâmica do fenômeno do autofluxo na construção dos pensamentos e na formação da consciência existencial.

GRÁFICO 2
O FENÔMENO DO AUTOFLUXO DA ENERGIA PSÍQUICA E A ANSIEDADE VITAL

PRODUÇÃO ESPONTÂNEA E INEVITÁVEL DE CADEIAS DE PENSAMENTOS E DE TRANSFORMAÇÕES DA ENERGIA EMOCIONAL E MOTIVACIONAL

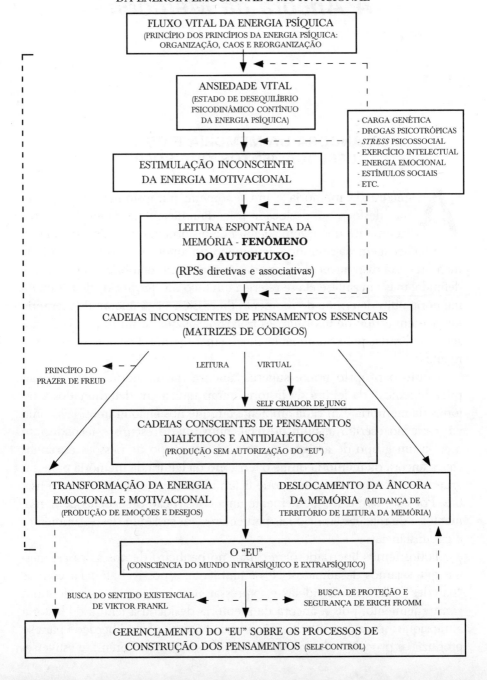

Capítulo 7

A Âncora da Memória

A ÂNCORA DA MEMÓRIA E OS TRÊS DESLOCAMENTOS QUE SOFRE

A âncora da memória é um fenômeno intrapsíquico inconsciente que desloca e é deslocada psicodinamicamente pelos três outros fenômenos que fazem a leitura da história intrapsíquica: fenômeno da autochecagem da memória, fenômeno do autofluxo e o eu. Nem toda memória está disponível para ser lida. A âncora da memória é difícil de ser definida, mas em síntese ela se refere a um foco ou "território" de leitura da memória num determinado momento da existência. A âncora da memória fornece um grupo de informações psicossociais que ficam disponíveis para serem utilizadas pelos fenômenos que lêem a memória e constroem pensamentos.

Como o próprio nome sugere, "âncora da memória" é a "fixação psicodinâmica" da leitura da história intrapsíquica em determinados territórios da memória. Em cada ambiente em que nos encontramos, tais como em casa, no escritório, num hospital, num quarto escuro e fechado, em meio a um grupo de amigos, em meio a um grupo de pessoas estranhas etc., a âncora da memória dirige o território da leitura da memória para um grupo de informações básicas, que ficam mais disponíveis para serem usadas. Por isso, temos freqüentemente uma construção de cadeias de pensamentos e de reações emocionais particulares em cada um desses ambientes e circunstâncias.

Todos temos liberdade para cantar no banheiro de nossas casas, mesmo que sejamos desafinados. Nesse ambiente, é possível até falar com as "paredes" sobre nossas idéias e expressar nossas emoções sem nenhum constrangimento, pois a âncora da memória deslocou a leitura da história intrapsíquica para áreas da memória onde há uma plena liberdade para se produzir os processos de construção dos pensamentos. Porém, se estivéssemos num anfiteatro, diante de uma platéia, provavelmente não cantaríamos nem expressaríamos nossas idéias com liberdade. Nesse ambiente, a liberdade de construção dos pensamentos seria reduzida e, em alguns casos, interrompida, dando a sensação de que estamos sem condições de raciocinar, tendo um lapso de memória. Houve, nesse momento, um deslocamento da âncora da memória para áreas da memória que contêm informações ligadas a fobias, julgamentos, vexame social, preocupação com o que os outros pensam e falam de nós etc., gerando uma restrição na leitura da memória e, conseqüentemente, na construção de pensamentos dialéticos.

Muitos médicos e juízes de direito são sérios e sóbrios nas suas profissões. Porém, ao se reunirem com antigos colegas da faculdade, numa festa comemorativa de formatura, eles se soltam emocionalmente, brincam, contam piadas, elevam o tom da voz, dialogam sem policiamento. Nesses ambientes e circunstâncias psicossociais, os estímulos extrapsíquicos (comportamentos dos colegas da faculdade) e intrapsíquicos (resgate de experiências dos tempos de faculdade) deslocam a âncora da memória para determinadas "regiões" da memória que, por sua vez, direcionam a leitura da história intrapsíquica e, conseqüentemente, produzem matrizes de pensamentos essenciais históricos que gerarão emoções, pensamentos dialéticos e antidialéticos mais tranqüilos, prazerosos, livres, socialmente despreocupados.

Os deslocamentos da âncora da memória direcionam a qualidade das idéias e reações emocionais que produzimos num determinado momento da existência. Parece que somos livres para pensar o que quisermos em cada momento de nossas vidas. Porém, esta é uma verdade parcial. A âncora da memória dirige mais do que imaginamos a qualidade de nossas idéias e emoções.

Uma pessoa que sofre um ataque de pânico, ainda que possa ser sóbria e extremamente coerente na grande maioria de suas atividades socioprofissionais, aciona o gatilho da autochecagem que desloca a âncora para determinadas regiões da memória, restringindo o seu território de leitura. A partir desse território, se produz uma leitura da história intrapsíquica que, por sua vez, gerarão emoções intensamente ansiosas e pensamentos qualitativamente mórbidos que, canalizados para o córtex cerebral, gerarão uma série de sintomas psicossomáticos. Os mecanismos de produção da síndrome do pânico à luz da construção multifocal de pensamentos são muito mais complexos do que a hipótese dos neurotransmissores na gênese dessa síndrome.

O deslocamento da âncora da memória nos ataques de pânico é rápido e dramático, gerando no paciente uma construção de idéias de que vai morrer ou desmaiar, e uma reação fóbica tão angustiante que as idéias do médico dizendo que ele não tem nada de grave não o conforta.

Há pessoas que, fora do ambiente familiar, são sorridentes, solícitas, pacientes e sóbrias (um "anjo social"); porém, quando entram dentro de suas casas, se transformam em "carrascos da família", pessoas agressivas, violentas, ansiosas, que dificilmente relaxam e sorriem. Alguns diriam que essa pessoa tem dupla personalidade. Porém, o termo dupla personalidade é dialeticamente pobre e cientificamente inverificável. Há apenas uma personalidade porque há apenas uma mente, apenas um campo de energia psíquica. O que transformou os "anjos sociais" em "carrascos da família" foi o deslocamento da âncora da memória pelos estímulos extrapsíquicos. Nesse caso, se uma pessoa não expandir a âncora da memória, ela pode se tornar um escravo dos deslocamentos destrutivos que, às vezes, ela gera.

Há milhões de pessoas que cuidam com paciência e dedicação de seus pequenos cachorros. Esses pequenos animais não reclamam, não criticam, pouco expressam suas emoções e, por isso, pouco exigem de seus donos e deslocam pouco suas âncoras da memória, apesar de diversos deles se ligarem muito afetivamente aos donos. Em muitas metrópoles, como em Paris, é fácil observar essa relação homem-animal. Porém, cuidar dos filhos e educá-los é totalmente diferente, pois eles têm necessidades complexas, exigências complexas, expressam suas emoções e críticas que deslocam freqüentemente e com muita intensidade a âncora da memória dos pais. Por isso, os pais têm uma construção de pensamentos e um processo de transformação da energia emocional que é muito flutuante, alternados entre o prazer e o aborrecimento, entre a paciência e a irritabilidade etc.

Os pais devem aprender a administrar o deslocamento de suas âncoras da memória na educação dos filhos. Catalisar a revolução das idéias dos filhos e levá-los também a administrar os deslocamentos de suas âncoras da memória, para promover uma construção de pensamentos que promova o desenvolvimento do humanismo, da cidadania, da capacidade crítica de pensar, da capacidade de contemplação do belo diante dos pequenos eventos da vida, da capacidade de superar as dores e perdas, é uma das mais importantes tarefas que os pais e professores devem realizar no processo socioeducacional.

Os estímulos intrapsíquicos (pensamentos, idéias, análises, reações fóbicas, ansiedade, etc.), os estímulos extrapsíquicos (ambientes sociais, comportamentos das pessoas, elogios, ofensas, situações de discriminação, cobrança socioprofissional, provas escolares etc.) e os estímulos intraorgânicos (substâncias produzidas adequadamente ou inadequadamente no metabolismo neuroendócrino, dores físicas, medicamentos psicotrópicos, cocaína, heroína, álcool etílico etc.) deslocam constantemente a âncora da memória, influenciando decisivamente na qualidade do processo de interpretação e, conseqüentemente, na qualidade da produção dos pensamentos dialéticos e antidialéticos e na qualidade das experiências emocionais e motivacionais que temos em cada momento existencial.

A LIBERDADE DE PENSAMENTO E SUA RELAÇÃO COM A ÂNCORA DA MEMÓRIA

Podemos ficar chocados ao constatar, diante dessa exposição, que a liberdade de pensamento tão sonhada na história humana, tão almejada na Filosofia, tão procurada pelos direitos humanos, não é tão fácil de ser alcançada, mesmo em condições sociais adequadas. A liberdade plena de pensamento nem sempre é conquistada pelo eu, mas dirigida inconscientemente pelos deslocamentos da âncora da memória, que restringe o território de leitura da memória.

Quando produzimos pensamentos, nós nem sempre temos uma livre escolha das informações, nem sempre temos a livre escolha das idéias, devido à restrição da "disponibilidade histórica" imposta pela âncora da memória. Grande parte dos pensamentos gerenciada e produzida pelo eu não foi, na realidade, gerenciada e produzida com plena liberdade de escolha, mas dentro dos limites da âncora da memória. Por isso, é necessário aprender a conquistar na ciência, bem como na vida cotidiana, o máximo de liberdade possível no processo de construção de pensamentos.

Na relação psicoterapeuta-paciente, pai-filho, professor-aluno, pesquisador-teoria-fenômeno, como disse, se não aprendermos a reciclar criticamente a história intrapsíquica, principalmente os deslocamentos da âncora da memória, podemos nos contaminar excessivamente com a história intrapsíquica.

Muitas vezes achamos que somos livres na produção das idéias, mas somos prisioneiros da âncora da memória. A âncora da memória é um fenômeno fundamental na construção dos pensamentos e na produção das reações emocionais; porém, devemos aprender a gerenciá-la, reciclá-la criticamente e deslocá-la com liberdade, principalmente quando a âncora se alojar em áreas da memória que promovem uma construção de pensamentos rígida, fechada, autoritária.

Todos os estímulos que geram tensões emocionais e prazeres intensos deslocam a âncora da memória e, conseqüentemente, contraem a liberdade da produção de pensamentos. Uma pessoa excessivamente alegre, num determinado momento, também pode ser excessivamente tolerante e excessivamente permissiva. Uma pessoa muito tensa, num determinado momento, pode ser muito intolerante, rígida e agressiva.

Quando alguém nos ofende, os estímulos extrapsíquicos ligados ao conteúdo da ofensa, à pessoa do ofensor e ao ambiente em que ele expressou a ofensa (ambiente público ou particular) deslocam a âncora para determinadas regiões da memória, restringindo a "disponibilidade histórica" das RPSs, que, por sua vez, produzirá uma construção de pensamentos com liberdade reduzida. Por isso, passado o momento de tensão, nós achamos que deveríamos ter tido outro tipo de reação diante daquela circunstância.

Todo e qualquer estímulo extrapsíquico e intrapsíquico, que aciona o fenômeno da autochecagem da memória e produz cadeias psicodinâmicas dos pensamentos que geram significativas tensões emocionais, é capaz de deslocar a âncora para determinados territórios da memória, restringindo sua leitura em um determinado momento existencial. Inicialmente, o fenômeno da autochecagem da memória desloca a âncora da memória e, posteriormente, o próprio fenômeno da autochecagem da memória, bem como os demais fenômenos que lêem a memória, tornam-se vítimas desse deslocamento, pois restringem a leitura da memória e, conseqüentemente, a construtividade das cadeias psicodinâmicas dos pensamentos e as transformações da energia emocional aos limites da sua ancoragem.

Uma pessoa que se embriaga com bebidas alcoólicas transmuta microcampos de energia físico-química no campo de energia psíquica que reduz o gerenciamento dos processos de construção dos pensamentos e, ao mesmo tempo, desloca a âncora da memória para determinadas regiões da memória, fazendo com que ele produza pensamentos e atitudes que jamais produziria em condições normais.

OS DESLOCAMENTOS DA ÂNCORA DA MEMÓRIA NOS TERRITÓRIOS DA MEMÓRIA

A âncora da memória sobrepõe-se a determinados territórios da memória colocando em disponibilidade um grupo de RPSs diretivas (diretamente ligadas ao estímulo) e associativas (relacionadas com o estímulo) que serão lidas pelos fenômenos que lêem a história intrapsíquica. Essas RPSs serão usadas como matéria-prima na produção das cadeias psicodinâmicas dos pensamentos essenciais históricos, que atuarão psicodinamicamente no processo de transformação da energia emocional e motivacional e, ao mesmo tempo, sofrerão um processo de leitura para gerar as cadeias psicodinâmicas virtuais dos pensamentos dialéticos e antidialéticos.

A âncora da memória facilita o processo de seleção e disponibilidade das informações que servirão de matéria-prima para a produção das cadeias psicodinâmicas dos pensamentos essenciais históricos e, conseqüentemente, dos pensamentos dialéticos e antidialéticos.

O eu tanto dirige os deslocamentos da âncora da memória como é dirigido por esses deslocamentos, através do resgate da disponibilidade das

RPSs produzidas por eles. Nos momentos de tensão, de *stress* psicossocial, da angústia existencial, de ofensas e de perdas a tendência do eu é ser controlado pela âncora da memória e submeter a sua construção de pensamentos nos limites da memória em que ela está ancorada. Se ele não tiver êxito em abrir a âncora e alargar os territórios de leitura da memória a produção de pensamentos e reações emocionais pode ser insegura, fóbica, agressiva e acima de tudo restrita.

Se a âncora da memória se fechar muito diante dos estímulos estressantes, a inteligência se "trava", ou seja, o eu fica totalmente restrito na sua capacidade de pensar. Quem determina o cárcere intelectual é a âncora da memória. Nos focos de tensão, podemos ter reações totalmente contrárias às que teríamos se estivéssemos tranqüilos.

As pessoas normalmente acreditam que são livres porque vivem em sociedades democráticas, mas são escravas dos deslocamentos da âncora da memória. Crêem que pensam o que querem pensar, mas na realidade sua liberdade é parcial; pois não percebem que constroem seus pensamentos dentro dos limites da disponibilidade histórica das RPSs produzida pela âncora da memória nos vários momentos existenciais.

Se aprendermos a fazer um "*stop* introspectivo", ou seja, aprendermos a pensar antes de reagir, então teremos condições de gerenciar a construção de pensamentos nos focos de tensão, o que nos prepara o caminho para a liberdade. Assim, não nos submeteremos ao jugo da âncora da memória; pelo contrário, a expandiremos, o que nos permitirá realizar uma construção de pensamentos sóbria e coerente, capaz de dar respostas maduras e inteligentes. Aqueles que reagem antes de pensar são apenas livres por fora.

TODOS POSSUÍMOS O MESMO ESPETÁCULO PSICODINÂMICO NOS BASTIDORES DA MENTE

Compreender os processos de construção dos pensamentos, ligados aos deslocamentos da âncora da memória e à leitura da memória, nos remete a fazer considerações humanistas a favor dos direitos humanos e contra toda e qualquer forma de discriminação humana.

Tanto a *intelligentsia*, ou seja, a classe dos intelectuais, como a classe das pessoas que nunca sentou nos bancos de uma universidade, possui a mesma operacionalidade dos mordomos da mente e os mesmos processos que formam o eu. Todo ser humano lê a história intrapsíquica e resgata com extremo acerto, em pequenas frações de segundo e em meio a bilhões de opções, cada RPS diretiva e associativa que constituirá as cadeias psicodinâmicas das matrizes dos pensamentos essenciais históricos e as cadeias psicodinâmicas virtuais que constituirão suas idéias, análises, conceitos, discursos teóricos, etc.

A construção dos pensamentos, das idéias, dos raciocínios analíticos, dos discursos teóricos, é produzida por fenômenos alheios à consciência humana, tanto da pessoa considerada intelectual como da pessoa considerada inculta. Não deveria haver uma *intelligentsia* como classe, ou qualquer outra forma de classificação intelectual que distinga os seres humanos, pois toda forma de classificação é discriminatória, anti-humanística e desinteligente, já que não leva em consideração o *Homo interpres*, ou seja, a construção dos pensamentos nos bastidores da mente humana, mas apenas o *Homo intelligens*, ou seja, as manifestações dos pensamentos conscientes, que estão na ponta do *iceberg* da inteligência. Se o uso de determinadas classificações é inevitável na estrutura social e socioacadêmica que temos, elas deveriam ser consideradas um apêndice de pouquíssimo valor.

Todas as premiações sociais, honras sociopolíticas e condições socioeconômicas são apenas apêndices de pouco valor se comparadas à condição humana, à complexidade, sofisticação, liberdade criativa e plasticidade construtiva dos processos de construção da inteligência. Os seres humanos gostam de se classificar, amam estar em degraus mais altos que seus pares. Se eles aprenderem a ser caminhantes nas trajetórias de seus próprios seres, compreenderão que nada pode tornar o *curriculum* tão digno de um homem do que ele ser um ser humano com uma humanidade elevada. As sociedades humanas necessitam de homens que tenham sede de ser homens, e não supra-humanos.

O mais profundo humanismo, como disse, não decorre da compaixão do homem pelo homem, pois esta é circunstancial, psicossocialmente instável e nem sempre valoriza as dimensões daqueles que sofrem, mas da compreensão psicológica e filosófica da complexidade, sofisticação, liberdade criativa e plasticidade construtiva da inteligência. O humanismo que decorre da compreensão dos processos de construção dos pensamentos tem raízes mais profundas, gera uma macrovisão psicossocial da espécie humana, nos faz considerar o outro na sua complexidade psicossocial.

Todos somos privilegiados pela atuação psicodinâmica e psicossocial dos fenômenos que financiam nossa construção de pensamentos e nossa consciência existencial. Por isso, do ponto de vista da gratuidade, complexidade e espontaneidade dos fenômenos que constroem a inteligência, o valor de cada ser humano é igualmente inseparável e indistinguível em toda a nossa espécie. Todos somos beneficiários gratuitos da operacionalidade espontânea desses fenômenos que se iniciam, no mínimo, desde a aurora da vida fetal e perduram até o último suspiro da existência. Todos temos uma produção inevitável de pensamentos, que alimenta os arquivos da memória, promove o desenvolvimento de nossas personalidades e contribui para sermos seres que têm consciência de si e do mundo.

Temos diferenças culturais, intelectuais, sociais, econômicas, genéticas, raciais, de idade, de nacionalidade, de sexo, etc., mas no que tange aos processos de construção dos pensamentos, somos uma espécie mais homogênea do que temos imaginado.

Seria importante que as ciências da cultura incorporassem o conhecimento relativo à leitura da história intrapsíquica, às matrizes dos pensamentos essenciais históricos, o caos da energia psíquica, os sistemas de co-interferências das variáveis intrapsíquicas, o processo de construção dos pensamentos, o processo de construção da consciência existencial, o processo de construção da história intrapsíquica, o processo de transformação da energia emocional e motivacional, a revolução das idéias, a atuação psicodinâmica do fenômeno da autochecagem da memória, do fenômeno do autofluxo, do eu e da âncora da memória, etc. Se essas ciências incorporassem esse conhecimento, elas poderiam mergulhar nas trajetórias do humanismo e da democracia das idéias, o que as tornariam agentes sociopolíticas mais eficientes no desenvolvimento da arte de pensar e na prevenção das doenças psicossociais, tais como a síndrome da exteriorização existencial, o mal do *logos* estéril, as discriminações raciais, a farmacodependência etc.

Capítulo 8

O Gerenciamento do Eu e a Práxis dos Pensamentos

O "EU" É O ÚNICO FENÔMENO CONSCIENTE QUE PRODUZ E GERENCIA OS PROCESSOS DE CONSTRUÇÃO DA INTELIGÊNCIA

Se o leitor se interiorizar e observar sua construção de pensamentos, terá consciência do fluxo vital da energia psíquica, pois verificará que diariamente são produzidas milhares de construções psicodinâmicas em sua mente: idéias antecipatórias, recordações, análises, prazeres, angústias, ansiedades, desejos etc. Essas "construções psicodinâmicas", ao contrário do que na ciência e na coloquialidade tem-se pensado até hoje, nem sempre são autorizadas e determinadas logicamente e conscientemente pelo "eu".

O "eu", como disse, não é um termo vago conceitualmente, mas se refere à "consciência de si mesmo", a consciência de que existimos, de que pensamos e nos emocionamos e de que podemos administrar a inteligência.

O "eu" ou o *self*, por incrível que pareça, além de normalmente ter pouca consciência da complexidade dos processos de construção dos pensamentos, não é o grande líder dos mesmos; pelo contrário, muitas idéias, resgates de experiências passadas, fantasias, escapam ao seu controle.

Muitos psicólogos, sociólogos, filósofos e cientistas podem ficar chocados com essa afirmação e, por não conhecer os processos de construção dos pensamentos, podem considerá-la uma heresia científica, pois acreditam que o controle do "eu" (em inglês: *self-control*) é o único responsável pelos processos de construção dos pensamentos. Porém, como temos visto, possuímos o fenômeno da autochecagem, a âncora da memória e o fenômeno do autofluxo produzindo continuamente cadeias de pensamentos.

Eles produzem continuamente a maior fonte de entretenimento humano, reescrevem a memória e, conseqüentemente, alargam os horizontes do próprio "eu".

Tenho a convicção teórica de que, cientificamente, é improcedente considerar que a vontade consciente do homem é o único centro produtor do mundo das idéias.

Na realidade, os processos de construção dos pensamentos são multifocais. Eles são gerados através do fluxo vital de dezenas de variáveis, das quais o "eu" é apenas uma, embora ela devesse ser a variável ou o fenômeno que tomasse a liderança, ainda que parcial, dos processos de construção dos pensamentos.

Na mente há cinco grandes etapas da interpretação, que se processam em frações de segundos, das quais as três primeiras são inconscientes. O eu é formado na quinta etapa da interpretação, quando já foi desencadeada toda uma rica construção de pensamentos nas etapas anteriores. Por isso, o homem, que é um grande líder do mundo extrapsíquico, tem grande dificuldade em liderar seu próprio mundo intrapsíquico.

Todos sabemos que não é fácil controlar os pensamentos e emoções construídos no palco de nossa mente. Quantos pensamentos de cadeias simples ou complexas produzimos ontem? Talvez milhares. Mas, quantos pensamentos nós decidimos logicamente produzir? Talvez dezenas ou centenas. Fiz essa pergunta a muitas pessoas, inclusive a psicólogos e cientistas, e as respostas foram sempre parecidas. Todos disseram que produzem inúmeros pensamentos diariamente, e que apenas uns poucos foram determinados lógica e conscientemente. Quando respondem a essa pergunta, não percebem a seriedade científica da afirmação de que o controle do eu sobre o processo de construção de pensamentos é parcial. Só quando o eu é gerado na quinta etapa é que ele, retroativamente, pode exercer um gerenciamento da construção de pensamentos e tornar-se agente controlador dos pensamentos e das emoções.

Se fosse procedente cientificamente que o "eu" é o único organizador e o líder absoluto dos processos da inteligência, só vivenciaríamos as idéias e as emoções produzidas por ele, o que talvez não fosse nem dez por cento das idéias e emoções produzidas pelos fenômenos inconscientes que lêem a memória. Nesse caso, a vida humana seria um tédio contínuo, uma solidão insuportável, um vazio existencial angustiante, pois não teríamos uma riquíssima construtividade de idéias, pensamentos antecipatórios, pensamentos existenciais, recordações, fantasias etc., produzidos pelos demais fenômenos e que são capazes de entreter o homem e provocar-lhe clandestinamente uma rica experiência de prazer, expectativa, inspiração, busca, ansiedade, em toda a sua trajetória existencial.

Qual é a maior fonte de entretenimento humano? Não é o cinema, a TV, as artes plásticas, as artes cênicas, o esporte, a literatura etc., mas, sim, a rica produção de pensamentos que diariamente produzimos na mente. Provavelmente, mais da metade de nosso tempo de vigília é gasto com os pensamentos que são produzidos em nossa mente e que não chegam a ser expressos. Uma das mais importantes causas que explicam por que muitas crianças de colo são quantitativamente mais agitadas, ansiosas e inquietas que os adultos, é que elas não têm uma rica fonte de pensamentos dialéticos como eles. Muitas crianças autistas também são agitadas, ansiosas, não só porque têm vínculos contraídos com o mundo extrapsíquico, mas também porque não têm uma rica produção dialética de pensamentos como fonte de entretenimento.

A ansiedade e agitação psicomotora não é característica de todas as crianças autistas. As crianças autistas, que possuem uma memória que se enriquece no processo existencial e que sofre um processo de leitura, capaz de resultar numa rica construtividade de cadeia de pensamentos (idéias e fantasias) em sua mente, são emocionalmente mais tranqüilas, pois têm uma fonte clandestina de entretenimento.

As crianças hiperativas são mais inquietas porque o fluxo vital da energia psíquica está mais exacerbado. Nelas, o processo de organização, caos e reorganização da energia psíquica está intensificado, o que produz uma construtividade de pensamentos psicodinamicamente movimentada, que, embora rica, não se torna uma fonte intrapsíquica capaz de remeter à introspecção, à autocontemplação, o que dificulta a assimilação das experiências. Por isso, quando corrigidas, elas tendem a repetir freqüentemente os mesmos erros. As crianças hiperativas necessitam de uma abordagem socioeducacional que leve em consideração as particularidades psicossociais dos seus processos de construção do pensamento.

A construtividade diária de pensamentos ultrapassa os limites do controle do "eu". Ela é gerada pelo fluxo vital dos fenômenos que produzem os processos de construção da inteligência. Além disso, se o "eu" fosse o organizador ou líder absoluto dos processos intelectuais, como é que poderia ocorrer, então, o desenvolvimento da personalidade, do período correspondente desde a vida fetal até o estágio extra-uterino, período em que a criança começa a produzir pensamentos conscientes e ter consciência de que pode administrá-los? Se os processos de construção dos pensamentos fossem produzidos apenas pelo "eu", e não também pelos fenômenos que estão nos bastidores da mente, esse período fundamental do desenvolvimento da personalidade não ocorreria. Assim, todas as etapas do processo de formação da personalidade não ocorreriam, pois o eu jamais atingiria por si próprio o mínimo de maturidade para se auto-organizar, produzir pensamentos conscientes e administrá-los.

Muitos adultos, incluindo muitas pessoas idosas, nem chegam a desenvolver a maturidade de gerenciamento do eu, a maturidade intelecto-emocional; por isso, dificilmente intervêm com consciência crítica na sua produção clandestina de pensamentos, raramente revisam suas idéias e padrões de comportamentos e, assim, freqüentemente trabalham mal suas dores, perdas e contrariedades. Essas pessoas, como todo ser humano, têm na rica produção de pensamentos sua maior fonte de entretenimento; porém, como não amadurecem o gerenciamento do "eu" eles transformam esta fonte numa fonte de ansiedade. Por não conseguir gerenciar minimamente sua produção de pensamentos, elas se angustiam muito quando essa produção é constituída de pensamentos de conteúdo negativo, angustiante, antecipatório. A gênese de muitas doenças psíquicas está neste processo.

A CONSTRUÇÃO DE PENSAMENTOS GERA UMA INTELIGÊNCIA MULTIFOCAL DIFÍCIL DE SER GERENCIADA

O eu é o fenômeno que expressa a vontade consciente do homem. Sem esta, o homem é um ser que vaga irracionalmente como os demais seres da natureza. Se fôssemos capazes de destruir o eu, estaríamos encerrados na mais terrível solidão, existiríamos sem ter consciência de que existimos. As psicoses esquizofrênicas comprometem a estrutura e a lógica do eu, por isso elas são graves. Todavia, quando ajudamos os pacientes em surto psicótico a desacelerar seus pensamentos, eles organizam o processo de leitura da memória, constroem pensamentos dentro dos parâmetros da realidade e rompem com seus delírios e alucinações. Desacelerar o fluxo dos pensamentos e alargar os territórios de leitura da memória (âncora) é fundamental para que o eu possa administrar a produção dos pensamentos com lógica.

Os medicamentos antipsicóticos não atuam diretamente nas psicoses, como pensa a grande maioria dos psiquiatras. Eles não fazem nenhum milagre na reorganização da inteligência, apenas provocam uma tranqüilidade artificial, química, que diminui o ritmo de produção dos pensamentos, propiciando condições para uma leitura organizada e multifocal da memória, tanto do eu como do fenômeno do autofluxo.

O eu deveria administrar a leitura e a disponibilidade das informações produzidas pela âncora da memória. Assim, conseqüentemente, ele revisaria os paradigmas socioculturais, os estereótipos sociais, as reações ansiosas, as reações fóbicas, o raciocínio analítico superficial, as influências genéticas do humor. Porém, o eu jamais consegue exercer plenamente esse gerenciamento, pois a inteligência não é unifocal, mas possui fenômenos difíceis de controlar.

É particularmente complexo e difícil o gerenciamento do eu nos deslocamentos da âncora da memória e na construção de pensamentos produzida pelo fenômeno da autochecagem da memória e pelo fenômeno do autofluxo. Esse gerenciamento se torna difícil também devido ao fato de a psique ser um campo de energia psíquica que se encontra num fluxo vital contínuo. O gerenciamento do eu tem limitações, mas, como estudaremos, essas limitações não só geram transtornos psicossociais, mas também grande proteção intelectual.

Eu me lembro que, quando cursava a faculdade de Medicina, um professor, que era psiquiatra e psicanalista, fez um comentário sincero na sala de aula, dizendo que não entendia por que a mente humana era um campo de batalha, por que havia pensamentos que ele, o professor, controlava e outros que escapavam do seu controle. Ele também disse que percebia esse tumulto intelectual até no comportamento das crianças. Esse conflito intelectual, que acompanha a trajetória de todo ser humano, é devido ao fato de a construção de pensamentos ser multifocal.

Gerenciar a inteligência é um trabalho intelectual complexo e difícil, pois grande parte dos pensamentos é produzida sem a determinação e a elaboração do eu. Todos podemos afirmar que é impossível submeter totalmente o mundo dos pensamentos ao nosso controle consciente. Porém, se a inteligência não contasse com os três mordomos da mente nas quatro primeiras etapas da interpretação, o eu, que é o grande gerenciador da inteligência, não chegaria a se formar.

O processo socioeducacional, produzido pelos pais e professores, é apenas um ator coadjuvante da complexa e sofisticada tarefa de produzir pensamentos. É claro que, quanto mais eficiente e profundo for o processo socioeducacional, quanto mais levar em consideração o desenvolvimento da inteligência e o processo de interiorização, mais chances tem o homem de expandir e aprimorar sua racionalidade, sua produção de pensamentos.

Produzimos diariamente, no silêncio da psique, milhares de pensamentos, tanto de cadeias simples quanto de cadeias complexas, que nunca chegam a ser verbalizados nem expressos. Uma parte significativa desses pensamentos é produzida pelos três mordomos intrapsíquicos. Na infância, os mordomos intrapsíquicos ensinaram em silêncio o eu a penetrar nos meandros da memória e utilizar as informações para construir cadeias de pensamentos. Nos adultos, eles continuam ativos, porém perderam essa função intra-educacional. Nos adultos, sua função é produzir a mais importante fonte de entretenimento humano. Porém, dependendo da qualidade dos pensamentos, essa fonte se torna uma fonte de terror. Esse é o caso dos pacientes portadores de obsessão, depressão, síndrome do pânico e fobias.

O GERENCIAMENTO DOS PENSAMENTOS DIALÉTICOS: A NECESSIDADE DE EXPANDIR A LIDERANÇA DO EU

Administrar a construção dos pensamentos, a transformação da energia emocional e a formação da memória não quer dizer ter pleno domínio sobre esses processos ou sobre as variáveis que os produzem. Mas significa realizar um gerenciamento com consciência crítica e maturidade, embora tendo limites.

Na ciência, gerenciar a inteligência é, antes de tudo, vivenciar a arte da dúvida e da crítica no processo de observação dos fenômenos psíquicos; é aprender a ter uma postura aberta, crítica e reciclável do processo de interpretação; é aprender a se "esvaziar", tanto quanto possível, das contaminações decorrentes da história intrapsíquica; é ter consciência da construção dos pensamentos, da consciência existencial, da história intrapsíquica e da transformação da energia emocional, e aprimorar qualitativamente essa construção, através de exercícios de um domínio administrativo "parcial" das variáveis que dela participam. Porém, nós jamais atingiremos o pleno controle de nossa mente, seja na pesquisa científica, seja no processo existencial diário.

Nenhum ser humano, seja ele um intelectual, um líder religioso, um filósofo ou um psicoterapeuta, consegue ter total domínio do funcionamento da mente. Na realidade, em grande parte do processo existencial diário somos controlados pelo mundo das idéias que são produzidas no cerne da alma.

Não podemos nos esquecer que o eu é formado dentro do campo de energia psíquica, é fruto desse campo de energia, uma parte dele, embora, ao usarmos coloquialmente a palavra "eu", estejamos querendo identificar a totalidade da psique. O eu não é a totalidade da psique; mas, pelo fato de ser a totalidade da consciência da psique, ele assume para si toda a identidade da psique e de tudo o que nela é produzido. O eu não deveria assumir as idéias de conteúdo negativo que não foram autorizadas por ele, mas, por não termos consciência da produção dessas idéias pelos fenômenos inconscientes, nós ingenuamente as assumimos.

Quantas pessoas têm a sensação de que vão-se ferir ou matar alguém ao ver uma faca ou uma arma? Elas não são perigosas, pelo contrário, às vezes são pessoas dóceis, mas o medo de ferir alguém retroalimenta continuamente a memória com essas idéias negativas. Como elas são registradas de maneira privilegiada, ficam disponíveis para ser lidas pelo fenômeno do autofluxo. Uma vez lidas, produzem idéias angustiantes ligadas a ferimento e morte. O eu jamais deveria assumir tais idéias, pois não foram produzidas por ele. Ele deveria ser livre, mas como ninguém nunca nos ensinou a não assumi-las nem gerenciá-las, transformamos a maior fonte de prazer na maior fonte de terror.

O "eu" consegue, com significativo êxito, gerenciar a produção de pensamentos dialéticos, que é o mais consciente, bem formatado, lógico e psicolingüisticamente organizado grupo de pensamentos. Porém, ele não consegue realizar um amplo e eficiente gerenciamento dos pensamentos antidialéticos.

Todos pensamos o que queremos, quando queremos e na velocidade e freqüência que queremos. Se levarmos em consideração o gerenciamento dos pensamentos dialéticos, no entanto, poderemos incorrer no erro de considerar o homem um grande líder dos processos de construção da inteligência, o que não é verdade. Quem domina completamente a emoção, quem seleciona todos os registros da memória? A própria rejeição de uma experiência angustiante facilita o seu registro! Quem é que, ao ser ofendido, rejeitado, contrariado, injustiçado, consegue conter a hiperconstrução de pensamentos e as reações tensas e, ao mesmo tempo, evitar que essas mazelas psíquicas sejam fixadas nos porões de nossa memória?

Na psicose, o "eu" está tão desorganizado, que perde os parâmetros da realidade e não consegue gerenciar, com coerência e lógica, a leitura da história intrapsíquica. Como a construção das idéias não pode ser estancada, essa construção fica por conta apenas dos fenômenos que lêem a memória, principalmente do fenômeno do autofluxo. Nas psicoses, a história intrapsíquica é retroalimentada continuamente pela produção de delírios e alucinações, expandindo a disponibilidade histórica das RPSs ilógicas. Nesses casos, à medida que o fenômeno do autofluxo lê a memória, produz novas cadeias psicodinâmicas de pensamentos delirantes e alucinatórias.

Até hoje não se sabe como os medicamentos psicotrópicos efetivamente atuam nas psicoses e em outras doenças psíquicas. Só há hipóteses e postulados. Eles certamente não estruturam o eu nem reorganizam por si mesmos a construção de pensamentos. Todavia, como disse anteriormente, creio que eles, no caso das psicoses, atuam no metabolismo dos neurotransmissores e provavelmente criam microcampos de energia físico-química que interferem no campo de energia psíquica, abrindo a âncora da memória, diminuindo os níveis de tensão e desacelerando os pensamentos desorganizados. Tais situações propiciam um caminho para que o eu realize o maior de todos os espetáculos, a organização da inteligência, principalmente da identidade da personalidade: quem somos e onde estamos.

O GERENCIAMENTO DOS PENSAMENTOS ANTIDIALÉTICOS

O gerenciamento dos pensamentos antidialéticos é mais difícil de ser processado do que o dos pensamentos dialéticos, pois eles são menos conscientes, formatados, lógicos; além disso, são psicolingüisticamente desorganizados. A produção intelectual que usa os pensamentos antidialéticos tem menos referenciais lógicos, tais como as fantasias, as construções tempo-espaciais e a construção das circunstâncias psicossociais.

Em diversas doenças psíquicas, o eu tem grande dificuldade em gerenciar a construção dos pensamentos antidialéticos, assim como nas fobias e nas síndromes do pânico. Através da psicoterapia, porém, e mesmo nessas doenças, é possível que o eu produza um gerenciamento eficiente. É possível, com uma técnica psicoterapêutica adequada, que o eu funcione como ator principal no tratamento e os medicamentos psicotrópicos, quando utilizados, como atores coadjuvantes. Porém, há casos em que a desorganização dos pensamentos em determinadas doenças psíquicas é tão grave, como nas psicoses e na fase eufórica dos transtornos bipolares, que os agentes medicamentosos se tornam atores principais do tratamento.

Com respeito ao gerenciamento do processo de transformação da energia emocional, o eu tem bem menos eficiência do que em relação ao gerenciamento da construção dos pensamentos conscientes.

A TERAPIA MULTIFOCAL E O GERENCIAMENTO DO EU

Por que o eu tem tanta dificuldade em gerenciar o campo de energia psíquica? Esse assunto nunca foi estudado na psicologia, embora ele seja o centro da própria psicologia e da ação de todos os psicólogos. Por que tratar de um paciente deprimido, com síndrome do pânico ou transtorno obsessivo, é um processo lento e complicado? Se o mundo das idéias e das emoções é tão criativo, por que temos dificuldade em subjugá-lo?

Os cirurgiões fazem um "milagre no corpo". Em horas, são capazes de extrair um tumor ou uma úlcera, mas os terapeutas demoram semanas, meses ou, às vezes, anos, para levar um paciente à resolução de uma doença psíquica. Há muitas causas que explicam os entraves do gerenciamento do funcionamento da mente, e uma delas é que a produção de pensamentos é multifocal, ou seja, produzida por múltiplos fenômenos. Todavia, a principal causa é que o instrumento usado pelo eu para intervir no mundo psíquico é virtual: trata-se do pensamento dialético.

O eu usa tanto os pensamentos dialéticos como os essenciais para atuar na mente, porém se utiliza mais dos dialéticos. O eu tem como produzir pensamentos essenciais, que são de natureza "real", e fazê-los intervir no território da emoção, transformando a ansiedade em serenidade, o humor deprimido em prazer. Se temos essa capacidade, por que, então, não conseguimos dominar totalmente o mundo dos pensamentos e das emoções? Porque o instrumento que o eu usa para intervir no território da emoção e nos fenômenos que produzem as cadeias de pensamentos não é apenas o pensamento essencial, mas, principalmente, o pensamento dialético, que é de natureza virtual. O que é virtual tem condições de se conscientizar do que é real, mas não tem como modificá-lo.

Um exemplo. Você pode assistir na TV a uma pessoa presa nos destroços de um carro acidentado. Contudo, apesar de ter consciência do seu sofrimento, esta é virtual. Entre você e a pessoa acidentada existe um mundo intransponível. Por isso, apesar de estar consciente da dor da pessoa, você não tem condições de ajudá-la. Do mesmo modo, os pensamentos dialéticos servem para nos tornar conscientes das nossas angústias, dores e ansiedades, mas eles não têm como intervir e transformar essas emoções.

Os pensamentos dialéticos são o principal instrumento do gerenciamento do eu; por isso, apesar de o eu estar consciente dos conflitos psíquicos e das causas que geraram esses conflitos, ele, por si só, não tem capacidade de resolvê-los. Um dos maiores erros da psicanálise é acreditar que, pelo fato de o paciente compreender as causas inconscientes dos seus conflitos, ele conseguirá resolvê-los. Freud não estudou a construção multifocal de pensamentos e, portanto, não teve oportunidade de conhecer o fenômeno da autochecagem, do autofluxo, da âncora, do registro automático da memória, nem a natureza dos pensamentos e os limites do gerenciamento do eu sobre o universo psíquico.

Compreender as causas de uma doença é importante, mas insuficiente para superá-la. Um paciente pode ficar dez anos deitado num divã, conhecer toda a formação de sua personalidade, mas, ainda assim, não saber reescrever o seu passado, pois tem um eu inerte, passivo, que não consegue ser um agente modificador do funcionamento doentio de sua mente. A dificuldade da psicanálise em atuar na psique também ocorre nas demais terapias.

As terapias cognitivas e comportamentais procuram desprezar os aspectos inconscientes mais profundos da personalidade e levar o paciente a intervir diretamente nos conflitos, no humor deprimido, nas reações fóbicas. Todavia, essas terapias também enfrentam as limitações do eu, mas sem dúvida são mais eficientes do que a psicanálise nos transtornos depressivos e ansiosos. Por que a terapia cognitiva, que tem uma teoria mais simples e estimula menos a capacidade de pensar do que a psicanálise, é mais eficiente em alguns transtornos psíquicos? Essa é uma questão importante, ignorada talvez até mesmo pelos adeptos dessas correntes terapêuticas.

A resposta é que os terapeutas cognitivos estimulam os pacientes a usar mais os pensamentos essenciais do que os dialéticos no sentido de intervir no mundo psíquico. A psicanálise, sem o saber, usa mais os pensamentos dialéticos, através da técnica da livre-associação, do que os essenciais no processo terapêutico.

É paradoxal, mas a psicanálise, que objetiva reorganizar o inconsciente, usa, mais do que imagina, os pensamentos conscientes (dialético e antidialético) como instrumento terapêutico. Eles são de natureza virtual e, portanto, não têm força para atuar no campo de energia emocional e nem nos fenômenos que constroem as cadeias de pensamentos essenciais. De outro lado, a terapia cognitiva, que dá pouco valor ao inconsciente, usa, mais do que supõe, o pensamento inconsciente (essencial) como instrumento terapêutico. Por isso, esta corrente terapêutica, sem ter consciência, estimula o fenômeno RAM a reeditar várias áreas da memória, onde estão arquivadas experiências existenciais doentias.

A psicanálise almeja dar um novo significado à história do paciente, reciclar os seus traumas, o que são objetivos nobres, mas, para isso, usa excessivamente o pensamento consciente. Quando o paciente fala de sua história, deitado no divã, ele produz uma série de pensamentos essenciais que geram os pensamentos conscientes. Estes, por sua vez, vão criando um ambiente para que o "eu" leia com mais eficiência a memória e, conseqüentemente, produza mais pensamentos essenciais que gerarão mais pensamentos conscientes, expandindo, assim, a capacidade de pensar. Todavia, quem é registrado na memória são os pensamentos essenciais e não os pensamentos conscientes. Uma vez registrados, os pensamentos essenciais reescrevem a memória. Deste modo, ocorre espontaneamente a melhora do paciente.

Como os pensamentos essenciais, na técnica psicanalítica, nem sempre têm uma carga emocional intensa e freqüentemente não são direcionados para atingir diretamente os conflitos dos pacientes, como ocorre nas terapias cognitivas, o registro desses pensamentos não é privilegiado nas regiões inconscientes da memória, por isso a psicanálise, em muitos casos, se torna um processo terapêutico prolongado.

A terapia multifocal usa intensamente os pensamentos conscientes e os essenciais. Usa o pensamento dialético para fazer dos pacientes pensadores conscientes da sua história, e usa os pensamentos essenciais, através das técnicas do resgate da liderança do eu nos focos de tensão, para torná-los agentes modificadores de sua história. A terapia multifocal não entra em conflito com a psicanálise nem com a terapia cognitiva, mas as completa e abre para elas "avenidas" de pesquisa e de compreensão do homem total.

Há pouco tempo atendi um paciente com grave transtorno obsessivo. Há vinte anos ele é perturbado continuamente por idéias fixas relacionadas a acidentes, doenças e morte de pessoas íntimas. Perdeu completamente o controle sobre a produção dessas idéias obsessivas e desenvolveu estranhos gestos compulsivos para tentar aliviar-se. Quando pensa com fixação que sua filha ou sua esposa vai sofrer um acidente, ele se desespera tanto, que se comporta de modo compulsivo e repetitivo para desviar ou descaracterizar o pensamento: bate continuamente no peito ou na cabeça. Tal é seu descontrole que ele faz estes gestos em público. Ultimamente, entrava no banheiro de sua empresa e batia a cabeça na parede, por isso todos se assustavam com seus hematomas.

Esse paciente passou por diversos psiquiatras e psicoterapeutas. Fez psicanálise, terapia cognitiva e muitos outros tipos de terapia. Porém, não teve sucesso nos tratamentos. Tomou todos os tipos de antidepressivo, mas nenhum devolveu-lhe o prazer de viver e lhe trouxe a saúde para seu mundo psíquico. Era um empresário, mas vivia uma vida angustiante. Alguns o consideravam "louco", outros um ser socialmente estranho, bizarro.

Seus pais viram aquele jovem, a partir da adolescência, crescer com esse transtorno, e sofriam muito. Por fim, recomendaram-lhe o "melhor" psiquiatra do país, que não sei quem é. Chegando lá, o psiquiatra o desanimou, dizendo-lhe que não tinha mais nada a fazer, pois ele já havia feito diversos tratamentos psicoterapêuticos e tomou os mais diversos medicamentos. Segundo esse psiquiatra, o paciente teria que conviver com sua miséria psíquica.

Há alguns meses, esse paciente me procurou. Como estou acostumado a tratar de casos resistentes, sabia que o meu maior problema não era a sua doença, mas o fato de ele não acreditar que poderia melhorar, que poderia administrar seus pensamentos e se tornar uma pessoa saudável. Perguntei-lhe com toda a honestidade se ele queria que eu fosse mais um psiquiatra e psicoterapeuta que passaria pela sua vida ou se queria que fosse o último. Procurei aguçar-lhe a inteligência, romper com a adaptação à sua miséria. Desejava instigar sua produção de pensamentos essenciais e estimulá-lo a fazer uma revolução no seu mundo psíquico, estimulá-lo a romper seu cárcere intelectual.

Durante o tratamento, levei-o a compreender como a mente funciona, como produzimos os transtornos obsessivos, como retroalimentamos os conflitos na memória, como atuam o fenômeno RAM, o gatilho da memória e o autofluxo. Também o levei a compreender, à luz desses fenômenos multifocais, as causas inconscientes do seu conflito e a resgatar a liderança do eu nos focos de tensão. Para tanto, estimulei-o a atuar no seu universo psíquico dia após dia, durante seis meses, construindo idéias inteligentes e críticas contra cada idéia obsessiva. Queria que ele reconstruísse a sua história, pois ela alimentava suas idéias fixas através das leituras contínuas produzidas pelo fenômeno do autofluxo.

O resultado foi brilhante. Já no primeiro mês de tratamento ninguém acreditava que aquela pessoa tão doente melhorara tanto. Esse paciente foi mais um dos que fizeram a terapia multifocal, compreenderam o funcionamento básico do processo de construção dos pensamentos e venceram seu drama, mais um dos que se tornaram agentes modificadores da sua história e se tornaram líderes do seu próprio mundo.

O AMBIENTE DA PSICOTERAPIA MULTIFOCAL

O psicoterapeuta multifocal é um estudioso dos fenômenos que participam da construção do pensamento, da transformação da energia emocional, da formação da história intrapsíquica e da consciência existencial do "eu". Compreende que o funcionamento da mente humana é complexo e sabe que um dos maiores desafios da inteligência humana é transformar o "eu" num agente modificador da sua própria história.

A postura do terapeuta multifocal é importante para se criar um ambiente terapêutico inteligente, livre, aberto e que estimula a arte de pensar. Ele não se coloca como um gigante no território da emoção. Mas como alguém que, apesar de treinado para conhecer o processo de formação da personalidade e tratar das doenças psíquicas, é um ser humano que também possui dificuldades existenciais e limitações no processo de gerenciamento das emoções e dos pensamentos. Portanto, o psicoterapeuta não deve assumir a postura de semideus, de dono da verdade nem o paciente deve encará-lo como uma pessoa inatingível, distante de suas fragilidades e angústias.

Um bom psicoterapeuta é antes de tudo um excelente ser humano. Alguém que é sociável, alegre, seguro, bem resolvido, que não tem medo de reconhecer suas dificuldades, que se coloca como aprendiz diante da vida e que tem a capacidade de aprender lições existenciais com seus pacientes. Não se comporta como um "extraterrestre", mas como um ser humano que interage com seu paciente, que honra a sua inteligência, que o elogia e estimula sua auto-estima a cada passo que dá para desenvolver a arte de pensar e superar a sua doença psíquica.

Um psicoterapeuta experiente é capaz de suscitar empatia em seus pacientes e transmitir-lhes confiança e segurança. É capaz de mostrar que está muito interessado na sua história, na sua dor e de expressar que ele não é só mais um paciente, mas um ser único e insubstituível, que merece todo o respeito e que tem direito de viver uma vida livre e saudável.

O terapeuta multifocal tem consciência das distorções que ocorrem no processo de interpretação. Sabe que é impossível não envolver a sua própria história na interpretação dos seus pacientes, mas questiona continuamente esse envolvimento. Tem consciência da atuação do fenômeno do gatilho da memória (autochecagem) na análise do comportamento dos pacientes, mas gerencia os pensamentos e as emoções decorrentes desse gatilho. Está sempre mostrando ao paciente que suas reações fóbicas, de ansiedade e impulsivas também são iniciadas por esse fenômeno. Leva-o a compreender que ele desloca a âncora da memória, direcionando e restringindo o seu campo de leitura da própria memória.

O terapeuta multifocal enfatiza no processo psicoterapêutico os papéis fundamentais da memória: o registro automático pelo fenômeno RAM, o registro privilegiado no inconsciente das experiências que têm "carga" emocional intensa, a impossibilidade de deletar a memória consciente e inconsciente, a necessidade de reescrevê-la para mudar a estrutura da personalidade.

O terapeuta experiente, apesar de investigar o passado do paciente, não o leva a gravitar em torno dele, pois tem consciência de que o "eu" não tem as ferramentas para descobrir o lócus das experiências doentias no córtex cerebral e nem, como disse, para apagar essas experiências. A história da personalidade arquivada na memória só pode ser reeditada, reescrita.

O risco de produzir um paciente dependente do terapeuta tem de ser considerado por qualquer corrente psicoterapêutica e deve ser evitado com o máximo de empenho. O paciente tem direitos fundamentais que deveriam ser assegurados por qualquer tipo de psicoterapia, mas, infelizmente, eles nem sempre são respeitados. Entre estes direitos, está o de questionar seu terapeuta.

Por estar fragilizado pela sua doença, o paciente está numa relação desigual com o terapeuta, está desprotegido diante dele, por isso este pode tanto ajudá-lo como anulá-lo, prejudicá-lo e embotar sua capacidade de pensar. É necessário que o terapeuta dê plena liberdade para o paciente questionar suas interpretações, bem como a teoria e os procedimentos que utiliza. Ele deve estimular a arte da pergunta, da dúvida e da crítica do paciente. Aquele que não se deixa ser questionado pelo paciente deveria assumir o lugar dele, deveria ser tratado.

Quando o paciente tiver condições de andar sozinho, de gerenciar seus pensamentos, de proteger sua emoção nos focos de tensão, de trabalhar seus transtornos psíquicos, ele deve ter alta supervisionada, ou seja, voltar somente quando necessário.

Independentemente de ser um psicólogo, um psiquiatra ou um agente de saúde, o terapeuta que transmite suas interpretações como se fossem verdades absolutas, que se comporta como um semideus com relação aos pacientes, pode estar apto a exercer qualquer profissão, menos a de psicoterapeuta.

O objetivo da terapia multifocal não é só resolver doenças, mas estimular os pacientes a desenvolver os amplos aspectos da liderança do eu sobre os pensamentos, bem como as funções mais importantes da inteligência: a arte de pensar, a arte da crítica, a capacidade de superação das suas intempéries, a capacidade de pensar antes de reagir, de expor e não de impor as idéias, de se colocar no lugar do outro, de contemplar o belo. Não basta ajudar o paciente a resolver sua doença. É preciso torná-lo um ser completo, que brilha na sua inteligência, que saiba navegar no território da emoção, que seja especial por dentro, ainda que comum por fora. Por isso, a terapia multifocal vai além dos limites das doenças, procura expandir as potencialidades intelectuais do paciente.

Para atingir esses objetivos, o terapeuta deve estimular o paciente, durante o tratamento, a continuar sua terapia no ambiente que exerce suas atividades sociais e profissionais, através das técnicas do resgate da liderança do eu, bem como do gerenciamento do gatilho da memória, da âncora da memória, do fenômeno do autofluxo. Além disso, deve estimulá-lo também a utilizar o fenômeno RAM para reescrever a sua história e se tornar um agente modificador dela, reorganizando, assim, os transtornos depressivos, a síndrome do pânico e os transtornos obsessivos. A terapia multifocal, portanto, tem prosseguimento nos territórios sinuosos da vida, fora do ambiente do consultório. Caso contrário, criamos a crença ilusória de que só as diretrizes dadas nas sessões terapêuticas sejam suficientes para o paciente estruturar e reorganizar sua personalidade.

O clima na sessão psicoterapêutica deve ser inteligente e participativo. A terapia deve transcorrer num ambiente da democracia das idéias, numa via de mão dupla. Ambos, terapeuta e paciente, discutem os problemas multifocalmente. Analisam os momentos da história do paciente, investigando o seu passado, os elementos que foram registrados de maneira superdimensionada pelo fenômeno RAM, as experiências retroalimentadas pelo fenômeno do autofluxo, a dificuldade de gerenciamento do eu, as dificuldades de descaracterizar as imagens inconscientes que estruturam os conflitos, a necessidade de intervenção nos pensamentos essenciais que geram não apenas os pensamentos conscientes (dialéticos e antidialéticos), mas também a ansiedade, o humor deprimido, os conflitos existenciais.

Na terapia multifocal o comum é o paciente apresentar melhoras significativas em semanas e ter alta em meses, embora haja exceções. Lembre-se de que o grande problema não é a doença do doente, mas o doente da doença, ou seja, a disposição do eu em penetrar no seu mundo, revisar a sua história e reorganizar a sua maneira de reagir à sua doença e ao ambiente social.

UM RESUMO DOS PRINCIPAIS PRINCÍPIOS PSICOTERAPÊUTICOS

Reitero, a psicoterapia multifocal objetiva muito mais do que resolver doenças; ela visa fazer com que o paciente desenvolva a arte de pensar e as funções mais importantes da inteligência.

1. Atuar no processo de construção dos pensamentos, na transformação da energia emocional, na formação da história intrapsíquica e na formação do eu.
2. Estimular a capacidade de pensar do paciente para que ele não apenas seja capaz de criticar o mundo que o envolve, mas também de criticar a interpretação do psicoterapeuta, suas técnicas e seus procedimentos.
3. Estimular sua capacidade de análise multifocal para que possa superar as contradições e as contrariedades da vida.
4. Levá-los a proteger sua emoção diante dos estímulos estressantes e trabalhar suas perdas e frustrações.
5. Estimulá-los a desenvolverem a arte da contemplação do belo, o prazer pela vida e o sentido existencial.
6. Conduzi-los a compreender os papéis da memória e a reescrever a história consciente e inconsciente nela arquivada.
7. Estimulá-los a ter como meta não apenas a resolução de sua doença depressiva, ansiosa ou qualquer outra, mas a procurar a sabedoria como meta de vida.
8. Levá-los a resgatar a liderança do eu nos focos de tensão.
9. Levá-los a expandir o território de leitura da memória (âncora da memória).
10. Conduzi-los a gerenciar a construção dos pensamentos e a transformação da energia emocional produzidos pelo fenômeno do autofluxo e pelo gatilho da memória.

Como comentei, a terapia multifocal não conflita ou anula as demais correntes psicoterapêuticas, ao contrário, explica-as e complementa-as, pois estuda e trabalha com os fenômenos universais que estão presentes na base do funcionamento da mente e da construção de pensamentos.

AS DIFICULDADES DO GERENCIAMENTO DO EU

Vamos continuar a investigar com mais detalhes os entraves da atuação do homem no seu próprio mundo e compreender por que os procedimentos psicoterapêuticos, sejam eles quais forem, possuem limitações significativas.

O eu usa mais os pensamentos dialéticos e antidialéticos, que são de natureza virtual, para gerenciar a inteligência do que os pensamentos essenciais, que são de natureza real. Não podemos nos esquecer que são os pensamentos dialéticos que formam a consciência humana. Precisamos compreender as limitações do eu para entender as suas potencialidades.

Como o que é virtual pode atuar no que é real? Como a consciência virtual pode atuar na realidade essencial intrínseca dos processos de construção da inteligência, por exemplo, do processo de transformação da energia emocional? Como os pensamentos dialéticos e antidialéticos podem transformar as emoções? Essas perguntas são importantíssimas.

Os pensamentos conscientes (dialéticos e antidialéticos) têm "em si mesmos" uma dificuldade intransponível de materializar intrapsiquicamente sua intencionalidade. Na realidade, os pensamentos conscientes, ao contrário do que pensamos, não atuam por si mesmos na essência da energia psíquica; eles apenas criam um "ambiente consciente", um "ambiente dialeticamente e antidialeticamente iluminador", para que o eu administre "inconscientemente" o processo de leitura da história intrapsíquica e as matrizes de pensamentos essenciais inconscientes. Esse mecanismo é um dos mais complexos e importantes da inteligência humana.

É paradoxal e difícil de se entender, mas usamos os pensamentos dialéticos, que são conscientes e virtuais, para administrar os pensamentos essenciais, que são inconscientes e essenciais, e que estão na base da construção dos próprios pensamentos dialéticos. Quando entro numa sala e realizo algumas tarefas, a luz do ambiente me permite locomover-me e realizar essas tarefas. A luz não foi a responsável pela realização das tarefas, mas criou um ambiente propício para que elas fossem realizadas. Esse exemplo, embora deficiente, pode demonstrar o trabalho do eu. Os pensamentos dialéticos e antidialéticos, embora não se materializem na realização das tarefas psicodinâmicas, criam um ambiente consciente para que o eu leia a memória e realize suas tarefas psicodinâmicas inconscientes.

A "dificuldade intransponível" da materialização intrapsíquica dos pensamentos dialéticos faz com que o eu não exerça uma grande liderança administrativa sobre os processos de construção do mundo intrapsíquico, como exerce sobre os processos de construção do mundo extrapsíquico. Quem se "materializa" psicodinamicamente não são os pensamentos conscientes, mas os pensamentos essenciais inconscientes.

Os pensamentos essenciais se materializam e atuam psicodinamicamente com mais eficiência no córtex cerebral e, conseqüentemente, no sistema motor, do que no próprio campo de energia psíquica. Podemos coordenar cada movimento muscular, que tem milhões de detalhes metabólicos, por causa da eficiente materialização das matrizes dos pensamentos essenciais no córtex cerebral, mas não temos a mesma eficiência para materializar os pensamentos essenciais a fim de administrar nossas emoções e modificar nossa angústia, nossa dor, nossa ansiedade etc. O resultado é que o homem sempre foi um grande líder do mundo extrapsíquico, mas nunca o foi do mundo intrapsíquico.

O eu não consegue determinar que o processo de transformação da energia emocional, bem como os outros processos de construção da inteligência, submeta-se diretamente à sua liderança. Se houvesse uma liderança plena sobre o processo de transformação da energia emocional, os problemas concernentes ao sofrimento psíquico (angústias, humor deprimido, tensão, desespero, solidão, farmacodependência etc.) e psicossocial (sofrimento decorrente de discriminação, perda, ofensa pública, exclusão social etc.) estariam resolvidos, pois todo ser humano conseguiria viver num oásis de prazer, em detrimento de suas misérias extrapsíquicas.

O eu também não é muito eficiente ao atuar na história intrapsíquica, arquivada na memória. A história intrapsíquica guarda os segredos inconscientes e conscientes do processo existencial. A impotência em gerenciar o registro e a leitura automática da história intrapsíquica traz importante proteção contra a destruição socioeducacional e a autodestruição da história intrapsíquica.

O eu não pode apagar nem destruir as RPSs registradas na memória. No máximo, e esse é o seu papel fundamental no gerenciamento da história intrapsíquica, ele poderá reciclar criticamente essas RPSs, produzindo idéias críticas sobre o processo de interpretação e uma análise dos estímulos que geraram essas RPSs. O gerenciamento das RPSs iniciais redundarão em novas RPSs, que alterarão, por sua vez, a qualidade da história intrapsíquica que, lida pelos fenômenos que fazem a leitura da mesma, gerará novas cadeias psicodinâmicas das matrizes de pensamentos essenciais, novas transformações da energia emocional e novas cadeias psicodinâmicas virtuais dos pensamentos dialéticos e antidialéticos. Embora não seja oportuno neste livro, há muito o que dizer sobre esse assunto, pois podemos extrair dele importante conhecimento psicológico e filosófico.

O homem que é senhor do mundo em que ele está, é pouco senhor do mundo que é ele. Se fôssemos senhores do mundo que somos, certamente faríamos uma grande faxina intelectual em nossa mente; até mesmo os psicopatas fariam isso. Quantos pensamentos, idéias, recordações, fantasias, angústias, humores deprimidos, sentimentos de solidão, etc. não iríamos querer deixar de produzir; mas eles são produzidos independentemente da determinação do "eu". A revolução das idéias independe do eu; ela é financiada, principalmente, pelo fenômeno do autofluxo e pela âncora da memória. Quantos de nós não gostaríamos de deixar de sofrer por antecipar situações futuras ou ruminar situações passadas ou, ainda, produzir pensamentos sobre o que os outros pensam e falam de nós, sobre problemas sociais e profissionais; mas, freqüentemente, nos sentimos incapazes de controlar plenamente o universo psíquico.

Temos que começar a revisar os paradigmas intelectuais contidos nas teorias da personalidade e compreender que a inteligência não é unifocal e unidirecional, mas multivariável; que a construção de pensamentos se dá através de diversos fenômenos e que está sujeita a riquíssimos processos de co-interferências das variáveis, que são difíceis de serem administrados. O nosso gerenciamento da capacidade de pensar é micro ou macrodistinto a cada momento da existência.

Temos que usar procedimentos de investigação, tais como os derivados da busca do caos intelectual, para investigar e compreender a leitura e construtividade dos pensamentos. Não adianta usar jargões psicológicos simplistas para explicar o porquê de o homem não ter pleno controle sobre a produção de pensamentos. É superficial e genérico dizer que isso se deve ao fato de ele sofrer de neuroses, de conflitos psíquicos, de transtornos obsessivo-compulsivos, de *stress*.

Os diagnósticos na psiquiatria podem ser úteis para traçar algumas "avenidas" farmacoterapêuticas e psicoterapêuticas, mas também podem funcionar como "véus" que cobrem nossa inteligência, nossa dificuldade de compreender os segredos da mente humana. Como eu já disse, mesmo que houvesse um homem dotado da mais plena sanidade intelectual, ele não exerceria pleno controle sobre sua mente, sobre a construção dos seus pensamentos, sobre a transformação da sua energia emocional.

Se não compreendermos, ainda que parcialmente, o complexo processo de construção de pensamentos e da formação da consciência existencial, não chegaremos a entender nem mesmo como ocorrem o autoritarismo das idéias e a ditadura dos discursos teóricos que controlam não só os ditadores políticos, as pessoas preconceituosas, as pessoas que respiram discriminação, mas também nossa própria atitude anti-humanística nas relações interpessoais.

Quando abordo as limitações do eu, não estou dizendo que ele não seja responsável pelas atitudes anti-humanísticas, destrutivas, autodestrutivas. Se ele consegue estabelecer, ainda que parcialmente, os parâmetros da realidade extrapsíquica e intrapsíquica, ele se torna responsável pelos atos humanos, pois toma consciência da construção de pensamentos iniciada pelo fenômeno da autochecagem da memória ou pelo fenômeno do autofluxo. Nesse caso, ele adquire condições para gerenciar os processos de construção de pensamentos e o comportamento humano.

O comportamento humano, que é a manifestação dos pensamentos, é mais fácil de ser controlado do que os próprios pensamentos. Com respeito ao gerenciamento dos pensamentos, o mais importante não é querer fazer uma faxina intelectual pura e completa, ou seja, querer eliminar todos os pensamentos débeis que temos, mas ter consciência crítica deles, reciclá-los, desorganizá-los e descaracterizá-los intelectualmente.

É mais fácil o homem explorar o espaço físico do universo do que seguir a trajetória do seu próprio ser. Por isso, o humanismo, a cidadania, a democracia das idéias, a análise multifocal, a arte da contemplação do belo etc., embora sejam funções intelectuais nobres da inteligência, não são fáceis de ser conquistados, a não ser, como tenho dito, através de um processo educacional interiorizante, que estimula o homem a pensar, a desenvolver a consciência crítica, a expandir o mundo das idéias, a se tornar um pensador humanista.

Não podemos compreender a violação histórica dos direitos humanos e, conseqüentemente, produzir "vacinas" psicossociais humanísticas, se não levarmos em consideração a construção dos pensamentos e os limites do "gerenciamento do eu". Porém, nas sociedades modernas essas "vacinas" são uma utopia, pois, até o momento, temos vivido um intrigante paradoxo intelectual, expresso por explorarmos e conhecermos intensamente o imenso espaço e o pequeno átomo e, ao mesmo tempo, explorarmos e conhecermos pouco o nosso próprio mundo intrapsíquico, o nascedouro das idéias, as origens de nossa inteligência.

GERENCIANDO A INTELIGÊNCIA A PARTIR DA QUINTA ETAPA DE INTERPRETAÇÃO

O eu não tem o poder de controlar as quatro primeiras etapas da interpretação e a atuação do fenômeno da psicoadaptação que ocorrem antes da sua formação e envolvem a leitura da história intrapsíquica pelo fenômeno da autochecagem da memória e pelo fenômeno do autofluxo (primeira etapa), a formação das matrizes dos pensamentos essenciais históricos (segunda etapa), a atuação psicodinâmica dessas matrizes no campo de energia emocional e motivacional (terceira etapa) e o processo de leitura virtual que essas matrizes sofrem para gerar os pensamentos dialéticos e antidialéticos (quarta etapa). O eu é formado na quinta etapa da interpretação, logo após a formação dos pensamentos dialéticos e antidialéticos, como estudaremos com detalhes no próximo capítulo.

Os processos espontâneos de construção dos pensamentos dialéticos e antidialéticos, financiados pelos três "mordomos" intrapsíquicos, dão-nos a impressão de que o eu se desenvolve continuamente no estado de vigília. Na realidade, a âncora da memória produz um grupo de informações instantâneas, que fornece subsídios para financiar um quadro básico da consciência de nossas identidades num determinado momento existencial.

Quando estamos num determinado ambiente, numa escola, numa empresa, num ambiente freqüentado por pessoas estranhas ou por pessoas de nossa intimidade, a âncora da memória se desloca na memória financiando um grupo de informações que nos identificam e identificam o ambiente. Assim, ainda que não fiquemos preocupados em controlar o tipo de respostas e reações que devemos ter em determinado ambiente, mudamos o nosso comportamento espontaneamente, devido ao deslocamento da âncora da memória e, conseqüentemente, do grupo de informações que financiam a "consciência instantânea". Assim, a "consciência instantânea" é um acessório valioso do "eu".

Apesar de a "consciência instantânea" ser um acessório fundamental do eu, paradoxalmente ela não é produzida nem administrada pelo próprio eu, pelo menos no primeiro momento, mas pelo deslocamento da âncora da memória propiciado pelo fenômeno da autochecagem ou do gatilho da memória. Ficamos inibidos num ambiente público, mas somos espontâneos num ambiente familiar; somos brincalhões entre amigos e sérios nas reuniões de trabalho. Essas mudanças de postura intelectual nem sempre ocorrem porque programamos nossa inteligência, mas devido a uma construção espontânea de cadeias de pensamentos dialéticos e antidialéticos que financiam a consciência instantânea. Só quando temos uma sensação de "vazio intelectual", de "ausência de memória", devido a uma situação estressante ou ao uso de substâncias psicotrópicas, é que sofremos um deslocamento brusco da âncora da memória, o que nos causa uma perda da consciência instantânea de quem somos, de onde estamos, do que fazemos no ambiente em que nos encontramos.

O deslocamento brusco da âncora da memória tira-nos da órbita da consciência instantânea, desorganiza a nossa identidade, comprometendo, assim, todo o processo de interpretação num determinado momento existencial.

Reitero: o eu não tem, portanto, o poder de gerenciar os processos de construção da inteligência gerados nas quatro primeiras etapas da interpretação. Porém, depois que é formado na quinta etapa, através da produção dos pensamentos dialéticos e antidialéticos, ele adquire condições para intervir nos fenômenos da inteligência, inclusive na consciência instantânea gerada pelo gatilho da memória e nos conseqüentes deslocamentos da âncora da memória. Esses mecanismos estão entre os segredos mais importantes da inteligência humana.

A liberdade criativa e a plasticidade construtiva dos pensamentos, gerenciadas pelo "eu", são sofisticadas e importantíssimas e têm de ser conquistadas individualmente nos territórios sinuosos da própria psique. Muitos são exteriormente livres nas democracias políticas, mas são intrinsecamente prisioneiros dentro de si mesmos. Muitos têm sucesso social, econômico e profissional, mas não têm sucesso em desenvolver as funções mais nobres da inteligência, em expandir o mundo das idéias, em trabalhar seus focos de tensão, em administrar sua ansiedade, seu *stress*, suas frustrações.

A seguir, será apresentado um quadro didático sobre a construção de pensamentos e o gerenciamento do eu.

GRÁFICO 3
GERENCIAMENTO DO "EU" (SELF-CONTROL)
ADMINISTRAÇÃO DOS PROCESSOS DE CONSTRUÇÃO DA INTELIGÊNCIA

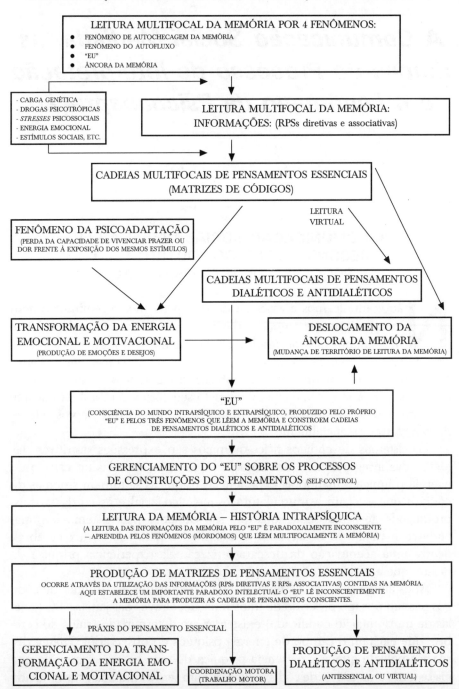

Capítulo 9

A Comunicação Social Mediada, as Etapas do Processo de Interpretação e o Fenômeno da Psicoadaptação

A COMUNICAÇÃO SOCIAL MEDIADA E A RECONSTRUÇÃO DO "OUTRO" PELO PROCESSO DE INTERPRETAÇÃO

Não comunicamos a essência do que pensamos e sentimos e nem incorporamos as emoções das pessoas que nos circundam. Vivemos ilhados nas sociedades, ainda que nos consideremos seres sociais. Quando a energia psíquica de uma pessoa, contida nas idéias, angústias, humores deprimidos, reações fóbicas, inseguranças, sentimentos de tolerância, de prazer etc., é assimilada pelo seu córtex cerebral e transmitida como *pool* de estímulos físico-químicos ao longo dos nervos, ela se descaracteriza essencialmente.

Os sistemas de códigos físico-químicos são expressões restritivas das idéias, das inseguranças e das emoções que estão contidas no campo de energia psíquica. Quando as experiências psíquicas se tornam sistemas de códigos que excitam a musculatura esquelético-facial e as cordas vocais, produzindo gesticulações e sons que são captados pelo sistema sensorial auditivo e visual do observador e assimilados pelo seu córtex cerebral, ocorre uma acentuação da descaracterização da experiência psíquica da pessoa que a emana.

Após atingir o córtex cerebral e serem assimilados, os sistemas de códigos passam por um processo de transmutação, através das janelas TC (janelas de transmutação codificada) existentes em determinados sítios do cérebro, que excitam o campo de energia psíquica do observador. Diante disso, fica patente que a experiência psíquica de uma pessoa, à medida que ela se torna uma cadeia de códigos, que por fim será assimilada e transmutada no campo de energia psíquica do observador, afasta-se cada vez mais de sua realidade essencial. Assim, quando uma pessoa expressa que está deprimida ou angustiada, o observador jamais capta a realidade essencial do seu humor deprimido, mas um sistema de códigos pobre com relação às dimensões de sua experiência emocional. O observador terá de interpretar os sistemas de códigos para reconstruir a experiência do "outro".

O observador, ao captar sensorialmente o grupo de códigos físico-químicos que representa pobremente as riquíssimas experiências do "outro", reconstruirá interpretativamente, nos bastidores da sua mente, essas experiências. Porém, essa reconstrução não ocorrerá de maneira pura, mas com inúmeras distorções, que incluem "cores" e "formas" próprias de interpretação. O observador reconstrói interpretativamente a experiência psíquica do "outro" não só através dos códigos que a representam, mas também por meio da leitura da sua história intrapsíquica e dos sistemas de co-interferências das variáveis que atuam nos bastidores da sua mente. A grande questão na comunicação social mediada é que a "interpretação do outro" deixa de ser a realidade essencial da energia psíquica do "outro", ou seja, deixa de ser sua experiência psíquica, seu prazer, sua angústia existencial, sua insegurança, sua idéia etc., e passa a ser a própria experiência do observador, que pode ter pouquíssima relação com a experiência real do "outro".

Não comunicamos a essência da energia psíquica a ninguém. Os ambientes também não nos comunicam outros tipos de "energia" que não seja a energia físico-química captada pelo sistema sensorial. Diante de determinadas personalidades ou de determinados ambientes, algumas pessoas, com tendências místicas ou supersticiosas, acham que captaram uma energia estranha, diferente, proveniente deles. Porém, na realidade, reconstruíram interpretativamente, nos labirintos da mente, a partir de sistemas de códigos físico-químicos sensorialmente captados, as "sensações", "vibrações", emoções e percepções que crêem ser provenientes de fora.

Nas relações interpessoais, comunicamos estímulos sensoriais e interpretamos estímulos sensoriais. A comunicação extra-sensorial, tão comentada nos meios coloquiais, é especulação, achismo empírico e superstição. Se há algum tipo de comunicação extra-sensorial, ela é cientificamente pouco evidente e quase indistinguível da produzida pelo processo de interpretação. Estamos ilhados no mundo intrapsíquico; por isso temos a enorme responsabilidade de realizar um processo de interpretação maduro. As sensações que as pessoas têm nos ambientes e nas relações humanas são reconstruções, realizadas pela interpretação, produzidas pelo fenômeno da autochecagem, autochecagem que lê a memória e produz cadeias de pensamentos essenciais, que, por sua vez, excita inconscientemente a energia emocional.

Embora todos tenhamos um complexo campo de energia psíquica em que construímos constantemente pensamentos, reflexões, recordações, pensamentos antecipatórios, angústias, prazeres, sentimentos de tolerância etc., vivemos uma profunda solidão paradoxal, a solidão da consciência existencial, que é muito mais profunda que a solidão emocional, representada pela consciência e a angústia de estarmos sós. A solidão paradoxal da consciência tem um conceito muito sofisticado, e só podemos compreendê-lo adequadamente quando unimos a Psicologia com a Filosofia. Estamos sós, ilhados em nosso universo intrapsíquico, não porque temos a consciência de estarmos sós, a consciência da solidão, mas porque a consciência existencial, por ser virtual, nunca incorpora a realidade essencial do mundo tornado consciente por ela.

Neste livro, comentarei sinteticamente a solidão paradoxal da consciência existencial, embora tenha produzido diversos textos sobre ela. Estamos fisicamente próximos das pessoas e dos ambientes, mas, ao mesmo tempo, estamos infinitamente distantes deles. A consciência existencial é virtual; por isso, possui um antiespaço com a realidade essencial contida no mundo extrapsíquico. A solidão paradoxal da consciência existencial é uma das grandes promoções inconscientes que motiva o homem a desenvolver a comunicação social e a criatividade intelectual.

O homem produz uma rica construção de pensamentos dialéticos e antidialéticos, que fica seqüestrada dentro de si mesma ou que é expressa nas relações interpessoais, porque ele está continuamente tentando superar a solidão paradoxal da consciência existencial. Comentei que o destino do homem é pensar, pois a mente é um campo de energia psíquica que possui fenômenos que lêem a memória e constroem pensamentos voluntária e involuntariamente. Esse é o conceito psicológico da construção de pensamentos. Agora, o conceito filosófico é que o homem necessita pensar não só devido ao fluxo vital dos fenômenos que atuam nos bastidores da mente humana, mas também porque ele sofre uma indescritível solidão da consciência existencial, ou seja, porque o eu está próximo e infinitamente distante da realidade essencial do mundo extrapsíquico e até do seu próprio mundo intrapsíquico, pois a consciência de si mesmo não é a essência de si mesmo, mas um sistema de intenções dialéticas e antidialéticas.

O homem pensa continuamente, numa tentativa inconsciente de superar a solidão da consciência existencial. A solidão da consciência existencial é inconsciente; mas quando essa superação falha, ele sofre a solidão emocional, que é percebida conscientemente. Produzimos diariamente milhares de pensamentos, embora grande parte deles nunca sejam expressos nas relações sociais, como tentativa de superar a solidão paradoxal. Por isso eu disse que a maior fonte de entretenimento humano é a construção de pensamentos, as viagens intelectuais que fazemos continuamente pelo mundo das idéias.

A produção poética, a pintura, o teatro, o estabelecimento de relações sociais, a produção contínua de diálogos, a produção de idéias e todos os tipos de criatividade intelectual são expressões vivas e marcantes do fluxo vital da energia psíquica canalizada pela tentativa de superação da solidão paradoxal.

A consciência existencial é extremamente complexa e é até mesmo indescritível na sua plenitude. Através dela, temos consciência do mundo que somos e do mundo em que estamos, discriminamos os parâmetros tempo-espaciais, discriminamos entre o ter e o ser e acusamos os objetos e todos os seres vivos que contemplamos, porém, sem a necessidade de incorporar suas realidades essenciais. A espécie humana conquistou o privilégio de ser uma espécie pensante e que possui uma consciência existencial de si mesma e do mundo. Porém, a consciência existencial gerou uma dramática, insolúvel e importante solidão paradoxal, que nos impele constantemente, da meninice à velhice, consciente ou inconscientemente, a procurar superá-la através da produção das artes, dos entretenimentos, da comunicação interpessoal, dos diálogos produzidos no silêncio de nossa mente. Até mesmo a ciência é uma tentativa inconsciente de superação da solidão paradoxal do cientista.

Toda a rica construção gerada pela busca de superação da solidão paradoxal da consciência existencial se processa, e tem "relativo sucesso", porque ela atua no fluxo psicodinâmico vital da energia psíquica, em que as variáveis co-interferem mútua e continuamente.

A construção das relações humanas e a comunicação social não são produtos do sistema educacional, embora este possa estimulá-las, mas são construções inevitáveis do *Homo interpres* que procura superar continuamente a solidão da consciência existencial do *Homo intelligens*. Mesmo os anacoretas, que se enclausuram por motivos místicos, se comunicam consigo mesmos, produzem uma riqueza de idéias e reflexões como tentativa espetacular de superação da solidão paradoxal de suas consciências existenciais. Os autistas, apesar de possuírem relações limitadas com o mundo extrapsíquico, possuem uma criatividade intelectual e uma rica autocomunicação no seu mundo intrapsíquico. E isso é tão mais real quanto mais preservada estiver sua construção de pensamentos.

O nascedouro psicolingüístico dos pensamentos dialéticos, ou seja, das idéias, das análises, das sínteses etc., e antipsicolingüísticos dos pensamentos antidialéticos, ou seja, da imaginação, da consciência da insegurança, da consciência das expectativas, da consciência das fobias etc., tem muitas vertentes na psique, das quais o fluxo vital da energia psíquica é preponderante; mas temos que perceber que ele é enriquecido pela necessidade de comunicação social e de autocomunicação intrapsíquica (o homem pensando consigo mesmo) como tentativa contínua de superação da solidão paradoxal da consciência existencial.

Apesar de o *Homo intelligens* ter uma necessidade vital de comunicação social, ela não transcorre no campo da realidade essencial da energia psíquica, mas da mediação dos códigos físico-químicos.

Compreendemos o "outro", não através da realidade essencial do outro, mas através da interpretação dos sistemas de códigos que ele expressa pobremente no seu comportamento. Parece que vivemos num mundo de trocas reais, onde nos ofendemos, nos alegramos, nos inspiramos e nos encorajamos mutuamente, mas, na realidade, vivemos no mundo da interpretação, onde estamos próximos fisicamente do "outro" mas, ao mesmo tempo, infinitamente distantes dele. Da qualidade de nossas interpretações dependerá os níveis de distorção e de aproximação na reconstrução das experiências psíquicas do "outro".

Conhecemos as pessoas a partir de nós mesmos, a partir dos processos de construção da interpretação que fazemos delas. Milhares de pessoas estão chorando, sofrendo e tendo seus direitos violados neste momento, mas não captamos essencialmente suas misérias. E mesmo que queiramos ter contato com as mesmas, através da mídia ou pessoalmente, nós, freqüentemente, devido aos entraves da comunicação mediada e às dificuldades da reconstrução do "outro", compreendemos suas dores e necessidades psicossociais de maneira reduzida.

Essa abordagem psicossocial e filosófica da interpretação do outro explica por que tantos governantes são omissos sociopoliticamente. Não há urgência nas intervenções sociopolíticas para aliviar as dores e necessidades psicossociais do "outro" (como indivíduo e grupo social), pois vivemos no mundo da interpretação. Nessas condições sociopolíticas, a miséria humana vira um mero detalhe estatístico.

Somente uma interpretação mais humanística, cidadã e profunda pode aprimorar a compreensão das necessidades psicossociais do "outro" e, ainda assim, com injustiça em relação às suas dimensões.

AS CINCO ETAPAS DO PROCESSO DE INTERPRETAÇÃO E O GERENCIAMENTO DO EU

Não apenas a reconstrução do "outro" evidencia a complexidade dos processos de construção dos pensamentos, mas também as cinco etapas do processo de interpretação, pois é através dessas etapas que as cadeias psicodinâmicas dos pensamentos são formadas e a interpretação do "outro" se processa.

As cinco etapas do processo de interpretação nos possibilita não apenas compreender de maneira mais global os processos de construção dos pensamentos, da consciência existencial e da transformação da energia emocional, mas também abre uma grande janela psicossocial e filosófica para compreendermos algumas causas fundamentais que levam a espécie humana a violar continuamente, ao longo da sua história, os direitos humanos.

O fenômeno da psicoadaptação, atua na terceira etapa do processo de interpretação. Ele é grande responsável pelas transformações ocorridas nos movimentos literários, na pintura, na arquitetura, na estética dos objetos, nos costumes e até na tecnologia. A atuação deste fenômeno é inconsciente.

O processo de interpretação é constituído de pelo menos cinco grandes etapas. As primeiras três etapas são inconscientes e as duas últimas, conscientes. Comentar as etapas do processo de interpretação, pertinentes aos meandros da psique humana, me faz sentir um pequeno aprendiz diante de tanta complexidade, pois o mesmo conhecimento que expressa a dimensão das minhas idéias revela também as fronteiras da minha compreensão e a dimensão da minha ignorância. Quem utiliza os "marcos do conhecimento" para exaltar a extensão da sua cultura, aborta a produção de novas idéias. Porém, quem os utiliza para revelar seus limites, se coloca como eterno aprendiz na trajetória existencial; por isso enriquece continuamente sua produção de idéias. Em ciência, a auto-exaltação e a auto-suficiência são sinais clínicos de esterilidade científica. A dúvida e a crítica são sinais da fertilidade das idéias.

A primeira etapa da interpretação ocorre pela captação dos estímulos extrapsíquicos através do sistema sensorial, assimilação no córtex cerebral e autochecagem na história intrapsíquica. Quando um estímulo extrapsíquico (por ex., os sons e as imagens do "outro", que representam suas experiências psíquicas) excita o sistema sensorial ele é conduzido até o córtex cerebral e é assimilado em determinados sítios do cérebro correspondentes ao órgão sensorial estimulado.

Falar da assimilação dos estímulos no córtex cerebral, que é a camada mais evoluída do cérebro, é muito simplista, pois não remete a uma compreensão mais profunda sobre o processo de construtividade de pensamentos e de formação da consciência existencial. Durante vários anos, eu pensava que a construção de pensamentos transcorria nos meandros físico-químicos do metabolismo cerebral. Porém, ao longo das pesquisas, percebi que, em detrimento da complexidade físico-química do cérebro, não há como produzir teorias biológicas profundas, alicerçadas nas leis físico-químicas do metabolismo cerebral, que sejam capazes de explicar como se produz o nascedouro das idéias, as origens da consciência existencial.

Precisamos incorporar o postulado de que a psique humana é um sofisticado e complexo campo de energia psíquica e que esse campo de energia coexiste e co-interfere com o campo de energia físico-química do cérebro. Caso contrário, teremos grandes dificuldades para compreender a construção dos pensamentos, a formação da inteligência. Ambos os campos de energia co-interferem mutuamente pelo processo de transmutação. A energia psíquica transmuta-se ou transforma-se em energia físico-química, e vice-versa. O campo de energia físico-química está preso a um sistema de leis lineares, previsíveis e lógicas, enquanto o campo de energia psíquica ultrapassa os limites dessas leis. Como eu já disse, esse assunto é a tese das teses na ciência, pois revela os segredos da psique humana e da própria ciência, pois ela é um conjunto organizado de pensamentos. Embora reconheça os enormes limites intelectuais que temos para pesquisar esse assunto, tenho procurado investigá-lo com dedicação através da pesquisa empírica aberta. O comentário que farei a seguir, que será útil para elucidar a primeira grande etapa do processo de interpretação, é apenas uma pequena síntese dos textos que produzi sobre esse assunto.

Os processos de construção dos pensamentos, da consciência existencial, da história intrapsíquica e da transformação da energia psíquica estão inseridos dentro do campo de energia psíquica, porém recebem a influência dos microcampos de energia físico-química transmutadas pelo metabolismo cerebral. Os microcampos de energia físico-química que ocorrem em determinados sítios do cérebro transmutam-se no campo de energia psíquica, interferindo em todos os seus processos de construção, na leitura da memória, na formação das cadeias de pensamentos, no gerenciamento do eu, etc. Os microcampos de energia físico-química são provenientes da assimilação dos estímulos extrapsíquicos (sensoriais) no córtex cerebral, da ação das drogas psicotrópicas, do metabolismo de substâncias intraneuronais (células nervosas) e do metabolismo de substâncias contidas nas sinapses nervosas, principalmente os neurotransmissores.

O campo de energia psíquica também transmuta microcampos de energias no córtex cerebral. Uma parte significativa da coordenação motora revela essa transmutação refinada da psique no cérebro. A psique também transmuta tensões emocionais no campo de energia cerebral gerando possíveis microalterações metabólicas psicossomáticas (MMP) e sintomas psicossomáticos, às vezes clinicamente detectáveis. A própria memória contida no córtex cerebral, que é continuamente lida pelos fenômenos do campo de energia psíquica, é um testemunho da fineza do processo de co-interferência transmutativa entre os fenômenos contidos no campo de energia psíquica e o cérebro.

A cadeia psicodinâmica dos pensamentos produzida a partir dos estímulos extrapsíquicos se inicia após se processar a assimilação dos mesmos, em determinadas áreas do córtex cerebral, e posterior transmutação no campo de energia psíquica, através das janelas de transmutação que existem em determinados sítios do cérebro. Quando os estímulos são assimilados no córtex cerebral, formam-se, provavelmente, microcampos de energia físico-química com "comprimentos de ondas" específicos que se transmutam no campo de energia psíquica, gerando sofisticadas matrizes dos pensamentos essenciais "a-históricos".

As matrizes dos pensamentos essenciais "a-históricos" são inconscientes e fugazes, com vida média de milésimos de segundos. Nesse momento, como já abordei, entra em operação o fenômeno da autochecagem da memória, um fenômeno inconsciente que atua psicodinamicamente nas matrizes de pensamentos essenciais "a-históricos", autochecando-as na memória, dando um significado "histórico" a essas matrizes. O fenômeno da autochecagem da memória operacionaliza uma autochecagem das matrizes dos pensamentos essenciais "a-históricos" na memória do córtex cerebral, numa operação de retorno transmutativo.

A memória do córtex cerebral contém os segredos da história intrapsíquica produzidos ao longo do processo existencial. Existe um sistema lógico entre estímulo sensorial, as matrizes de pensamentos essenciais "a-históricos" e os registros das experiências psíquicas (incluindo os símbolos lingüísticos) na memória do córtex cerebral. Se não houvesse esse sistema de relação lógica, não haveria como se processar a compreensão do mais simples pensamento expressado pelo "outro".

Compreender um pensamento, uma idéia, um sentimento expresso pelo outro, não quer dizer, em hipótese alguma, que se resgatou a essência das experiências do "outro", mas que se reconstruiu interpretativamente as mesmas, com dimensões qualitativamente e quantitativamente distintas. Assim, reconstruir interpretativamente uma idéia transmitida pelo outro e compreendê-la não quer dizer compreender todas as dimensões psicossociais que elas encerram.

O sistema de relação lógica entre as matrizes de pensamentos essenciais e os estímulos extrapsíquicos não define a complexa reconstrução da interpretação das experiências do "outro", mas serve para estabelecer uma ponte de relação histórica (autochecagem da memória) entre os estímulos extrapsíquicos, os pensamentos essenciais "a-históricos" e a história intrapsíquica arquivada na memória do observador, completando a primeira etapa da interpretação. Com isso, podemos compreender a rica comunicação dialética expressa nas relações interpessoais. A primeira etapa da interpretação sobrevive através do sistema de relação lógica, mas as outras etapas têm variáveis flutuantes (tais como a energia emocional, a energia motivacional, a âncora da memória) e evolutivas (como o fenômeno da psicoadaptação, da história intrapsíquica), que fazem com que o processo de construção de pensamentos, de formação da consciência existencial e de transformação da energia psíquica não obedeçam a uma linearidade lógica e previsível.

Diante desta sucinta exposição, digo que a grande questão psicossocial e filosófica não é questionar qual é a essência em si do objeto observado, pois esta não é incorporada na consciência intelectual, como está expresso na fase inicial da primeira etapa da interpretação. A fase inicial dessa primeira etapa revela que o observador não incorpora a realidade essencial do objeto contemplado, mas um sistema de códigos, que ele terá que autochecar na sua memória, que é a fase posterior desta primeira etapa.

Depois de ter produzido a teoria da inteligência multifocal, descobri que algumas teorias filosóficas, como o existencialismo de Jean-Paul Sartre, também incorporavam conhecimentos sobre a fase inicial da primeira etapa da interpretação. Sartre[7] comenta que o ser-em-si (realidade essencial do objeto ou do "outro") não é incorporado pela consciência. A consciência vive o ser-para-si (objeto interpretado). O ser-para-si não é a essência-em-si do objeto ou fenômeno observado. Apesar de esse conhecimento ser importante, ele se relaciona apenas com a fase inicial da primeira etapa da interpretação, que expressa que a realidade do objeto ou do "outro" não é incorporada em sua essência, mas interpretada, a partir do sistema de códigos sensoriais que os constituem, pela consciência humana. Porém, a grande questão psicossocial e filosófica não está apenas na compreensão da fase inicial da primeira etapa da interpretação, mas, principalmente, na compreensão do que ocorre na fase posterior da primeira etapa da interpretação e nas etapas posteriores, pois é através delas que ocorre a leitura da memória, a construção dos pensamentos e a formação da consciência existencial.

Na fase inicial da primeira etapa da interpretação, o estímulo observado é "a-histórico", mas na fase final dessa etapa ele conquista um significado histórico. O fenômeno da autochecagem da memória, como o próprio nome revela, é responsável por fazer uma ponte de relação histórica entre um estímulo extrapsíquico (ex., a imagem de uma flor, uma atitude agressiva, as palavras contidas numa frase etc.) e a história intrapsíquica arquivada na memória. Quando o fenômeno da autochecagem lê a memória, a partir das matrizes dos pensamentos essenciais "a-históricos", se completa, como eu disse, a primeira grande etapa da interpretação.

A segunda etapa da interpretação ocorre através da operacionalização em si da leitura da história intrapsíquica, gerando a qualidade das cadeias psicodinâmicas das "matrizes dos pensamentos essenciais históricos". A autochecagem da memória é rapidíssima, pois se processa em milésimos de segundos, e com extremo acerto, pois tem de encontrar as informações específicas em meio a bilhões de opções. Ela gera os pensamentos essenciais históricos. Estes se distanciam dos pensamentos essenciais "a-históricos", produzidos antes da autochecagem da memória e, conseqüentemente, da realidade essencial do "outro", pois acrescenta as "cores" e "formas" históricas do observador, do interpretador.

A história intrapsíquica é formada de bilhões de matrizes físico-químicas (RPSs), que representam psicossemanticamente o universo das experiências existenciais vivenciadas em toda a trajetória de vida, da aurora da vida do feto até o último suspiro da existência. Como já comentei, chamo as matrizes físico-químicas arquivadas em áreas específicas do córtex cerebral de RPS, representações psicossemânticas, pois representam, ainda que pobre e restritivamente, o significado, a semântica das complexas experiências psíquicas, tais como insegurança, reações fóbicas, prazer, idéias, análises, pensamentos antecipatórios, preocupação existencial, etc.

Didaticamente as RPS podem ser divididas em dois grupos: as RPS diretivas (RPSd) e as associativas (RPSa). As RPSd representam as experiências psíquicas semelhantes, ou seja, as idéias, sentimentos de prazer, de raiva, de insegurança etc., que têm uma identidade próxima em conteúdo das que vivenciamos no presente ou contemplamos no "outro". As RPSa representam as experiências associativas que, embora não sejam produzidas pelos mesmos estímulos e pela mesma fonte emanadora (a mesma pessoa) e, conseqüentemente, não gerem experiências psíquicas com identidades próximas (mesmas inseguranças, fobias, prazeres, idéias), guardam uma relacionalidade associativa com os pensamentos essenciais "a-históricos".

Quando alguém nos ofende, não apenas autochecamos (primeira etapa) na memória as RPSs diretivas, com identidades próximas, ou seja, relativas ao tipo exato de ofensa emanado pelo tipo exato de ofensor, mas autochecamos também um grupo de RPSs associativas, ligadas a outros tipos de ofensas produzidas por outros tipos de pessoas e em outros tipos de ambiente. Tudo ocorre em frações de segundos, gerando, em última análise, as matrizes dos pensamentos essenciais históricos (segunda etapa), que atuarão psicodinamicamente no campo de energia emocional (terceira etapa).

Por exemplo, se soubéssemos que seremos ofendidos em público por determinada pessoa, poderíamos nos preparar para ficar indiferentes à natureza da ofensa e às repercussões sociais da mesma. Porém, dificilmente teríamos êxito completo na postura de indiferença intelecto-emocional diante desse estímulo. Se tivéssemos arquivado em nossas histórias intrapsíquicas um grupo de RPSs diretivas (semelhantes ao conteúdo da ofensa) e associativas (ligadas à aversão a críticas, a inseguranças em relação ao que os outros pensam e falam de nós, a preocupações com nossas imagens sociais etc.), elas seriam lidas automaticamente pelo fenômeno da autochecagem da memória (primeira etapa da interpretação), gerando ricas cadeias psicodinâmicas das matrizes de pensamentos essenciais históricos (segunda etapa da interpretação), que excitariam e transformariam a energia emocional (terceira etapa da interpretação), gerando experiências ansiosas e angustiantes, antes da assimilação consciente do estímulo extrapsíquico (ofensa). Paralelamente à transformação da energia emocional, as matrizes de pensamentos essenciais históricos sofreriam uma leitura virtual (quarta etapa da interpretação), produzindo os pensamentos dialéticos e antidialéticos. Segundos ou frações de segundos depois de serem produzidos, os pensamentos dialéticos e antidialéticos financiariam a produção do "eu" (quinta etapa da interpretação).

Após ter sido formado na quinta etapa da interpretação, o eu poderia, no exemplo citado, gerenciar a construção de pensamentos e a transformação da energia emocional já iniciada pelos fenômenos inconscientes. Ele poderia ler a história intrapsíquica e questionar a natureza da ofensa e as repercussões sociais da mesma, e gerenciar a angústia e a construção de pensamentos negativos. O homem só tem condições de gerenciar a inteligência, e sair da condição de vítima psicossocial, na quinta etapa da interpretação. Por isso, é mais fácil ele ser vítima do que agente modificador da sua história.

As matrizes de pensamentos essenciais históricos produzidas (na segunda etapa da interpretação) a partir da atuação do fenômeno da autochecagem da memória (primeira etapa) são inconscientes e seguem dois caminhos psicodinâmicos concomitantes no campo de energia psíquica.

Primeiro, excita a energia emocional, causando as primeiras experiências emocionais, as primeiras impressões e reações (terceira etapa), que são produzidas sem a consciência e controle do "eu". A transformação da energia emocional pelas cadeias de pensamentos essenciais representa a terceira etapa do processo de interpretação. Segundo, funciona como pista de decolagem virtual (leitura virtual) para a produção das cadeias psicodinâmicas dos pensamentos dialéticos e antidialéticos.

A leitura virtual das cadeias de pensamentos essenciais e a conseqüente formação dos pensamentos dialéticos e antidialéticos representam a quarta etapa do processo de interpretação. A quinta etapa, como disse, é produzida pela formação do "eu" a partir da produção inicial dos pensamentos dialéticos e antidialéticos. O eu é mais sofisticado do que simplesmente pensar, é a consciência de que pensa e que pode administrar ou gerenciar a construção de pensamentos.

O eu é a consciência dos parâmetros intra-históricos (contidos na memória) e extrapsíquicos. Sem o eu não teríamos a consciência dos parâmetros espaço-temporais e da realidade do mundo que somos (intrapsíquico) e em que estamos (extrapsíquico); sem o eu um segundo e a eternidade não teriam a menor diferença.

Os pensamentos dialéticos e antidialéticos produzem um "ambiente consciente" que propicia ao "eu" ler a história intrapsíquica e produzir pensamentos debaixo dos critérios da maturidade da inteligência.

TORNANDO-SE AGENTE NA QUINTA ETAPA DO HOMEM COMO VÍTIMA E AGENTE MODIFICADOR DA SUA HISTÓRIA

Há muito o que falar sobre essas cinco etapas da interpretação e sobre o conjunto de variáveis que co-interferem nelas e que geram os processos de construção dos pensamentos, da formação da consciência existencial, da formação da história intrapsíquica e da transformação da energia emocional. As etapas da interpretação e os quatros processos de construção da inteligência são temas para vários livros.

As quatro primeiras etapas ocorrem em frações de segundos. Nessas etapas, o homem é vítima do processo de co-interferência das variáveis e dos fenômenos espetaculares que atuam nos bastidores da mente (*Homo interpres*) e que constroem os pensamentos dialéticos e antidialéticos. Porém, na quinta etapa, os pensamentos conscientes formam o eu (*Homo intelligens*). Ela tem uma durabilidade de segundos ou minutos. Nessa etapa, o homem tem condições de se tornar um agente histórico de mudanças psicossociais, administrando sua construção de pensamentos, suas reações emocionais e, conseqüentemente, seu comportamento.

Nas quatro primeiras etapas, podemos dizer que ele é também vítima da sua carga genética e das circunstâncias intrapsíquicas e psicossociais que atuam nos sistemas de variáveis da interpretação. Porém, como disse, a partir da produção de pensamentos dialéticos e antidialéticos ocorre um espetáculo intelectual indescritível, ou seja, a formação do "eu", que tem a liberdade criativa de operacionalizar a leitura da história intrapsíquica, produzir (ainda que inconscientemente) os pensamentos essenciais históricos, fazer a leitura virtual dos mesmos, produzir pensamentos dialéticos e antidialéticos e transformar o homem da condição de vítima histórica em agente modificador de sua história psicossocial.

Dependendo da capacidade de liderança do eu, ele poderá superar sua solidão paradoxal, produzir pensamentos coerentes, produzir arte, racionalizar estímulos estressantes, ou, então, viver às raias da destrutividade social, da insensibilidade emocional, da insociabilidade, das doenças psíquicas.

O FENÔMENO DA PSICOADAPTAÇÃO E SUA ATUAÇÃO PSICODINÂMICA NO PROCESSO DE INTERPRETAÇÃO

O fenômeno da psicoadaptação atua na terceira etapa do processo de interpretação e afeta a quarta e a quinta etapa. O fenômeno da psicoadaptação é uma "incapacidade" da energia emocional e motivacional de se submeter aos mesmos processos de transformações essenciais, diante da exposição das matrizes idênticas ou semelhantes de pensamentos essenciais históricos e, conseqüentemente, dos mesmos estímulos extrapsíquicos.

O fenômeno da psicoadaptação talvez seja um fenômeno intrapsíquico de difícil entendimento, se levarmos em conta sua atuação psicodinâmica na terceira etapa da interpretação e sua influência no processo de construção dos pensamentos dialéticos, antidialéticos e na formação da consciência existencial. Porém, possui exemplos fáceis de serem observados no cotidiano.

Uma pessoa, quando compra um carro novo, tem prazer em observá-lo e dirigi-lo. Porém, após um mês da compra, ela contemplou inúmeras imagens desse carro e produziu milhares de matrizes de pensamentos essenciais históricos, através da atuação do fenômeno da autochecagem da memória. A freqüente exposição das mesmas imagens e, conseqüentemente, das mesmas matrizes de pensamentos essenciais, faz com que a atuação dessas matrizes no campo de energia emocional (terceira etapa) não tenha a mesma eficiência psicodinâmica em produzir as mesmas emoções, diminuindo o encanto emocional e o apreço intelectual pelo objeto. Depois de um determinado período, o proprietário do veículo é capaz de entrar dentro dele como entra no banheiro da sua casa, sem nenhuma emoção, pois adaptou psiquicamente sua energia emocional a ele.

Uma mulher compra uma roupa e, depois de usá-la algumas vezes, se adapta psiquicamente a ela e não sente o mesmo nível de prazer como das primeiras vezes em que a usou. Os objetos prazerosos, à medida que são interpretados ao longo do tempo, diminuem sua capacidade de provocar o prazer no ser humano.

A atuação do fenômeno da psicoadaptação é um processo inevitável. Todos os estímulos que interpretamos, sejam dolorosos ou prazerosos, com o passar do tempo não provocam a mesma emoção. O fenômeno da psicoadaptação atua em toda trajetória psicossocial do homem.

Uma mãe, ao perder um filho, depois de meses que ocorreu a perda, ainda que essa perda seja dramática, com o passar do tempo não sente a mesma intensidade da dor como a ocorrida nos primeiros momentos da perda. A saudade permanecerá e nunca será resolvida, mas essa mãe diminui fatalmente a intensidade da sua dor. A dor só permanecerá em níveis altos se essa mãe, ou qualquer pessoa que perde alguém que ama, vivenciar uma contínua produção de cadeias de pensamentos que resgate múltiplas experiências passadas ligadas à pessoa que faleceu. Nesse caso, a multiplicidade das experiências psíquicas, expressas por uma multiplicidade de pensamentos essenciais, dificulta a operacionalização espontânea psicodinâmica do fenômeno da psicoadaptação, estabelecendo uma perpetuação da dor, um luto crônico.

O fenômeno da psicoadaptação, por atuar em todos os estímulos dolorosos e prazerosos, compromete a previsibilidade lógica das reações emocionais. A transformação da energia emocional ultrapassa os limites da lógica, revelando a complexidade do campo de energia psíquica.

O fenômeno da psicoadaptação se processa quando há exposição aos mesmos estímulos, ou a estímulos semelhantes, que geram conseqüentemente matrizes de pensamentos essenciais históricos também semelhantes, acarretando uma redução involuntária e inconsciente da transformação da energia emocional e uma restrição no processo de gerenciamento do "eu" dessa transformação, que comprometem a arte da contemplação do belo e a expansão do prazer, da motivação.

O fenômeno da psicoadaptação alivia as dores, mas também reduz os prazeres, insensibiliza a emoção, retrai a indignação e refreia as reações. O homem não é um grande líder de sua emoção, e isso se deve tanto ao fluxo vital da energia psíquica quanto à atuação do fenômeno da psicoadaptação.

Lembro-me de que, no meu primeiro ano de Medicina, ao terem contato com dezesseis cadáveres na aula inicial de anatomia algumas estudantes ficaram chocadas, saindo imediatamente da sala. Realmente, o impacto daquelas imagens provocava um turbilhão de tensões e nos fazia entrar em contato com a fragilidade humana. Porém, com o passar do tempo, com a freqüente exposição às mesmas cenas, produzia-se um grupo de matrizes de pensamentos essenciais que atuava psicodinamicamente no campo de energia emocional, diminuindo paulatinamente o constrangimento emocional e as reflexões existenciais. O fenômeno da psicoadaptação atuara naquelas colegas que não conseguiram participar da primeira aula, e, assim, com o passar do tempo, elas até brincavam com os outros colegas movimentando os braços dos cadáveres como se eles estivessem vivos.

No campo da produção intelectual, o fenômeno da psicoadaptação contribui com o processo de superação da "solidão paradoxal da consciência existencial", estimulando a expansão da criatividade artística, literária, científica etc. A arquitetura, a música, a literatura, a moda, o estilo dos aparelhos eletroeletrônicos, o *design* dos carros etc., estão continuamente modificando-se, e isso não apenas pela necessidade do mercado e pelo desejo consciente do consumidor, mas pela atuação secreta, oculta, do fenômeno da psicoadaptação nos bastidores da mente, tanto dos produtores como dos consumidores. Os profissionais de *marketing* desconhecem que um dos maiores segredos do seu sucesso, tão ou mais importante do que sua criatividade, é a atuação do fenômeno da psicoadaptação, que leva o homem a reduzir inevitavelmente sua capacidade de sentir prazer diante da exposição aos mesmos estímulos.

A procura contínua daquilo que é novo, diferente, que rompe a mesmice, que extrapola a rotina, é devida, em grande parte, à atuação inconsciente do fenômeno da psicoadaptação. Sem ele, a rotina e a mesmice não seriam um tédio, não gerariam insatisfação e solidão. As palavras solidão, mesmice, rotina, tédio, e outras com semântica semelhante, existem nos dicionários das mais diversas línguas porque o fenômeno da psicoadaptação atua no processo de interpretação.

As artes se desenvolvem porque o fenômeno da psicoadaptação é, clandestinamente, o seu grande companheiro, pois esse fenômeno conduz a uma redução inconsciente da contemplação do belo dos artistas, estimulando-os a expandir sua criatividade, e até reciclando seus estilos. Do mesmo modo, as correntes literárias, a arquitetura, os estilos musicais, a investigação científica, estão em contínuo processo de transformação, de evolução, porque na clandestinidade da inteligência existe, não apenas uma rica produção de matrizes de pensamentos essenciais históricos e que sofrem uma leitura virtual e se tornam os pensamentos dialéticos e antidialéticos, mas também uma atuação oculta do fenômeno da psicoadaptação, que reduz a energia emocional e motivacional e estimula novas experiências de prazer, de aventuras, de desafios, de crítica, rompendo a mesmice vigente. Essa frase sintetiza alguns processos de construção fundamentais da psique humana.

O fenômeno da psicoadaptação é, portanto, estimulador da arte, da criatividade, da investigação científica, bem como um aliviador das emoções angustiantes diante das perdas, frustrações, estresses psicossociais, etc. Sem a operacionalidade do fenômeno da psicoadaptação, haveria uma perpetuação das dores psicossociais e uma retração da criatividade intelectual. Porém, sua atuação nem sempre é aliviadora e construtiva, mas pode ser extremamente destrutiva. Como a comunicação é mediada, as experiências psicossociais do "outro" têm de ser reconstruídas interpretativamente.

A interpretação do observador, além de reproduzir superficialmente a experiência do "outro", tem a agravante da operacionalidade do fenômeno da psicoadaptação, que gera uma insensibilidade emocional na terceira etapa do processo de interpretação, que o leva a se adaptar psiquicamente às misérias psicossociais desse "outro", fazendo com que o "eu", na quinta etapa da interpretação, se torne passivo diante das dores e necessidades do mesmo, gerando as omissões sociopolíticas históricas dos indivíduos e dos governos diante da violação dos direitos humanos.

A comunicação interpessoal mediada e o fenômeno da psicoadaptação podem, diante do superficialismo intelectual do eu, reduzir o desenvolvimento do humanismo, da cidadania e do desenvolvimento da capacidade de pensar criticamente, fazendo com que o homem seja vítima de sua história psicossocial, e não um agente modificador da mesma. Isso pode também fazê-lo como disse, ser omisso sociopoliticamente diante da miséria do "outro" (o outro como indivíduo, como grupo social e como povo) ou ser um agente da destruição.

A maioria de nós somos vítimas de nossas histórias psicossociais ou omissos diante da miséria do outro. Uma minoria é agente modificador da sua história, agente expansor do humanismo, da cidadania e dos direitos humanos derivados da democracia das idéias.

Temos de nos perguntar em que situação psicossocial estamos. Temos de nos perguntar se somos meros passantes (transeuntes) existenciais, que passam pela vida sem criar raízes mais profundas dentro de si mesmos, ou se estamos nos interiorizando e expandindo nossa maturidade intelectoemocional e aprimorando nosso humanismo e cidadania.

O conhecimento superficial da mente, bem como o empobrecimento do humanismo e da cidadania, não superam as barreiras da interpretação geradas pela comunicação mediada pelo fenômeno da psicoadaptação e pela co-interferência de um conjunto de outras variáveis. Não é incomum que os governantes das nações mais ricas se adaptem psiquicamente diante da miséria das nações mais pobres e se tornem omissos sociopoliticamente, desculpando e camuflando suas omissões através da preocupação com seus problemas domésticos.

Se acharmos que o problema do outro é de responsabilidade apenas da sociedade e das instituições sociais em que ele está inserido, estamos negando o fantástico salto da memória instintivo-genética para a memória histórico-existencial que financia a construção de pensamentos e a formação da consciência existencial, capazes de nos levar a compreender que, independentemente das distâncias geográficas, culturais, raciais, políticas, somos uma única espécie.

O processo socioeducacional superficialista impede-nos de ter uma macrovisão psicossocial e filosófica da espécie humana. Quem é que ouviu dos seus professores, na sua trajetória escolar, uma defesa "contínua" e "apaixonada" pela unidade da espécie humana, capaz de provocar uma conscientização sobre a perda do sentido psicossocial da espécie e sobre a necessidade vital de cooperação social intra-espécie; capaz de proclamar o espetáculo da construção dos pensamentos na mente da cada ser humano e de evidenciar a desinteligência e o desumanismo das discriminações? Provavelmente, nem ao menos ouvimos, ou pouco ouvimos, sobre a necessidade de aprender a nos colocarmos no lugar do outro e o analisarmos, para reconstruir interpretativamente, com menos distorções e mais adequação, suas dores e necessidades psicossociais. Provavelmente, até mesmo uma parte significativa dos estudantes de Psicologia e de especialização em Psiquiatria desconhecem as complexas distorções passíveis de ocorrer no processo de interpretação e, por isso, não são treinados psicossociofilosoficamente para aprender a reconstruir interpretativamente o "outro" e perceber suas dores e necessidades psicossociais, seus conflitos histórico-existenciais, a construção multifocal de seus pensamentos, sua dificuldade no gerenciamento dessa construção etc.

Se temos graves falhas socioeducacionais na compreensão do "outro", que dimensões não terão as falhas socioeducacionais que nos impedem de conquistar uma macrovisão intelectual da espécie humana? Nem ao menos percebemos que perdemos o sentido psicossocial de espécie. Temos um conhecimento superficial de que somos uma mesma espécie, mas "respiramos idéias" e "sentimos emoções" como se não fôssemos. Até entre vizinhos freqüentemente há muito mais do que um pequeno espaço físico que os separam; há também enormes barreiras psicossociais. Mesmo nas relações familiares, pais e filhos gastam horas e horas diariamente assistindo à TV ou navegando pela *Internet*, mas não gastam minutos sequer dialogando uns com os outros, explorando o mundo das idéias e das experiências.

O problema do homem deveria ser um problema da espécie humana, e o problema da espécie humana deveria ser um problema do homem. Não deveria haver intromissão na soberania sociopolítica, na cultura e nos direitos sociopolíticos de um cidadão em uma sociedade, mas deveria haver, na plenitude, uma cooperação humanística "intersociedades", "intra-espécie", na solução dos problemas biopsicossociais de cada sociedade. Porém, infelizmente, apesar de conservarmos os laços genéticos, perdemos o sentido psicossocial de espécie, pois não compreendemos que o humanismo e a teoria da igualdade são decorrentes dos fenômenos que financiam a nossa capacidade de pensar e a nossa consciência existencial. Parafraseando Abraham Lincoln, devemos nos perguntar o que podemos fazer pela nossa espécie e não o que a nossa espécie pode fazer por nós.

Devido à síndrome da exteriorização existencial, à interpretação inadequada do "outro" e à adaptação psíquica às misérias humanas, há uma tendência histórica de ocorrer violações dos direitos humanos irrigada com omissões sociopolíticas, o que compromete a viabilidade humanística da nossa espécie. Infelizmente, tem que haver nas sociedades modernas expressivas pressões sociopolíticas por parte da imprensa ou das ONGs (organizações não-governamentais) para que determinadas atitudes governamentais sejam tomadas, para que possa haver cooperação "intersociedade". Parece que, sem a pressão sociopolítica, as sociedades, principalmente as mais ricas, perdem a macrovisão da espécie humana e se tornam insensíveis, adaptadas psiquicamente às misérias das nações mais pobres.

Como tenho dito, as sociedades humanas têm uma necessidade vital de políticos, empresários e líderes institucionais que tenham fome e sede de ser apenas homens. Homens que não ambicionem ser supra-humanos, semideuses, que o mundo gravite em torno deles, homens que elevem o padrão de sua humanidade. Homens que tenham uma macrovisão psicossocial e filosófica da espécie humana e a valorize mais do que seu grupo social de interesse. Homens que valorizem mais o mundo das idéias do que a estética social. Homens que se preocupem menos em inscrever seus nomes nos anais da história e mais com a práxis da cidadania, do humanismo e da democracia das idéias; homens que não apenas percebam suas necessidades psicossociais, mas também que aprendam a perceber as necessidades de sua sociedade.

Cientificamente falando, a cadeia de distorções ligadas à interpretação do "outro", impostas pela comunicação social mediada, pela insensibilidade intelecto-emocional decorrente do fenômeno da psicoadaptação, pelo sistema de co-interferências das variáveis da interpretação ocorrida nos processos de construção dos pensamentos, só pode ser superada e, ainda assim, parcialmente, se o homem compreender esses mecanismos distorcidos, se compreender determinados limites e o alcance dos pensamentos dialéticos; se aprender a se interiorizar, a desenvolver a arte da dúvida e da crítica, e a gerenciar a construção de pensamentos com consciência crítica. A educação tradicional, por ser exteriorizante e "a-histórico-crítico-existencial", é incapaz de desenvolver coletivamente essas funções nobres da inteligência, de formar engenheiros de idéias humanistas e pensadores que apreciem a democracia das idéias e tenham uma macrovisão da espécie humana. A educação que forma pensadores e engenheiros de idéias é aquela que estimula o processo de interiorização, o exercício da arte de pensar, a compreensão da formação da inteligência, a revisão da história intrapsíquica, a compreensão dos alicerces básicos do processo de interpretação, a arte de ouvir, o apreço pelo humanismo e pela democracia das idéias etc.

Na vida social coloquial, ter a sensibilidade de aprender a se colocar no lugar do outro e perceber suas dores e necessidades psicossociais já é um grande avanço humanístico. Mas, infelizmente, acredito que a maioria das pessoas só tem sensibilidade para perceber suas próprias angústias, desejos e necessidades. O mundo do outro é quase imperceptível a elas; por isso, quando ouvem o outro elas compreendem apenas a semântica "seca" das palavras que ele profere, mas não os segredos que essas palavras expressam nas entrelinhas, nem o que a expressão facial e o silêncio traduzem.

O mutismo social, expresso por falarmos muito do "mundo em que estamos", mas falarmos pouco sobre o "mundo que somos", revela o superficialismo das relações sociais que construímos. Podemos conviver durante décadas com pessoas e não conhecê-las intimamente, não penetrar em seus mundos intrapsíquicos e nem permitir que elas penetrem em nossos mundos. Numa sociedade mutista, a ditadura do preconceito satura as idéias e provoca um grande receio de se falar sobre o mundo que somos. Vivemos em sociedade, mas ilhados dentro de nós mesmos, como parceiros da solidão. Por isso, muitas pessoas se sentem sós, mesmo estando no meio de uma multidão.

Lembro-me de um paciente que se adaptou à miséria psíquica. Havia vinte anos era portador de depressão e síndrome do pânico. Passou por diversos psiquiatras e tomou todo tipo de antidepressivos disponíveis no mercado farmacêutico, todavia, continuava doente. Perdeu o encanto pela vida e esperança de ser saudável. Viver era um tédio para ele. Trabalhar era angustiante, pois tinha fobia social, ou seja, detestava freqüentar lugares públicos: festas, bancos. Embora fosse um industrial, não tinha prazer de conviver com seus funcionários. Dizia-me que perder ou ganhar dinheiro era a mesma coisa. Na realidade, esse paciente não apenas estava profundamente doente, mas também havia se psicoadaptado a sua doença. O maior problema não é a "doença do doente", mas o "doente da doença", ou seja, a disposição do eu em atuar no mundo psíquico e de não aceitar ser um doente.

Se o terapeuta provoca a inteligência do seu paciente, se o estimula a resgatar a liderança do eu do seu mundo psíquico, este rompe a psicoadaptação à doença e pouco a pouco aprende a gerenciar as cadeias de pensamentos e suas emoções angustiantes. O resultado? A liberdade no território da emoção e do intelecto. O paciente em questão foi mais um dos que saíram da condição de vítima da sua história para ser um agente modificador dela.

O psicoterapeuta, ao interpretar seus pacientes, pode-se adaptar psiquicamente às suas misérias, ficando insensível a elas, e produzir interpretações totalmente distorcidas, que dizem mais a respeito de si mesmo do que à personalidade dos seus pacientes.

Do mesmo modo, os pais podem-se adaptar psiquicamente às necessidades psicossociais dos seus filhos e não saber doar-se e trocar experiências com eles. Pais e filhos se tornam, assim, um grupo de estranhos vivendo dentro de uma mesma casa. Os professores podem também se adaptar aos comportamentos dos seus alunos e não perceber que, atrás de cada reação de agressividade, timidez ou alienação, há um mundo a ser descoberto, um ser sofisticado que produz complexas cadeias de pensamentos e tem complexas necessidades psicossociais.

Capítulo 10

A Crise da Psicologia e da Psiquiatria

AS RAÍZES DAS DISCRIMINAÇÕES INTELECTUAIS

Vivemos num mundo saturado de informações prontas, acabadas, mas que não estimula o homem a pensar e desenvolver a consciência crítica. Os livros de auto-ajuda, que saturam as sociedades modernas, têm sua utilidade, mas freqüentemente pensam pelo leitor, produzem respostas prontas, o que pouco estimula a arte de pensar e o desenvolvimento da inteligência. Por isso, insistirei continuamente, ao longo destes textos, na necessidade vital de conhecermos as origens da inteligência, os limites e alcance dos pensamentos, o conceito do humanismo e da democracia das idéias e de expandirmos a arte da pergunta, a arte da dúvida, a arte da crítica, o processo de interiorização, que são alguns dos pilares fundamentais do desenvolvimento da inteligência e, conseqüentemente, da formação do homem como pensador e engenheiro de idéias.

As origens da inteligência são produzidas por fenômenos que constroem multifocalmente os pensamentos. A atuação psicodinâmica desses fenômenos é inerente ao homem, ou seja, não depende do controle humano nem da condição social; por isso ela está presente tanto nos seres humanos que vivem em miséria absoluta e no anonimato social como naqueles que vivem gravitando em torno da riqueza e do estrelato social. Assim, independentemente das gritantes desigualdades humanas, todo ser humano possui o privilégio de ter uma inteligência multifocal. Porém, possuí-la não quer dizer ter uma inteligência qualitativamente desenvolvida.

O desenvolvimento qualitativo da inteligência é conquistado por um conjunto sofisticado de procedimentos intrapsíquicos e socioeducacionais. Esses procedimentos, como veremos, nem sempre são produzidos num ambiente de cultura e escolaridade. Há muitas pessoas que têm elevada escolaridade e abastada cultura, mas sua inteligência não se expandiu; por isso seu mundo das idéias é pequeno, por isso elas não conseguem pensar além da esfera dos seus problemas e dificuldades.

Aparentemente o homem é muito informado e inteligente, mas é emocionalmente frágil, e sua inteligência geralmente é unifocal, pois não sabe caminhar dentro de si mesmo, pensar criticamente e analisar multifocalmente as causas históricas e as circunstâncias psicossociais que envolvem suas relações, conflitos, angústias existenciais, estímulos estressantes.

A crise de interiorização e a carência de compreensão mais profunda dos processos de construção da inteligência atingem, também, uma parte significativa da assim chamada casta dos intelectuais ou *intelligentsia*. Provavelmente, uma parte significativa dos psicoterapeutas, psiquiatras, sociólogos, psicopedagogos, juristas, professores universitários, cientistas etc., desconhece a operacionalidade e a co-interferência dos fenômenos que atuam nos bastidores da mente e que geram, em fração de segundo, as complexas cadeias psicodinâmicas dos pensamentos dialéticos e antidialéticos que financiam a consciência existencial do mundo em que estamos e que somos.

Provavelmente, essas pessoas desconhecem também a natureza, os limites e o alcance do conhecimento, usado como instrumento educacional, social e científico, e o sistema de encadeamento distorcido, que ultrapassa os limites da lógica, ocorrido nos processos de construção do conhecimento dialético e que nos faz, conseqüentemente, incorporar a "democracia das idéias" como uma necessidade vital no processo de organização das relações sociais.

Talvez poucos conheçam sobre a leitura multifocal da história intrapsíquica arquivada na memória e sobre o complexo sistema de variáveis que co-interferem nos bastidores inconscientes da inteligência para gerar o processo de interpretação e, conseqüentemente, os processos de construção dos pensamentos, a formação da consciência existencial e o processo de transformação da energia emocional. Por isso, provavelmente, elas também desconhecem quais os sistemas de relações que existem entre a verdade científica e a verdade essencial (real), e quais os riscos e benefícios que existem na utilização de uma teoria psicológica, psiquiátrica, sociológica, educacional, etc., usada como suporte da interpretação no processo de observação, interpretação e produção do conhecimento científico.

O *status* de ser um "intelectual" é um jargão social inadequado e preconceituosista, pois discrimina a grande massa de seres humanos que, embora não possuam cultura acadêmica e não tenham títulos de pós-graduação, têm igualmente os mesmos complexos e sofisticados processos de construção dos pensamentos. Tanto a idéia sofisticada de um intelectual quanto a idéia simplista de uma pessoa iletrada são construídas a partir de uma indescritível leitura multifocal inconsciente da memória. Essa leitura, como estudaremos, é conduzida por um conjunto de fenômenos intrapsíquicos que atuam, em milésimos de segundo, nos bastidores da mente.

Esses fenômenos lêem, com incrível precisão, as informações na memória e, em meio a bilhões de opções, utilizam-nas para construir psicodinamicamente tanto as cadeias das idéias "sofisticadas", ou seja, as intelectualmente brilhantes, como as consideradas "simplistas". Sem esses fenômenos, inerentes à mente humana, não apenas não existiriam os homens intelectualmente simples, mas também os intelectuais, os pensadores, os cientistas; não existiria o *Homo sapiens*. Não seríamos uma espécie pensante.

Todos somos devedores à gratuidade e à operacionalidade espontânea dos fenômenos que lêem a memória e constroem as cadeias psicodinâmicas dos pensamentos. Não se sabe como lemos e utilizamos as informações constituintes das cadeias dos pensamentos, pois elas são utilizadas e organizadas em fração de segundo, antes de termos consciência existencial dos próprios pensamentos. Portanto, não há intelectuais e/ou iletrados; somos todos ignorantes em relação aos fenômenos que nos constituem como seres pensantes. Somos apenas, intelectualmente, mais ou menos ignorantes uns do que os outros...

Os títulos acadêmicos não são grandes referenciais que evidenciam a qualidade do processo de exploração da mente e desenvolvimento das funções mais nobres da inteligência. É possível ter excelente cultura e títulos acadêmicos de graduação e pós-graduação, mas nunca ter aprendido a se interiorizar e conhecer, ainda que minimamente, os processos de construção dos pensamentos, da consciência existencial e da história intrapsíquica, que são produzidos num fluxo vital espontâneo e inevitável no âmago da mente.

A grandeza de um homem não é dada pelo seu *status* social, sucessos sociointelectuais, condição financeira, títulos acadêmicos (ex. doutorado, Ph.D.), mas pelo quanto ele é um caminhante nas avenidas do seu próprio ser, pelo quanto ele é inteligente multifocalmente, pelo quanto ele é um pensador e um engenheiro qualitativo de idéias, que expande e aprimora as funções mais nobres da mente. Ainda que haja inúmeras diferenças de personalidade e diversas diferenças sociais na construção das sociedades, a postura de considerar uma minoria como portadora do *status* de intelectual, porque possui cultura e títulos socioacadêmicos, tem de ser revista, pois é discriminatória e desinteligente. Todos os seres humanos possuem igualmente os mesmos fenômenos psicodinâmicos que financiam a construção dos pensamentos e da consciência existencial, enfim, da inteligência multifocal.

A grandeza de um homem está na grandeza do seu ser, e não na sua notoriedade social. As funções mais nobres e humanísticas da mente se iniciam à medida que alguém começa a se interiorizar, a se colocar como um aprendiz no seu processo existencial e a perceber suas limitações intelectuais diante da inesgotabilidade dos processos de construção da inteligência.

Todos somos limitados na compreensão das complexas "tramas de energia psíquica", que nos constituem psicodinamicamente como seres humanos que pensam, têm consciência de que pensam e podem administrar os processos de construção dos pensamentos.

O nascedouro e o desenvolvimento de pensamentos ocorrem na esfera inconsciente da psique humana. Diante da uma visão macrocientífica sobre os processos de construção dos pensamentos, compreenderemos que, ainda que tenhamos diferenças genéticas e socioculturais e diferenças qualitativas no processo de gerenciamento da construção dos pensamentos, *somos mais iguais do que podemos imaginar*. Este livro, ao desenvolver um corpo teórico sobre os processos de construção ocorridos na mente, evidencia que cada ser humano é extremamente complexo e digno da mais alta respeitabilidade; até mesmo as crianças deficientes mentais o são. Por isso, tanto as discriminações humanas como a supervalorização de algumas minorias de intelectuais, líderes políticos, líderes místicos, artistas, etc., são atitudes desinteligentes e desumanísticas.

A CRISE DA PSICOLOGIA E DA PSIQUIATRIA, A DISCRIMINAÇÃO PELA FILOSOFIA E A NECESSIDADE DE TEORIAS MULTIFOCAIS

A Psicologia e a Psiquiatria ainda se encontram nos estágios iniciais do desenvolvimento teórico. Quem tem o mínimo de compreensão sobre o que é uma teoria, como ela se organiza, se fundamenta e é usada como suporte da interpretação, assim como sobre o que é o conhecimento, seus limites, alcance, lógica, validade e práxis, sabe que a Psicologia e a Psiquiatria, em detrimento de possuírem inúmeras teorias, avançaram apenas alguns degraus na escala inesgotável de conhecimento sobre a psique humana.

Um dos grandes obstáculos ao desenvolvimento teórico na Psiquiatria e na Psicologia é que elas possuem um objeto de estudo — a psique, alma, ou mente — intangível sensorialmente e inacessível essencialmente. Tal dificuldade investigatória tem propiciado a produção de diversas teorias psicológicas e psiquiátricas com postulados, definições, sistemas de conceitos, hipóteses e variáveis intrapsíquicas distintas. Por isso, não se intercomunicam nem se expandem mutuamente.

O cientista da medicina, por exemplo, um cirurgião, rebate a pele e a musculatura e penetra na intimidade do órgão que estuda. Além disso, ele pode extrair tecidos desses órgãos e analisá-los em laboratório. Assim, seu objeto de estudo se torna tangível ao seu sistema sensorial. O cientista da química promove reações, utiliza instrumentos de medição e verificação, podendo, assim, observar fenômenos, selecionar dados, interpretá-los e produzir conhecimento sobre eles. Porém, o cientista da Psicologia e da Psiquiatria não tem a mesma facilidade para observar, interpretar e produzir conhecimento sobre a psique humana: os fenômenos intrapsíquicos, o processo de construção dos pensamentos, de formação da consciência existencial, de transformação da energia emocional.

Como os cientistas da Psicologia e da Psiquiatria podem discursar teoricamente sobre a intimidade da psique humana, se ela é inacessível essencialmente e intangível sensorialmente? Como poderão investigar os complexos processos de construção dos pensamentos, se não se sabe do que se constitui a natureza intrínseca da energia psíquica, como se organizam os pensamentos e se descaracterizam na mente? Como se organiza a energia emocional em fobias, angústias, prazeres e humores deprimidos? As perguntas são amantes das dúvidas. Elas evidenciam nossas limitações intelectuais e investigatórias. Temos, até mesmo, limitações para explicar o que é a essência intrínseca de uma dor emocional e o que é a consciência dessa dor. O discurso teórico é contracionista até para explicar quais são os limites e as relações entre a consciência existencial da dor e a natureza essencial dessa dor.

A Psicologia e a Psiquiatria discursam sobre um mundo inacessível e intangível. Além da complexidade do processo de investigação dos fenômenos psíquicos, há, como estudaremos, toda uma cadeia de distorções da interpretação que um teórico pode produzir durante o processo de observação, aplicação metodológica e análise de dados, que macula sua produção intelectual e contrai a compreensão de variáveis universais que poderiam financiar uma intercomunicação da sua teoria com outras teorias. Produzir ciência teórica sobre a psique é mais complexo do que imaginamos, ainda que possamos ser criteriosos.

O grande problema da Psicologia e da Psiquiatria, bem como de outras ciências, não é produzir teorias, mas romper seus apriscos teóricos, intercomunicar suas idéias, mesclar seus postulados, conjugar seus conceitos, afinar suas definições, organizar suas derivações e criar avenidas comuns de pesquisa sob o prisma de variáveis universais.

Ainda hoje existem dúvidas fundamentais sobre a psique que não foram minimamente resolvidas pelas teorias psicológicas e psiquiátricas. Às vezes, evita-se discutir essas dúvidas, devido à ansiedade e polêmica que geram. O homem possui uma mente ou psique que está além dos limites do cérebro ou ela é intrinsecamente o próprio cérebro, ou seja, fruto do espetáculo do metabolismo cerebral? Esta pergunta nunca foi respondida pela ciência, a não ser no campo da especulação. Porém, sem respondê-la, as ciências que norteiam a psique sempre terão um grande obstáculo em sua expansão qualitativa.

Apesar do conhecimento sobre a natureza da energia psíquica ser a tese das teses na ciência, por referir-se à essência intrínseca que nos constituem como seres que pensam e sentem, e, portanto, ser de fundamental importância para o homem e para os destinos da própria ciência, esta própria foi omissa e tímida em pesquisá-la. Devido à complexidade e polêmicas que envolvem a natureza intrínseca da psique humana, a ciência, com exceção da Filosofia, preferiu abandoná-la e deixá-la para ser discutida apenas no campo da religiosidade. Essa atitude omissa e tímida gerou um caos teórico na Psiquiatria, na Psicologia e nas demais ciências psicossociais. Depois de desenvolver neste livro o corpo teórico sobre os processos de construção dos pensamentos e da formação da consciência existencial, defenderei em outra publicação uma tese sobre este assunto, que poderá trazer diversas implicações e conseqüências nestas ciências.

Somos seres pensantes, produzimos ciência, arte, construímos relações humanas, mas não sabemos o que somos intrapsiquicamente, como se transforma, se organiza, se desorganiza e se reorganiza a energia psíquica. A ciência é o mundo das idéias mas, como se processa o nascedouro das idéias, como se organizam as cadeias de pensamentos? O que ocorre com a energia psíquica no pré-pensamento, ou seja, milésimos de segundo antes de se transformarem em idéias, pensamentos?

As ciências que investigam direta e indiretamente a psique humana talvez nem saibam precisar em que estágio de desenvolvimento estejam. Misticismos, psicologismos e "achismos", que expressam produções de conhecimentos sem embasamento científico, têm saturado as sociedades e contaminado essas ciências, trazendo grande confusão teórica.

Precisamos de teorias multifocais capazes de explicar os processos de construção dos pensamentos, a formação da consciência existencial, a transformação da energia psíquica, enfim, o funcionamento psicodinâmico e histórico-existencial da mente humana. Porém, tenho a impressão de que a produção de teóricos na Psicologia se reduziu a partir das últimas décadas do século XX. A grande maioria dos pensadores e cientistas que investigam a psique inibiu-se na produção de novas teorias. É mais fácil e confortável intelectualmente produzir conhecimento dentro dos limites de uma teoria do que reciclá-la criticamente, reorganizá-la e expandi-la ou, então, partir para um motim teórico e produzir uma nova teoria. Minha produção de conhecimento, como comentarei, foi produzida durante vários anos nos trilhos do motim teórico e, depois, se converteu nos trilhos da democracia das idéias.

Apesar do número reduzido de teóricos da Psicologia, expandiu-se a produção destes nas neurociências. É inegável que a Psicologia perdeu e tem perdido cada vez mais espaço acadêmico-científico para as neurociências, que incluem a Psiquiatria biológica, a Neurologia, a Psicofarmacologia, a Fisiologia cerebral, a Bioquímica cerebral.

Com a expansão das neurociências, surgiram os postulados sobre a desorganização metabólica dos neurotransmissores cerebrais, dos quais a serotonina atualmente tem figurado como estrela na gênese das depressões, e também sobre as escalas de comportamentos, as técnicas do tipo estímulo-respostas, as técnicas de avaliação de diagnóstico e desempenhos clínicos, o mapeamento do cérebro, a cintilografia computadorizada, os exames laboratoriais, etc. Porém, ainda que a produção de conhecimento e as técnicas das neurociências sejam respeitáveis e relevantes, as questões fundamentais da psique humana permanecem abertas, irresolúveis. Por exemplo, o postulado sobre os neurotransmissores pode explicar alguma influência genético-metabólica na gênese das depressões, porém nada explica sobre a natureza intrínseca, a organização e desorganização da energia emocional depressiva, nem sobre a complexa leitura da memória e muito menos sobre a sofisticada construtividade das cadeias de pensamentos de conteúdo angustiante, que acompanha muitos tipos de depressão.

Um dos grandes problemas da ciência não é produzir respostas, mas formular perguntas. Perguntas abrem as avenidas das respostas. Perguntas mal formuladas geram respostas redutoras, inadequadas e/ou superficiais. A dimensão das perguntas determina a dimensão das respostas, embora as respostas tenham invariavelmente uma dívida filosófica com as perguntas. Cada resposta não é um fim em si mesma, mas é o começo de novas perguntas. Por isso, a arte da formulação de perguntas é fundamental à expansão da ciência.

As teorias das neurociências precisam se expandir e se intercomunicar com as teorias psicológicas; se isso não ocorrer, o desenvolvimento científico será seriamente comprometido. Teremos de um lado os pensadores organicistas que supervalorizam o cérebro e acreditam que a alma é puramente química, o que é um absurdo. E de outro, pensadores da psicologia que desvalorizam qualquer influência do metabolismo cerebral na construção dos pensamentos e das reações emocionais, o que também é igualmente um absurdo. O maior mistério da ciência não está no espaço, está na mente humana. Está na convivência de um campo de energia que coabita, coexiste e cointerfere continuamente com o metabolismo cerebral. Não creio que haja um postulado mais complexo e importante do que este.

A redução do desenvolvimento teórico na Psicologia não se deve apenas à diminuição atual da safra de grandes teóricos. Freud, Jung, Adler, Sullivan, Erich Fromm, Roger, Viktor Frankl, Lewin, Allport, Kurt Goldstein, Piaget, Lacan etc., são exemplos da safra de pensadores da Psicologia. As causas desse entrave teórico são, como disse, multifocais. São elas: 1. As dificuldades intransponíveis de promover uma composição dos elementos que constituem as teorias, tais como os postulados, as definições, os conceitos, as derivações teóricas; 2. A ausência de variáveis universais, capazes de produzir avenidas conjuntas de pesquisa e intercomunicação teórica; 3. A intangibilidade sensorial e inacessibilidade essencial dos fenômenos intrapsíquicos, que geram grandes dificuldades no processo de observação e interpretação; 4. Os sistemas de encadeamentos distorcidos ocorridos nos bastidores da construção dos pensamentos do cientista teórico; 5. A produção de teorias com linguagens dialéticas distintas. Além disso, há também outras causas, como comentarei, ligadas às limitações dos procedimentos de pesquisa utilizados na produção de conhecimento.

Apesar de todas as dificuldades para explorar e produzir conhecimento sobre a psique humana, precisamos avançar, utilizar procedimentos de pesquisas capazes de reorganizar continuamente o processo de observação e interpretação das variáveis psíquicas nos processos de construção dos pensamentos.

Creio que necessitamos de teorias multifocais e multivariáveis para explicar, ainda que parcialmente, a psique humana. Creio que a Psicologia e a Psiquiatria deveriam procurar produzir pesquisas conjuntas, se unirem teoricamente e, além disso, se associarem com a Sociologia e a Filosofia para produzir teorias psicossociais e filosóficas multifocais e multivariáveis sobre a psique humana.

A Filosofia sempre foi, ao longo dos séculos, fonte das grandes idéias na ciência, sempre foi expansora das possibilidades de construção do conhecimento, o tempero da sabedoria. Porém, ela foi esquecida, desconsiderada e até desprezada pela Psicologia e pela Psiquiatria. Um dos maiores erros da Psiquiatria e da Psicologia foi excluir a Filosofia das suas teorias, desde seu nascedouro até seu desenvolvimento teórico.

O divórcio da Psiquiatria e da Psicologia clínica com a Filosofia reduziu a síntese da sabedoria, a expansão das idéias psicossociais, a macrovisão do homem total: o *Homo interpres* (inconsciente) somado ao *Homo intelligens* (consciente). Por isso, elas se tornaram excessivamente clínicas, psicopatológicas, contribuindo pouco para expandir o processo de interiorização, a capacidade crítica de pensar, a inteligência multifocal. A Psiquiatria e a Psicologia clínica se tornaram pobres na produção de vacinas educacionais eficientes contra as doenças psíquicas, psicossomáticas e psicossociais.

A Psiquiatria e a Psicologia clínica atuam com relativa eficiência em determinadas doenças psíquicas, mas não atuam na sanidade do homem total. Elas não promovem e não sabem como promover a qualidade de vida psicossocial dos consócios das sociedades. Atuam na dor, mas não sabem como expandir o prazer. Atuam na miséria psicossocial, mas não sabem como promover a solidariedade, o humanismo, a sabedoria existencial. Elas, que trabalham com os parâmetros entre a doença e a sanidade psíquica e psicossocial do homem total, deixaram essa enorme responsabilidade para outras áreas da Psicologia, tais como a Psicologia social e educacional e para a educação familiar e escolar.

A escola ficou sobrecarregada, com uma responsabilidade psicossocial que ela não consegue desempenhar com adequação. Os jovens ficam por longos anos na escola, debaixo de um processo socioeducacional exteriorizante, unifocal e "a-histórico-crítico-existencial", como se isso fosse suficiente para promover as avenidas da sanidade psicossocial, para transformá-los em pensadores humanísticos, para enriquecer suas capacidades de trabalhar os conflitos e para expandir neles a sabedoria existencial.

Precisamos de teorias que agreguem as diversas ciências. Teorias que não apenas compreendam as misérias psicossociais humanas, mas que compreendam as potencialidades intelectuais do homem; que compreendam, ainda que com limitações, os processos de construção dos pensamentos e da consciência existencial e que sejam capazes de abrir avenidas de pesquisas para promover a qualidade de vida psicossocial humana.

Devido a abordagem psicossocial e filosófica do homem abordada neste livro, quando eu atuo nos textos como um pensador da Psicologia procuro ser específico ao comentar os fenômenos psíquicos, mas quando atuo como um pensador da filosofia, faço críticas e generalizações com liberdade, o que é próprio dos filósofos. Entretanto, não quero que as palavras traiam minhas intenções e nem a democracia das idéias que tanto aprecio. Por isso, afirmo que todas as minhas generalizações têm exceções, mesmo quando eu não as citar.

Capítulo 11

As Três Áreas da Inteligência Multifocal: a Construção, as Variáveis e o Desenvolvimento

CONSTRUÇÃO MULTIFOCAL DE PENSAMENTOS

Neste capítulo vamos reorganizar os assuntos estudados até aqui. Vimos que há quatro grandes processos de construção que ocorrem na psique humana: o processo de construção dos pensamentos, o processo de construção da consciência existencial, o processo de formação da história intrapsíquica e o processo de transformação da energia emocional e motivacional. Todos esses processos são multifocais.

Demos ênfase ao processo de construção dos pensamentos, pois ele financia diretamente o desenvolvimento da inteligência. Porém, sem sombra de dúvida, os três outros processos também participam intimamente da construção da inteligência.

A TMC, teoria multifocal do conhecimento, é uma teoria que constitui-se de um conjunto de teorias que se inter-relacionam: a teoria da construção dos pensamentos; a teoria da interpretação; a teoria crítica do conhecimento (lógica); a teoria da transformação da energia psíquica; a teoria da formação e utilização da história intrapsíquica arquivada na memória; a teoria da formação da personalidade; a teoria da construção das relações interpessoais, etc. Assim, a abordagem da inteligência, expressa neste livro, é apenas parte da teoria multifocal do conhecimento.

Esta teoria não procura anular as demais teorias. Pelo contrário, como ela investiga a inteligência a partir dos fenômenos e variáveis universais que estão na base da produção dos pensamentos, pode contribuir para explicá-las, revisá-las e abrir novas avenidas de pesquisa para elas. A teoria multifocal do conhecimento pode contribuir muito com a teoria psicanalítica, junguiana, cognitiva e outras.

Além de abordar a teoria da inteligência, também abordo a teoria da interpretação, a teoria da transformação da energia psíquica e a teoria da formação e utilização da história intrapsíquica arquivada na memória e algumas áreas da teoria crítica do conhecimento (epistemologia), pois elas são úteis para compreendermos melhor o processo de construção do pensamento e, conseqüentemente, da própria construção da inteligência.

A inteligência envolve toda produção intelectual, histórica, cultural, emocional e social produzida na trajetória existencial humana. O desenvolvimento da inteligência também está na base da formação da personalidade e na produção das doenças psíquicas, psicossomáticas e psicossociais.

Durante toda a exposição destes textos, as idéias psicológicas mesclam-se com o mundo das idéias filosóficas. É uma viagem intelectual interessante expor a construção das cadeias de pensamentos e suas implicações na Psicologia, Psiquiatria, Filosofia, Neurociências, Direito, humanismo, democracia das idéias, pesquisa científica etc.

A construção do pensamento é, provavelmente, a área mais complexa de toda a ciência, pois envolve a origem, natureza, alcance e limites da própria ciência, já que ela é um corpo organizado de pensamentos, de idéias. Os processos de construção dos pensamentos envolvem temas complexos e dificílimos de serem investigados. Esses procedimentos podem ser usados no desenvolvimento da inteligência e no processo de formação de pensadores.

A CONSTRUÇÃO DA INTELIGÊNCIA MULTIFOCAL (I.M.) ULTRAPASSANDO A ABORDAGEM UNIFOCAL DA INTELIGÊNCIA EMOCIONAL

Há alguns anos, foi lançado o livro *Inteligência Emocional*,[8] do dr. Daniel Goleman, que teve grande repercussão mundial e influenciou as áreas socioeducacionais e de recursos humanos das empresas. O autor, embora não tenha produzido uma teoria sobre a construção da inteligência, não tenha estudado os fenômenos que atuam nos bastidores da mente e que constroem multifocalmente as cadeias de pensamentos, comentou acertadamente que a variável emocional influencia a inteligência (quociente emocional - QE) e que não podemos nos submeter aos restritos padrões do quociente de inteligência (QI). Porém, a inteligência não é emocional, pois a variável emocional é apenas uma das múltiplas variáveis intrapsíquicas que exercem uma influência multifocal nos processos de construção da inteligência.

Além da variável da energia emocional, há dezenas de outras variáveis que participam dos processos de construção dos pensamentos e da consciência existencial, enfim, que participam da construção da inteligência.

O livro *Inteligência Emocional* não produz uma teoria sobre a construção da inteligência; por isso não produz conhecimento, como o faz o livro *Inteligência Multifocal*, sobre: o nascedouro das idéias; a construção das cadeias de pensamentos; a formação da história intrapsíquica arquivada na memória; a leitura da memória pelos fenômenos intrapsíquicos; os tipos fundamentais de pensamentos construídos na psique humana; a natureza, limites, alcance e práxis dos pensamentos; os fenômenos e processos que participam da construção do eu; as etapas do processo de interpretação na construção dos pensamentos. Reitero: o livro *Inteligência Emocional* é um livro que fala inteligentemente sobre a emoção, mas não é um livro sobre a teoria da inteligência.

Inteligência Emocional tem uma abordagem científica, mas seu enfoque principal é ser um livro de auto-ajuda, aliás é um belo livro nesse sentido. Porém, aqui, neste livro, faço uma exposição de uma nova teoria da inteligência. Meu desejo é que ela se torne uma fonte de novas pesquisas na Psicologia, Filosofia, Sociologia e demais ciências; uma fonte de aplicação psicossocial no processo psicoterapêutico, nas relações humanas e no processo educacional, principalmente na formação de pensadores.

Este livro foi escrito com a despreocupação completa de se tornar um *best-seller*, pois ele não procura apenas homens que lêem livros, mas leitores que sejam garimpeiros de idéias, homens que tenham consciência da complexidade da arte de viver, que tenham consciência de que a sabedoria se conquista muito mais nos invernos do que nas primaveras existenciais, que apreciam o mundo das idéias, que julgam de inestimável valor a arte de pensar e o desenvolvimento da consciência crítica.

As sociedades modernas, como disse, estão saturadas de livros de auto-ajuda que pensam pelo leitor. Este livro, apesar de todas as suas limitações, procura respeitar a inteligência do leitor e, ao mesmo tempo, provocar e estimular a arte de pensar, a arte da dúvida, a arte da crítica.

Não escrevi este livro sobre a inteligência como um escritor que, na esteira do sucesso do livro sobre a inteligência emocional, procura também fazer sucesso. Pelo menos dez anos antes do livro *Inteligência Emocional* ser lançado nos EUA, eu já desenvolvia a teoria multifocal do conhecimento, da qual a *Inteligência Multifocal* faz parte. Faço esses comentários por respeito à inteligência do leitor, para fornecer subsídios para o seu julgamento crítico.

Por que a inteligência é chamada aqui de inteligência multifocal? Porque todos os processos de construção da inteligência são multifocais: a leitura da memória, a construção das cadeias de pensamentos, as variáveis da interpretação e os fenômenos intrapsíquicos e socioeducacionais. Todos esses processos co-interferem para construir o espetáculo indescritível da inteligência do homem, espetáculo este que faz com que a humanidade seja uma espécie ímpar.

A construção dos pensamentos faz o homem sair da indescritível solidão da inconsciência existencial, em que o tudo e o nada são a mesma coisa, e se tornar um ser pensante, um ser inteligente, um ser que tem consciência existencial de si mesmo e do mundo que o circunda.

A inteligência incorpora não apenas o *Homo intelligens*, ou seja, as manifestações conscientes da inteligência humana, que se traduzem como arte, comunicação, relações sociais, ciência, mas também o *Homo interpres*, ou seja, o nascedouro da inteligência, as origens inconscientes da construção das cadeias psicodinâmicas dos pensamentos.

Podemos dizer didaticamente que a inteligência multifocal (I.M.) possui três grandes áreas: 1. Uma construção multifocal: através de um conjunto de processos e fenômenos psicodinâmicos; 2. Uma influência multifocal dessa construção: através das variáveis da interpretação intrapsíquicas, intraorgânicas e extrapsíquicas; 3. Um desenvolvimento qualitativo: através de fatores intrapsíquicos e socioeducacionais.

Cada uma dessas três grandes áreas da inteligência possui um conjunto de fenômenos que interagem entre si. A seguir, farei um relato didático e sintético de alguns dos principais fenômenos, segundo os grupos em que estão inseridos. Peço ao leitor despreocupar-se com a grande quantidade de informações que eles contêm. Ao longo de todos os textos, os processos e fenômenos mais importantes, para o momento, estão sendo expostos.

1. A construção psicodinâmica da inteligência multifocal.
   Fenômenos participantes:
   a. Formação e leitura multifocal da memória.
   b. Fenômeno da autochecagem da memória: leitura automática do estímulo na memória.
   c. Âncora da memória: deslocamento do território de leitura da memória.
   d. Fenômeno do autofluxo da energia psíquica: representa um conjunto de fenômenos que financia a multiplicidade de idéias e emoções produzidas diariamente e sem a autorização do eu.
   e. Consciência do eu: representa a consciência da existência do eu e do mundo extrapsíquico.
   f. Três tipos fundamentais de pensamentos da mente humana, produzidos pelos quatro fenômenos descritos acima: pensamentos essenciais, dialéticos e antidialéticos.
   g. Leitura virtual das matrizes dos pensamentos essenciais gerando os pensamentos dialéticos e antidialéticos.

h. A construção das cadeias psicodinâmicas dos pensamentos, segundo os parâmetros contidos na realidade extrapsíquica e segundo os referenciais histórico-críticos contidos na história intrapsíquica (memória).
i. A liberdade criativa e a plasticidade construtiva na produção dos pensamentos produzidos pelo eu.
j. Fluxo vital da transformação da energia psíquica: organização, desorganização e reorganização.
k. Etapas do processo de interpretação, em que os fenômenos intrapsíquicos atuam para construir as cadeias dos pensamentos.

Todos esses fenômenos estão presentes nos bastidores da psique de qualquer ser humano e são responsáveis pela construção da capacidade de pensar, ou seja, pela construção da inteligência, independentemente da qualidade dessa construção. Cada um desses fenômenos possui, na realidade, uma série de outros fenômenos subjacentes que não citarei aqui. Esses fenômenos se inter-relacionam para formar os intrincados processos de construção de pensamentos. Os fenômenos responsáveis pelo desenvolvimento qualitativo da inteligência serão descritos a seguir no segundo e terceiro grupos.

2. A influência das variáveis da interpretação na construção da inteligência multifocal.
   Fenômenos ou variáveis participantes:
   a) variáveis intrapsíquicas presentes no momento da interpretação de cada estímulo:
      — qualidade da energia emocional (*stress*, ansiedade, humor deprimido, reação fóbica, prazer etc.).
      — qualidade da energia motivacional (motivação, ímpeto, desejo, desmotivação etc.).
      — atuação psicodinâmica do fenômeno da psicoadaptação.
      — qualidade do conteúdo da história intrapsíquica (memória).
   b) Variáveis intraorgânicas:
      — carga genética.
      — drogas psicotrópicas.
      — *stress* físico.
      — distúrbios metabólicos.
      — doenças orgânicas.
   c) Variáveis extrapsíquicas:
      — causas históricas.
      — *stress* psicossocial.

- ambiente intra-uterino.
- ambiente sociofamiliar.
- estímulos socioeducacionais.
- perdas, frustrações existenciais, adversidades, contrariedades, apoio, segurança, rejeição etc.

As variáveis intrapsíquicas, intraorgânicas e extrapsíquicas co-interferem nos bastidores da mente, ao longo de toda a trajetória existencial humana, influenciando a leitura da memória, a construção das cadeias de pensamentos e o desenvolvimento da inteligência.

3. Desenvolvimento intrapsíquico e socioeducacional da inteligência multifocal

Fenômenos intrapsíquicos e socioeducacionais participantes:

a. Desenvolvimento da análise global, expressa por uma análise contínua do processo de interpretação e do processo de construção dos pensamentos e por uma postura intelectual continuamente crítica, aberta e reciclável diante dos fenômenos (físicos, psicológicos, sociais, profissionais) observados.
b. Resgate da liderança do eu: desenvolvimento da capacidade de gerenciamento do eu sobre os processos de construção da inteligência.
c. Desenvolvimento do "*stop* introspectivo", ou seja, aprender a pensar antes de reagir, comprometer-se em ser fiel ao pensamento mais do que com a necessidade imediata da resposta.
d. Aprender a expor e não impor as idéias.
e. Aprender a ouvir: aprender a ouvir o que o outro tem para falar e não o que queremos ouvir; ouvir sem distorções conscientes.
f. Desenvolvimento da arte da formulação de perguntas, da arte da dúvida e da arte da crítica.
g. Utilização da história intrapsíquica e da história social como leme intelectual do futuro.
h. A busca do caos intelectual para descontaminar as distorções do processo de interpretação e para expandir as possibilidades de construção do conhecimento na produção de conhecimento científico, socioprofissional e coloquial.
i. Desenvolvimento da capacidade de trabalhar os estímulos estressantes, as dores emocionais, perdas e frustrações psicossociais e de usá-las como alicerces da maturidade da inteligência.
j. Desenvolvimento da arte da contemplação do belo: expandir o prazer, não apenas diante dos grandes eventos psicossociais, mas principalmente diante dos pequenos eventos da rotina diária.

k. Desenvolvimento da capacidade de interpretação do "outro": aprender a se colocar no lugar do outro e perceber suas necessidades psicossociais.
l. Desenvolvimento dos amplos aspectos da cidadania social. Desenvolvimento do humanismo como alicerce da teoria da igualdade e como fator de prevenção das múltiplas formas de violação dos direitos humanos.
m. Desenvolvimento da democracia das idéias como fator regulador do processo de interpretação em todas as esferas políticas, sociais, culturais e educacionais.
n. Prevenção contra a síndrome psicossocial da exteriorização existencial.
o. Prevenção contra a síndrome intelectual do mal do *logos* estéril;
p. Prevenção contra a síndrome psicossocial tri-hiper: hiperconstrução de pensamentos, hipersensibilidade emocional e hiperpreocupação com o que os outros pensam e falam de si (imagem social) etc.

Neste livro, a ênfase é dada à exposição do primeiro grupo de fenômenos, ou seja, ao grupo de fenômenos responsáveis pela construção dos pensamentos e, conseqüentemente, da inteligência. Também abordo a teoria da interpretação e algumas variáveis do segundo grupo, tais como a qualidade da história intrapsíquica, a atuação do fenômeno da psicoadaptação e a transformação da energia emocional, e alguns fenômenos do terceiro grupo, tais como o gerenciamento do eu, a arte da dúvida, a arte da crítica, a busca do caos intelectual, a prevenção do mal do *logos* estéril, que são responsáveis pelo desenvolvimento qualitativo da inteligência. Em textos posteriores, farei uma conceituação de cidadania, do humanismo e da democracia das idéias. Porém, devido à abrangência de todos os fenômenos responsáveis pela construção, influência e desenvolvimento multifocais da inteligência, outras publicações serão necessárias para abordá-los.

A construção da inteligência incorpora não apenas o *Homo intelligens*, que representa as idéias, os raciocínios analíticos, as inferências, a lógica, as soluções emocionais e os fatores psicossociais contidos na produção intelectual consciente, mas também o *Homo interpres*, que representa os processos de construção da própria produção intelectual ocorridos clandestinamente nos bastidores inconscientes da inteligência.

O maior espetáculo que o homem pode produzir não está no cinema, no teatro, nos museus ou nas feiras de informática, mas está na construção dos pensamentos ocorrida espontaneamente na mente de qualquer ser humano, mesmo das crianças famintas na África ou abandonadas nas ruas das grandes cidades. Sem a inteligência não haveria a consciência existencial; sem a consciência existencial estaríamos condenados à dramática condição de existir sem ter a consciência da existência.

Nos bastidores da mente, como veremos, há um *Homo interpres* micro e macrodistinto a cada momento da interpretação, cujo campo da energia psíquica está num fluxo contínuo de autotransformações essenciais, que faz com que o homem seja um produtor de experiências psíquicas, que por sua vez vão sendo registradas continuamente na sua memória e que se tornam os tijolos para a construção da inteligência multifocal. A inteligência pode ser redirecionada para que o homem não apenas seja um ser pensante, mas alguém que brilha na arte de pensar.

Uma das maiores críticas que faço contra o processo socioeducacional, independentemente da teoria que utiliza como suporte da interpretação, é que ele pouco contribui para expandir os fenômenos que desenvolvem a inteligência em seus amplos aspectos psicossociais. Por isso, ele gera freqüentemente retransmissores do conhecimento, estudantes que são acometidos com a síndrome do mal do *logos* estéril, que expressa uma cultura estéril, que não o torna lúcido, seguro, livre, empreendedor.

A CIDADANIA DA CIÊNCIA. A NECESSIDADE DA FORMAÇÃO DE PENSADORES

Existe um termo, que chamo de "cidadania da ciência", que reflete a preocupação que todo pensador ou cientista deveria ter em relação à sua produção de conhecimentos, que é a de procurar socializá-la, humanizá-la. "Cidadania da ciência" é, portanto, a humanização da teoria que se expressa através de procurar torná-la assimilável, aplicável e, portanto, psicossocialmente útil.

Neste livro, procurei exercer a cidadania da ciência. Em determinados momentos, a partir da teoria sobre os processos de construção dos pensamentos, derivei implicações e aplicações nas ciências. Além disso, ao longo da exposição dos textos, produzi críticas multifocais às ciências, à sociopolítica, à socioeducação, tais como: crítica à produção e validação do conhecimento científico; crítica à omissão e à timidez da ciência em pesquisar a natureza psíquica e os sistemas de relações que ela mantém com o cérebro; crítica ao contracionismo da democracia das idéias nas sociedades politicamente democráticas; crítica à postura psicoterapêutica autoritária, que posiciona o paciente como espectador passivo das interpretações e procedimentos psicoterapêuticos; crítica ao autoritarismo das idéias e à ditadura dos discursos teóricos existente nas ciências, principalmente pelo uso inadequado de uma teoria como suporte da interpretação; crítica à unifocalidade da "inteligência emocional" em relação à multifocalidade da "inteligência"; crítica à unifocalidade das neurociências e à excessiva culpabilidade dos neurotransmissores na complexa e sofisticada gênese das doenças psíquicas etc.

Se incorporasse todos os textos que produzi sobre as críticas, implicações e propostas psicossociais derivadas dos processos de construção dos pensamentos, este livro ficaria excessivamente extenso. Por isso, em sua grande maioria, elas apenas serão abordadas sinteticamente.

Penso que os cientistas e os pensadores são servos da humanidade, não precisam do brilhantismo da notoriedade social, embora devam ser, tanto quanto possível, agentes sociopolíticos. Os cientistas e pensadores são poetas existenciais, cuja capacidade de observação dos fenômenos, de interpretação, de análise e de produção de conhecimento é inspirada na cidadania da ciência, ou seja, na necessidade de ser útil à sociedade, à sua espécie e ao ambiente ecossocial. Por isso, creio que a grandeza das idéias na Psicologia, Filosofia, Sociologia e em outras ciências não está somente na qualidade dos discursos teóricos e do brilhantismo literário que as expressam, mas, principalmente, na sua aplicabilidade psicossocial.

As universidades têm seus méritos relevantes, têm professores e cientistas que são amantes do conhecimento. Porém, apesar disso, o sistema acadêmico desrespeita freqüentemente os princípios psicossociais e filosóficos derivados da democracia das idéias e do humanismo, por isso ele forma, com as devidas exceções, profissionais com baixo nível de cidadania; profissionais que apenas retransmitem o conhecimento e pouco expandem as idéias; que incorporam o conhecimento acadêmico quase que exclusivamente para benefícios próprios; que possuem minimamente a preocupação humanística de atuar psicossocialmente nos vasos sangüíneos da sociedade.

A transmissibilidade unifocal do conhecimento, conduzida pela relação professor-aluno, associada ao baixo desenvolvimento da arte da dúvida e da crítica e às enormes deficiências de conhecimento sobre a natureza, limites, alcance e lógica do próprio conhecimento (pensamento dialético), reduzem o debate, a expansão das idéias e, conseqüentemente, a formação de teóricos, de cientistas, de pensadores e profissionais humanistas. A grande maioria dos profissionais que se formam nas universidades talvez nem saibam dizer minimamente o que é a verdade científica (dialética) e a verdade essencial (real), e quais são as suas relações. Utilizam o conhecimento teórico (a verdade científica) como se ele tivesse o "*status*" da verdade essencial. Não compreendem que grande parte do conhecimento, julgado como verdade científica hoje, será descaracterizado como "verdade" nas próximas décadas.

Os sistemas educacionais, à luz dos processos de construção dos pensamentos, precisam ser repensados como centro da produção e validação de conhecimento e como centro da formação de intelectuais.

Vivemos numa sociedade saturada de informações, mas que carece da formação de pensadores. No passado, quando a informação era escassa e sua veiculação reduzida, surgiram grandes pensadores nas ciências. Na Filosofia, houve grandes pensadores que produziram teorias complexas, originais e inteligentes, tais como Sócrates, Platão, Aristóteles, Agostinho, Hume, Bacon, Bruno, Descartes, Spinoza, Kant, Montesquieu, Voltaire, Rousseau, Locke, Hegel, Comte, Marx, Nietzsche, Kierkegaard, Husserl e tantos outros.

Atualmente, com a multiplicação do conhecimento, a expansão quantitativa das universidades e o acesso facilitado às informações, deveríamos ter multiplicado a cadeia de pensadores nas ciências, mas provavelmente não é isso que tem acontecido. Há, sem dúvida, ilustres pensadores na atualidade; porém, creio que muitos deles concordam que a grande maioria dos que cursam uma universidade e fazem uma pós-graduação, se tornam espectadores passivos do conhecimento, retransmissores do conhecimento, e não pensadores capazes de criticar e expandir o conhecimento que incorporam ou produzir novas teorias.

A ciência, embora fundamental, nunca incorpora a realidade essencial dos fenômenos que estuda. A verdade científica é um sistema de intenções intelectuais produzidas criteriosamente pela construtividade de pensamentos, capaz de gerar uma consciência existencial científica sobre a verdade essencial, ou seja, sobre os fenômenos psíquicos (ansiedade, fobia, humor deprimido, pensamento) e fenômenos biofísico-químicos (energia eletromagnética, substâncias químicas, células) etc. Porém, a consciência existencial científica (ciência) jamais alcança a realidade essencial dos fenômenos.

A ciência define e conceitua o mundo que somos e em que estamos; porém, nunca os incorpora essencialmente, pois o conhecimento científico é construído através do processo de leitura virtual das matrizes de pensamentos essenciais decorrentes da leitura da memória.

A ciência tem limites intransponíveis, pois é produzida na esfera da virtualidade intelectual. Um milhão de idéias sobre um objeto de madeira, ainda que discurse com fineza intelectual sobre tal objeto, não é a essência em si da celulose que o constitui. Porém, apesar de seus limites intransponíveis, a ciência é também paradoxalmente infinita, inesgotável.

A ciência, por ser inesgotável, faz com que toda teoria, todo conhecimento, toda verdade científica, sejam deficientes e restritivas em relação à verdade essencial. As teorias científicas são importantes, mas todas elas são passíveis de inúmeras expansões ao longo dos séculos e das gerações. Morrem os cientistas e os pensadores, mas a ciência e as idéias continuam evoluindo na geração seguinte.

A ciência, como consciência da essência, é um sistema de intenções que acusa e discursa, através da plasticidade construtiva dos pensamentos dialéticos, sobre a essência em si dos objetos e fenômenos, mas, como disse, jamais a incorpora. Tudo o que eu e o leitor pensamos, racionalizamos, analisamos, discursamos sobre nós mesmos e sobre o mundo que nos circunda, são sistemas de intenções conscientes que discursam sobre os fenômenos intrapsíquicos e extrapsíquicos, mas nunca incorporam a realidade intrínseca deles. Precisamos compreender os processos de construção dos pensamentos para podermos compreender os limites e alcance da própria ciência, ou seja, compreender a construção das relações humanas, a gênese das doenças psíquicas e psicossomáticas, os procedimentos sociopolíticos, psicoterapêuticos, socioeducacionais etc.

Construir pensamentos parece uma tarefa intelectual simples; mas até a mais débil das idéias tem uma construção psicodinâmica extremamente complexa. Compreender os bastidores da construção dos pensamentos, interessa não apenas a cientistas, psicólogos, psiquiatras, filósofos, sociólogos, juristas, jornalistas, mas a todos aqueles que realizam qualquer tipo de trabalho intelectual. Porém, como vimos a trajetória de investigação dos processos de construção dos pensamentos é extremamente complexa e saturada de entraves.

Quando a ciência resolve investigar a si mesma (sua natureza, origens, limites, alcance, lógica, práxis etc.), quando passamos a usar os pensamentos para investigar os próprios processos de construção dos pensamentos, quando usamos a ferramenta do conhecimento para explorar o nascedouro do conhecimento, quando usamos as idéias para esquadrinhar o próprio mundo das idéias, quando procuramos investigar a energia psíquica que nos constitui intimamente, nunca mais somos os mesmos, pois começamos a enxergar o homem total numa nova perspectiva, numa perspectiva psicossocial e filosófica. Quando isso acontece, nos vacinamos contra o superficialismo intelectual e passamos a ser caminhantes nas avenidas do nosso próprio ser, o que não nos arrebata para o pedestal intelectual; ao contrário, nos faz imergir num estado de caos intelectual e deparar com nossas limitações no processo de investigação e compreensão do mundo que somos.

Capítulo 12

Há um Mundo a Ser Descoberto nos Bastidores da Mente

Todas as teorias, ideologias sociopolíticas, produções artísticas, poesias, discursos literários, diálogos interpessoais etc., são "peças intelectuais" construídas nos bastidores inconscientes da inteligência e expressas na "crosta" ou "palcos conscientes da mesma".

Temos consciência da produção intelectual que geramos, mas não temos consciência dos processos que geram essa produção intelectual nos bastidores inconscientes. Portanto, há um mundo a ser descoberto no âmago intrapsíquico de cada ser humano, um mundo que possui fenômenos tão complexos e sofisticados que são capazes de organizar as idéias, produzir as análises, confeccionar os paradigmas socioculturais, formatar os discursos teóricos das ciências, produzir os pensamentos antecipatórios, resgatar as experiências passadas, construir a consciência existencial do mundo que somos e em que estamos, transformar a energia emocional e motivacional etc. Um mundo contido nos "bastidores inconscientes da mente, psique ou alma humana".

A psique não é um campo de energia estático e nem psicodinamicamente equilibrado, mas um campo de energia em contínuo estado de desequilíbrio psicodinâmico, em contínuo estado de transformação essencial, onde se processam as faculdades intelectuais, que são responsáveis pela rica produção de pensamentos, emoções e motivações diárias. Precisamos revisar, como disse, o falso conceito existente na Psicologia referente à busca do "equilíbrio psíquico". A psique humana é um campo de energia psíquica em contínuo estado de desequilíbrio psicodinâmico. Esse estado é fundamental para que o homem se torne uma complexa e contínua "usina de pensamentos e emoções".

O inconsciente foi abordado genericamente em algumas teorias psicológicas. Porém, aqui, ele será visto com um pouco mais de detalhe, principalmente no que tange aos processos que constroem o mundo dos pensamentos e que nos transformam na espécie mais misteriosa e brilhante da biosfera terrestre. Estamos no topo da inteligência de mais de trinta milhões de espécies, porém raramente percebemos o valor e a complexidade da construção da inteligência. Nos bastidores da mente opera-se um rico conjunto de fenômenos que constroem a história intrapsíquica dentro da memória, que a lêem, que produzem as cadeias de pensamentos, que formam a consciência existencial e que transformam a energia emocional. Os fenômenos que atuam no universo inconsciente são sofisticadíssimos. Por exemplo, eles lêem a memória, em milésimos de segundo, resgatam com extrema fineza os "verbos" em meio a bilhões de informações e os inserem nas cadeias psicodinâmicas dos pensamentos, antes que estas sejam conscientizadas. Como isso é possível? A inteligência é tão fantástica, que produzimos milhares de verbos diariamente e nem sequer ficamos perturbados com a indescritível proeza de resgatá-los, nos labirintos "escuros" da memória, e conjugá-los antes de termos consciência deles. Provavelmente, muitos teóricos da Psicologia e das Neurociências não investigaram nem produziram conhecimento sobre os fenômenos que alicerçam a construção do pensamento.

Os fenômenos e as variáveis inconscientes que sustentam o processo de construção dos pensamentos são tão complexos que ao investigá-los podemos ficar confusos devido à quantidade e qualidade das dúvidas que surgirem. Tais fenômenos operam-se em pequenas frações de segundo, organizando microcampos de energia psíquica, que são traduzidos nos palcos conscientes da inteligência como idéias, pensamentos antecipatórios, recordações, pensamentos que refletem preocupações existenciais etc.

Os fenômenos inconscientes geram os fenômenos conscientes. Parece tão simples pensar que não nos damos conta que só conseguimos ser seres pensantes, seres que têm consciência de si e do mundo circundante porque temos um mundo real e inimaginável submerso à consciência.

Não apenas a construção das idéias, dos pensamentos antecipatórios, das análises, das sínteses, das ansiedades, das reações fóbicas etc. é extremamente complexa, mas também a desorganização das mesmas igualmente o é. O espetáculo da construção dos pensamentos não se encerra quando eles são produzidos e encenados nos palcos conscientes da inteligência. O espetáculo continua, pois as "peças intelectuais" (os pensamentos) são psicodinâmicas, ou seja, uma vez produzidas imediatamente elas se desorganizam, vivenciam o caos, abrindo as possibilidades para a construção psicodinâmica de novas "peças intelectuais". Assim, pelo fato de os pensamentos serem construídos num campo de energia especial, o campo de energia psíquica, cuja essencialidade ultrapassa os limites da previsibilidade e linearidade das leis físico-químicas, imediatamente após serem construídos, eles desorganizam seus microcampos de energia psíquica, experimentam o caos, abrindo possibilidades psicodinâmicas para a construção de novos pensamentos.

Só conseguimos produzir milhares de pensamentos diariamente porque todos eles experimentam continuamente um processo de desorganização. Cada um dos "microcampos de energia psíquica" produzidos nos bastidores da psique, e que se expressam como pensamentos e idéias conscientes, sofrem instantaneamente um caos dramático que os desorganiza por completo. Nenhum ser humano consegue impedir que seus pensamentos, inclusive suas emoções e motivações se desorganizem. O caos da energia psíquica é irresistível. A idéia mais brilhante se desorganiza imediatamente após ser produzida. As emoções se desorganizam mais lentamente, mas mesmo as emoções mais românticas experimentam o caos psicodinâmico.

O amor e todas as experiências mais intensas do universo emocional, sejam elas agradáveis ou angustiantes, caminham diariamente para o caos e se reorganizam em outras emoções.

As emoções e os pensamentos novos só voltam ao cenário da mente se as anteriores forem desorganizadas e de novo reconstruídas. Portanto, a psique humana vive um fluxo vital de transformações essenciais. Esse princípio é universal e atinge inevitavelmente todo ser humano em toda a sua trajetória existencial.

Não sei se os leitores já ficaram, como eu, perturbados em saber como foram geradas as idéias, as reações ansiosas, os pensamentos antecipatórios etc., encenados a cada minuto nos palcos de nossas consciências, e para onde elas foram e como se descaracterizaram. Essas questões retratam a essência intrínseca do homem. Pois toda a produção intelecto-emocional, seja científica ou coloquial, prazerosa ou angustiante, possui um conjunto de fenômenos que arquiteta seu nascedouro e sua desorganização. Procurei observar tais fenômenos atentamente. Nesse processo de observação e exploração usei diversos procedimentos intelectuais complexos e, ao mesmo tempo, fiz centenas e até milhares de perguntas sobre eles para conseguir algumas respostas teoricamente mais consistentes, que fugissem ao psicologismo.

Em meu processo de observação e investigação, eu ficava intrigado pelo fato de que num instante produzimos construções intelecto-emocionais sofisticadíssimas, sem termos consciência de como lemos a memória e de como elas foram produzidas nos labirintos da psique, e noutro instante elas desaparecem e se desorganizam sem darmos conta de "para onde" foram, de "como" e do "porquê" de elas terem ido. Na realidade, elas não foram para nenhum lugar; apenas vivenciaram o caos. Os microcampos de energia psíquica que se organizam psicodinamicamente como idéias e emoções se desorganizam inevitavelmente. Assim, o campo de energia psíquica preserva sua integralidade essencial.

O CAOS DA ENERGIA PSÍQUICA E O FLUXO VITAL DOS PROCESSOS DE CONSTRUÇÃO DA INTELIGÊNCIA

Muitos pensam que o caos é destrutivo, paralisante, mas na realidade ele expande as possibilidades de construção dos fenômenos. Esse princípio vale tanto para a Física como para a Psicologia. A transformação da energia psíquica abre um caminho para a operacionalização dos sistemas de variáveis intrapsíquicas.

Se os pensamentos e as emoções não experimentassem continuamente o caos psicodinâmico, novos pensamentos e emoções não seriam produzidos, a mente sofreria um congestionamento intelectual paralisante, seria criativamente estéril e, com isso, as conseqüências seriam dramáticas, pois não seríamos ricos seres que pensam e se emocionam continuamente. O homem é um ser intensamente preocupado em construir, mas não reflete que, sem o caos da energia psíquica, capaz de desorganizar toda construção psicodinâmica intelectual e emocional, o *Homo sapiens* não existiria.

Nas doenças psíquicas, tais como nos transtornos obsessivo-compulsivos, nas depressões, nas síndromes de pânico, o caos intrapsíquico e os processos de construção dos pensamentos estão qualitativamente alterados. Na síndrome do pânico, por exemplo, ocorre operacionalização súbita do fenômeno da autochecagem da memória, que lê em milésimos de segundo a memória e constrói instantaneamente cadeias psicodinâmicas de pensamentos, com conteúdo dramático, ligados às idéias de morte, desmaio e descontrole, que, por sua vez, provoca também subitamente um caos no processo de transformação da energia emocional, gerando uma reação fóbica intensa e incontrolável, que atua no córtex cerebral e provoca uma sintomatologia psicossomática, caracterizada por taquicardia, dispnéia (falta de ar), sudorese (suor intenso) etc.

Não quero entrar em detalhes, no momento, sobre as doenças psíquicas; o que quero enfatizar é que, independentemente da etiologia ou causa das mesmas, independentemente da crítica que possamos fazer aos postulados das neurociências ligados aos neurotransmissores ou aos postulados psicológicos ligados a conflitos psíquicos e psicossociais, o fato é que, ao estudar o processo de construção dos pensamentos, verificaremos que há uma exacerbação psicodinâmica do caos intrapsíquico em algumas dessas doenças, tais como na síndrome do pânico e nas reações fóbicas. Essa exacerbação dificulta o gerenciamento do "eu" sobre os pensamentos, as ansiedades, as preocupações existenciais, as angústias. Por isso, essas pessoas vivenciam continuamente pensamentos e emoções que não querem pensar e sentir. Porém, excetuando as doenças psíquicas, em que a exacerbação psicodinâmica do caos da energia psíquica pode reduzir o gerenciamento do "eu", ele é saudável e fundamental para expandir as possibilidades de construção da inteligência.

Sem o processo de desorganização da energia psíquica e sem a ação psicodinâmica dos fenômenos intrapsíquicos que o reorganizam, não teríamos como explicar o fluxo vital dos pensamentos e das emoções, a extrema velocidade, fineza construtiva e sofisticação psicodinâmica dos processos de construção que ocorrem no palco de nossas mentes. Sem a força intrapsíquica irresistível e desorganizadora do caos da energia psíquica e sem a atuação psicodinâmica rapidíssima e refinadíssima dos fenômenos que o reorganizam, o *Homo sapiens* não seria um engenheiro de idéias, um construtor de pensamentos antecipatórios, de análises, de inferências.

Poucos homens conseguem ter sucesso em ser um grande empresário, um respeitado político, um grande cientista, um exímio artista, mas todos conseguem realizar o maior de todos os sucessos intelectuais, o sucesso mais espetacular, que é ser um engenheiro de idéias, um construtor de pensamentos. Todos somos engenheiros de idéias, embora nem sempre qualitativos, que vivem uma agenda intelectual complexa. Todo ser humano, por menos cultura que tenha, possui uma mente sofisticadíssima. Até as crianças deficientes mentais e as pessoas que sofreram lesões cerebrais, mas que têm preservadas determinadas áreas de memória, possuem uma mente complexa, pois são capazes de processar um registro parcial da história intrapsíquica, sofrer a atuação psicodinâmica dos fenômenos que a lêem e produzir cadeias psicodinâmicas dos pensamentos, ainda que sem parâmetros lógicos, que se desorganizarão e se reorganizarão em outros pensamentos.

Desprovidos dos fenômenos que lêem a memória e do fluxo vital da energia psíquica, seríamos animais não-pensantes, sem consciência existencial, sem identidade, sem distinguir seu ser do restante do universo, sem produzir história, sem ter consciência das dores e necessidades psicossociais, sem estabelecer relações interpessoais conscientes, sem idéias, artes, ciência nem livros, enfim, sem uma "agenda" intelectual diária fascinante.

O campo de energia psíquica vive um contínuo e inevitável fluxo de transformações essenciais, operacionalizadas por um riquíssimo conjunto de variáveis da interpretação, expresso por um conjunto intrincado e cointerferente de fenômenos que atuam inconscientemente. Precisamos compreender os fenômenos que reorganizam o caos da energia psíquica e que geram, conseqüentemente, os quatro grandes processos de construção da inteligência: o processo de construção de pensamentos, o processo de formação da consciência existencial, o processo de formação da história intrapsíquica e o processo de transformação da energia emocional e motivacional.

Como vimos, esses processos são produzidos por mais de três dezenas de fenômenos intrínsecos que co-interferem no inconsciente. Claro que deve haver um número muito maior do que três dezenas de fenômenos. Porém, dentro das minhas limitações como pesquisador, detectei esse número na minha trajetória de pesquisa e produção de conhecimento. O processo de co-interferência desses fenômenos é tão complexo que nos torna diferentes a cada momento existencial. Somos micro ou macrodistintos a cada momento existencial, pois a cada momento produzimos novos pensamentos, emoções e desejos, ainda que diante dos mesmos estímulos.

Temos estudado os fenômenos mais importantes que atuam no processo de construção dos pensamentos. Vimos que eles co-interferem de maneira particular a cada momento existencial. Até onde conheço, penso que as grandes teorias psicológicas, psicossociais e filosóficas (principalmente as epistemológicas) não estudaram os processos de construção da inteligência a partir dos sistemas de co-interferências de variáveis que atuam nas diversas etapas da interpretação em que são gerados os pensamentos e as emoções.

Essa carência de estudo se deve ao fato de que os teóricos se preocuparam mais em produzir conhecimento sobre o discurso do pensamento dialético (consciente) e as manifestações das emoções do que sobre o nascedouro e as origens desses pensamentos e emoções, ou seja, sobre a natureza intrínseca da energia psíquica, a organização da história existencial (intrapsíquica) na memória, a leitura da memória, a organização dos microcampos de energia psíquica a partir dessa leitura, a formação das matrizes dos pensamentos essenciais (inconsciente), as cadeias dos pensamentos dialéticos, a desorganização caótica da energia psíquica, pois esses fenômenos estão no pré-conhecimento e na pré-transformação da energia emocional.

É insuficiente fazer uma abordagem genérica dos fatores sociais, psicológicos e genéticos que influenciam o processo de formação da personalidade e o discurso dos pensamentos, mas não sobre os sistemas de variáveis que concebem o nascedouro, a natureza, os limites e o alcance dos pensamentos e emoções.

Os sistemas de co-interferências das variáveis, associados aos processos de construção que eles geram, são de extrema complexidade e extensão; por isso, são assunto para vários livros.

DA AURORA DA VIDA FETAL
ATÉ O ÚLTIMO SUSPIRO DE VIDA

O campo de energia psíquica vive um fluxo vital contínuo e inevitável de transformações essenciais, que são percebidas como pensamentos, idéias, emoções, motivações, diálogos, sonhos etc. Os fenômenos intrínsecos da mente que lêem a memória e produzem as "matrizes de pensamentos essenciais históricos", e que são inconscientes, iniciam o processo de reorganização da energia psíquica, provocando transformações na energia emocional preparando "uma pista de decolagem virtual" (leitura virtual) para a formação dos pensamentos conscientes dialéticos (psicolingüisticamente organizados: idéias, pensamentos, análises) e antidialéticos (psicolingüisticamente difusos: imagens mentais, fantasias, impressões).

A leitura da história intrapsíquica gera os microcampos de energia, que são expressos por matrizes de pensamentos inconscientes. As matrizes de pensamentos essenciais inconscientes geram as idéias, as análises, as sínteses, os pensamentos antecipatórios, as expectativas, inseguranças, reações de tolerância, complacência, os sentimentos de amor, de ódio, de raiva, etc. enfim, todas as finas construções intelecto-emocionais. Assim, o campo de energia psíquica está continuamente sofrendo a ação do *pool* de fenômenos que reorganizam o caos, que em seguida se desorganiza novamente. Assim, o campo de energia psíquica se organiza, desorganiza e se reorganiza continuamente a cada momento existencial, iniciando-se na vida intrauterina e perpetuando-se por toda a trajetória da vida humana.

Pensar e ser inteligente não são opções intelectuais do *Homo intelligens*, do homem pensante, mas são frutos de uma produção inevitável, contínua e espontânea de pensamentos na psique humana. Podemos monitorar a qualidade da produção das idéias, dos pensamentos, mas não conseguimos evitá-la.

O homem vive sob o regime da revolução das idéias. Desde a aurora da vida fetal ele produz continuamente matrizes de pensamentos essenciais inconscientes. Na vida extra-uterina, essas matrizes conquistarão pouco a pouco uma pista de decolagem virtual e se tornarão pequenos pensamentos conscientes, que pouco a pouco gerarão idéias mais complexas.

Se tivermos uma macrovisão da mente, poderemos dizer que o ser humano vive desde a vida intra-uterina uma leitura contínua e inevitável da memória, que resultará numa produção contínua das matrizes de pensamentos essenciais, que, por sua vez, resultará nos pensamentos conscientes. O homem é um engenheiro espontâneo de idéias. Ele não apenas produz idéias porque o "eu" determina que ele deva produzir idéias, mas porque o seu campo de energia psíquica se encontra num fluxo vital contínuo e inevitável de organização, desorganização e reorganização essencial.

O fluxo vital da energia psíquica indica que há na psique, pelo menos desde a aurora da vida fetal até o último suspiro existencial, uma operação inevitável dos processos de construção dos pensamentos. Essa operação faz com que cada ser humano seja um produtor de artes, de ciência, de técnicas, de relações sociais, de comunicação, enfim, um ser que vive sob o regime da revolução das idéias, o que enseja o processo de formação da personalidade e desenvolvimento da história psicossocial humana como um todo.

Os fetos pensam, e pensam muito, embora não pensem os dois tipos fundamentais de pensamentos conscientes, os pensamentos dialéticos e os antidialéticos, mas as matrizes dos pensamentos essenciais inconscientes que geram emoções contínuas. A criança pensa continuamente nas suas necessidades, vive explorando o mundo que a circunda, desenvolve fantasias e sonhos num fluxo vital.

Quem são os "mestres" dos fetos, que os ensinam a explorar o meio intra-uterino e os seus próprios corpos e desenvolver malabarismos nas piscinas de líquido amniótico? Quem são os "mestres" das crianças, após seus primeiros anos de vida, que as ensinam a identificar, no meio de centenas de milhares ou até de milhões de informações contidas em sua memória, que as dores e angústias que experimentam são cólicas, sentimentos de abandono, fome, sede etc.? São os fenômenos que atuam nos bastidores da mente que lêem a memória instintivo-genética e a memória histórico-existencial, e reorganizam o caos do campo da energia psíquica e estabelecem os processos de construção da inteligência.

Qualquer um se perderia numa cidade estranha ao procurar uma pessoa com um endereço incompleto; mas as crianças, desde a sua mais tenra infância e sem nenhum "endereço consciente", penetram nas complexas e obscuras "cidades inconscientes da memória" e encontram os endereços das informações corretas para expressar seus desejos, suas pequenas idéias. Os adultos também realizam esse espetáculo da construção centenas ou milhares de vezes por dia, sem saber como penetram com extremo acerto e rapidez nos labirintos de suas memórias. Quem são os nossos mestres? Os professores das escolas e os pais são apenas atores coadjuvantes dos fenômenos que atuam nos bastidores da mente. São eles que causam a revolução inevitável das idéias, que promovem o processo evolutivo da personalidade.

Os leitores estão continuamente sob o regime da revolução das idéias e, provavelmente, hoje produziram milhares delas. Os cientistas, os políticos, os psicólogos, os pais, os ideólogos, as pessoas místicas, enfim, todo e qualquer ser humano está produzindo um universo de pensamentos, análises, resgate de experiências passadas, antecipação de situações do futuro, inseguranças, expectativas, pensamentos sobre circunstancialidades existenciais.

A CONSTRUÇÃO MULTIFOCAL DOS PENSAMENTOS É INEVITÁVEL E NÃO PODE SER DETIDA

Quem pode deter os processos de construção dos pensamentos? Ninguém! É impossível deter o fluxo vital da energia psíquica.

Ainda que uma pessoa se enclausure para fins místicos, como os anacoretas, ela não conseguirá interromper o fluxo dos pensamentos, o fluxo das idéias. Mesmo uma pessoa autista, que tem relações tão frágeis com o mundo extrapsíquico, produz pensamentos continuamente, ainda que desorganizados ou que não remetam à socialização. Uma pessoa pode usar toda a sua capacidade intelectual para resistir à revolução das idéias, mas não terá êxito e, além disso, a própria tentativa de interrupção dos pensamentos já é um pensamento, já é uma idéia. Não existe o "nada intelectual", o "vácuo de pensamento", pois a "consciência do nada" é a "idéia ou pensamento do nada" e não o "nada em si".

A operação espontânea dos fenômenos que lêem a memória e que constroem cadeias de pensamentos, estimulam a formação do equipamento intelectual que estruturam os alicerces da personalidade. Todos os membros de nossa espécie formam, a cada geração, suas personalidades, e isso independentemente do ambiente e das condições sociais, econômicas, culturais em que vivem. O desenvolvimento qualitativo da personalidade depende das variáveis extrapsíquicas, mas o processo em si da formação da personalidade depende apenas da operação dos fenômenos inconscientes. Se o eu não atuar na inteligência e não produzir uma revolução de idéias qualitativas, ainda assim os fenômenos participantes da construção de pensamentos produzirão espontaneamente tal revolução, mesmo que seja não-qualitativa e não-direcionada para o desenvolvimento do humanismo e da cidadania.

A maior e mais importante revolução não é a revolução econômica, política e tecnológica, mas aquela que se opera clandestinamente na mente de cada ser humano. As outras revoluções são vítimas desta.

A construção da inteligência e da consciência existencial é inevitável na trajetória humana. Cumpre ao eu redirecionar e reorganizar essa construção, através de expandir sua capacidade de pensar, de trabalhar seus estímulos estressantes, de preservar sua emoção nos focos de tensão, de enriquecer seu humanismo. Se o eu não reorganizá-la, a personalidade se formará sem um direcionamento maduro, ou seja, através da leitura aleatória da história intrapsíquica e da produção psicodinâmica de pensamentos. Assim, o risco de desenvolver uma inteligência doentia, destrutiva, alienada, insegura, é grande, principalmente se as variáveis do processo educacional, do ambiente social e da carga genética forem inadequadas.

Nesses anos de pesquisa sobre a inteligência, compreendi que o homem moderno, devido à falência do processo educacional em desenvolver a capacidade crítica de pensar, em desenvolver o humanismo e a cidadania, associado à fragilidade do eu em administrar os pensamentos, tem grande dificuldade de liderar os fenômenos que tecem a colcha de retalhos da sua personalidade.

As idéias são definidas, aqui, como um conjunto de pensamentos que conceituam os eventos contidos no mundo que somos (ambiente intrapsíquico) e em que estamos (ambiente extrapsíquico). Através da construção contínua das idéias produzidas ou não pelo eu, o desenvolvimento da personalidade é estimulado (ainda que não qualitativamente), a história psicossocial do homem é desenvolvida, o conhecimento coloquial e científico é produzido, as relações humanas são geradas, a comunicação interpessoal é estabelecida.

Quando me reporto à revolução das idéias, não me refiro apenas aos simples pensamentos, fantasias, recordações, pensamentos antecipatórios, que são produzidos pela atuação dos fenômenos que atuam nos bastidores da mente, mas também à produção de idéias que é gerenciada, organizada, redirecionada pelo eu, tais como as análises, as sínteses, as idéias humanistas, as idéias que envolvem a racionalização de estímulos estressantes, a capacidade de trabalhar perdas, a consideração pelas dores e necessidades psicossociais do "outro".

A construção das idéias produzida apenas pela operacionalidade inconsciente dos fenômenos que lêem a história intrapsíquica, que reorganizam o caos da energia psíquica e geram os processos de construção da inteligência nem sempre é suficientemente elaborada, organizada, para desenvolver o humanismo, a cidadania e a capacidade crítica de pensar. A construção das idéias, estimulada e redirecionada pelo eu, auxiliada por um processo socioeducacional multidirecional e histórico-crítico-existencial, tem condições de aprimorar a capacidade de produção de pensamentos, produzindo a revolução da ciência, e de expandir o processo de interiorização, a arte de se colocar no lugar do outro e a capacidade de trabalhar as intempéries existenciais, promovendo o desenvolvimento do humanismo e da cidadania.

O MUNDO DAS IDÉIAS PRODUZIDO PELOS FENÔMENOS INCONSCIENTES E PELO EU

O ser humano vive um processo de construção da inteligência quantitativamente rico, que produz milhares de pensamentos diários, milhões anualmente. Todos esses pensamentos são registrados automaticamente na memória, gerando a sua complexa história intrapsíquica, da qual os fenômenos inconscientes se alimentarão para produzir novas cadeias de pensamentos. Se a construção da inteligência é quantitativamente rica, pode não o ser qualitativamente, principalmente se o eu não a compreender e não conseguir reorganizá-la, reorientá-la e redirecioná-la. Somos, freqüentemente, passantes existenciais, que percorrem as trajetórias das tendências sociais, mas que não criam raízes mais profundas dentro de si mesmos, que não aprendem a se interiorizar, a transitar pelos caminhos de nossa própria mente, a expandir a inteligência. Nosso sentido existencial é o sentido do "ter" e não o sentido do "ser"; por isso, só sabemos viver bem e com dignidade nos períodos de "bonança" da vida, mas temos grande dificuldade para lidar com nossas misérias, erros, perdas, dores e frustrações, que, às vezes, são imprevisíveis e inevitáveis.

As variáveis extrapsíquicas, tais como o processo educacional, a atuação dos pais, as interpretações psicoterapêuticas e as relações sociais como um todo não são capazes de causar nenhuma revolução intelectual, mas podem funcionar como catalisadoras de idéias, estimulando o eu a realizar essa tarefa psicodinâmica.

A produção das idéias, produzidas inconscientemente ou conscientemente, perdura, como disse, durante todo o processo existencial humano. É teoricamente ingênuo dizer que a personalidade se forma até certa idade, por exemplo, até os 6 ou 7 anos de idade, e a partir daí ela apenas cristalizará as características iniciais. De fato, na infância, ocorre na memória uma formação de áreas nobres da história intrapsíquica que alimentará os processos de construção dos pensamentos e da consciência existencial, subsidiando algumas diretrizes básicas da personalidade. Porém, se compreendermos o funcionamento da mente, verificaremos que em toda a trajetória existencial humana ocorre um fluxo da construção de pensamentos, que expandirá a evolução da personalidade.

Uma pessoa que possui um tumor cerebral, que acomete áreas da memória, ou que possui uma degeneração cerebral não muda radicalmente a estrutura da sua personalidade? Sim! Um intelectual pode se comportar como uma criança nessas condições. Por que? Porque houve perda e desorganização das informações contidas na memória. Portanto, mesmo em casos doentios, a mudança da personalidade passa por alterações dos segredos contidos na memória.

O homem, independentemente da sua idade e condição sociocultural, tem, a cada momento existencial, a oportunidade de rever seu processo de interpretação e expandir seu aprendizado, de reorganizar seus paradigmas socioculturais, seus padrões de reações, seus estereótipos sociais, contidos em sua memória. Enfim, é possível refinar em qualquer tempo o gerenciamento do eu sobre os processos de construção dos pensamentos e enriquecer a memória e a personalidade.

Há pessoas rígidas, que não reciclam nem expandem a "consciência crítica do eu", que se apegam às suas idéias, conceitos e paradigmas socioculturais como se fossem dogmas existenciais, pois têm medo de reconhecer e enfrentar sua fragilidade e imaturidade, de reorganizar criticamente suas posturas intelectuais. Tais pessoas diminuem o gerenciamento dos processos intelectuais; por isso, parece que nunca modificam o que pensam e sentem. A rigidez do eu pode reduzir qualitativamente as idéias produzidas espontaneamente no palco da mente, mas não pode interrompê-la, ainda que diariamente elas sejam produzidas quantitativamente.

Se observarmos a trajetória existencial de uma pessoa rígida, verificaremos que ela também constrói um universo de idéias, conceitos, percepções. Todavia, devido à dificuldade de repensar tais idéias e expandir seus horizontes, elas causam apenas uma pequena evolução na sua personalidade.

A psique do *Homo sapiens* é tão complexa e sofisticada que a dividirei didaticamente, para melhor desenvolver o discurso teórico, em *Homo interpres* e *Homo intelligens*. O *Homo interpres* é o homem que interpreta o mundo, que o reconstrói nos bastidores da mente. Interpretar não é um privilégio de uma casta de pessoas intelectuais; interpretar é um processo intelectual inevitável que todo ser humano realiza em toda a sua trajetória existencial.

Não recebemos o mundo, as pessoas, os animais, o universo físico, em sua essência intrínseca, mas o recebemos codificadamente, através dos estímulos sensoriais. Os estímulos sensoriais são invariavelmente interpretados, através dos fenômenos que lêem a memória e constroem as cadeias de pensamentos. Estas não representam a realidade essencial do mundo, mas a interpretação intelectual deste mundo. Portanto, o *Homo sapiens*, antes de ser *sapiens* ou um ser pensante, é um *Homo interpres*, um ser que interpreta. O *Homo interpres* gera a inteligência consciente do *Homo sapiens*. O *Homo interpres* representa o universo inconsciente da psique humana: a história intrapsíquica, os processos de construção da inteligência, os fenômenos que lêem a memória, as matrizes de pensamentos essenciais, as variáveis que atuam na construção de pensamentos.

O *Homo intelligens* representa a inteligência consciente do *Homo sapiens*, tais como as idéias, as análises, as sínteses, a lógica, os pensamentos antecipatórios, as recordações, o eu, a consciência das emoções, das motivações, a consciência do mundo extrapsíquico, etc. Porém, a inteligência consciente não surge por si mesma, mas é produzida pelos complexos processos de construção ocorridos nos bastidores da mente, ou seja, pelo *Homo interpres*. O *Homo interpres* gera, portanto, o *Homo intelligens*. Toda vez que o *Homo interpres* interpreta um estímulo e constrói cadeias de pensamentos conscientes, ele gera o *Homo intelligens*. O *Homo interpres* representa os processos de construção existentes no universo inconsciente e o *Homo intelligens* representa os processos de construção existentes no universo consciente. Ambos formam o homem total, o *Homo sapiens*.

O *Homo sapiens* não é apenas um *Homo intelligens*, ou seja, um ser inteligente, um ser pensante, mas é acima de tudo um *Homo interpres*, ou seja, um ser que constrói sua inteligência, sua capacidade de pensar, através de complexos e de sofisticados processos da interpretação inconsciente. Vivemos o processo de interpretação em toda a nossa trajetória existencial; até os pensamentos que temos sobre nossas angústias, fobias, inseguranças, prazeres, não representam a realidade em si dessas emoções, mas uma interpretação dessas emoções. As interpretações substituem a realidade essencial dos estímulos. Porém, como veremos, essa substituição, ainda que seja rica em idéias, é sempre redutora e passível de inúmeras distorções.

O *Homo sapiens* é um ser que respira a interpretação em toda a sua trajetória existencial. Até as pessoas psicóticas interpretam complexamente o mundo, ainda que sem lógica e parâmetros psicossociais.

O *Homo interpres* é expresso pelo conjunto de variáveis intrapsíquicas inconscientes que atuam nos bastidores da mente, bem como pelos grandes processos de construção da inteligência. As variáveis intrapsíquicas flutuam e evoluem a cada momento existencial; por isso direi que há um *Homo interpres* micro ou macrodistinto também a cada momento. Ainda que possamos ficar chocados, temos de ter consciência de que não somos intelectualmente lineares e estáveis, mas seres distintos a cada momento.

Somente o mundo da matemática é estável; o mundo físico, e principalmente o mundo psíquico, são dinâmicos, são micro ou macrodistintos a cada momento existencial, o que resulta em micro ou macrodistorções da interpretação diante de um mesmo objeto ou estímulo contemplado. O mundo das idéias, da cultura, dos paradigmas sociais, das artes, da ciência, se encontra num processo continuamente evolutivo, ainda que não qualitativo. A história humana é um testemunho vivo desse princípio psicossocial.

O *Homo interpres* produz uma infinidade de cadeias de pensamentos que se manifestam conscientemente como *Homo intelligens*. Devido às variáveis nos bastidores da mente (*Homo interpres*) interpretamos de maneira distinta os estímulos idênticos ou semelhantes e produzimos, com isso, idéias, pensamentos, análises distintas sobre eles nos palcos conscientes da inteligência (*Homo intelligens*). Por isso, mesmo se o *Homo intelligens* (consciência do eu e os pensamentos conscientes) for rígido, ainda assim ele experimentará clandestinamente microrrevoluções de idéias nos bastidores da sua mente (*Homo interpres*), que modificarão algumas posturas existenciais, maneira de pensar e ser, enfim, algumas arestas psicodinâmicas da sua personalidade. Até na velhice podem ocorrer riquíssimas revoluções construtivas, importantes revoluções das idéias, principalmente se aprende a se interiorizar, a expandir a capacidade crítica de pensar em seu processo de interiorização, sua análise das causas históricas e circunstancialidades psicossociais, seu humanismo, enfim, se alguém aprende a ser continuamente um caminhante nas avenidas do seu próprio ser.

Se o eu tivesse plena liberdade de atuar na construção de pensamentos e na transformação da energia emocional, poderíamos pensar que a vida humana seria um "mar de prazeres", o que, como comentei, é muito discutível. Além disso, se o eu tivesse tal liberdade, a inteligência humana correria sérios riscos, pois numa situação de *stress* psicossocial e de dor inadministrável, ele poderia apagar da memória a "imagem histórica" das pessoas íntimas que nos frustram. Assim, em segundos ou fração de segundo, apagaríamos a riquíssima história existencial que demoramos décadas para construir, o que traria uma destrutividade imprevisível nas relações humanas e na formação da consciência existencial.

Os limites do eu em atuar no seu próprio mundo intrapsíquico comprometem a sua liderança; comprometem o seu governo plenos sobre a construção dos pensamentos, sobre a formação da história intrapsíquica, sobre a reorganização dos conflitos intrapsíquicos e psicossociais, sobre o processo de transformação da energia emocional etc.; porém também trazem, ao mesmo tempo, grande proteção contra a autodestrutividade humana, impedindo o "suicídio da história intrapsíquica", o "suicídio da consciência existencial". Além disso, tais limites tornam a própria psique o centro vital de entretenimento humano, pois vive sob o regime contínuo da construção das idéias não-autorizadas pelo eu. Assim, pelo fato de o homem ser um engenheiro espontâneo de idéias, um construtor de pensamentos sobre situações do futuro, um ruminador de experiências passadas, um arquiteto de pensamentos sobre circunstâncias existenciais, ele constrói uma fonte vital de entretenimento, que contribui para superar sua dramática solidão da consciência existencial e para promover a evolução da sua personalidade e da sua história psicossocial.

A REVOLUÇÃO DAS IDÉIAS PRODUZIDA PELOS FENÔMENOS INCONSCIENTES, PELO EU, PELO PROCESSO EDUCACIONAL E PELA CARGA GENÉTICA

A revolução das idéias é "gerada espontaneamente" pelo fluxo vital da energia psíquica, é "provocada, catalisada ou estimulada" pelo processo socioeducacional, é "influenciada" pela carga genética e é "organizada" pelo eu. Não existe destino humano previsível; não existe previsibilidade rígida na trajetória humana. Ninguém controla todas as variáveis dos processos de construção da inteligência; por isso, não é possível "fabricar" ou programar a personalidade humana, pois é impossível controlar determinadas variáveis.

Muitos teóricos da personalidade não compreenderam alguns labirintos do seu processo de formação. A personalidade é "gerada espontaneamente" pelo fluxo vital dos fenômenos que fazem a leitura da história intrapsíquica, reorganizam a energia psíquica e geram a construção da inteligência; a personalidade é "provocada, catalisada ou estimulada" pelo processo socioeducacional através da atuação no processo de formação do eu e da história intrapsíquica arquivada na memória; a personalidade é "influenciada" pelos microcampos de energia físico-química gerados pelo metabolismo cerebral e que foram construídos pela agenda da carga genética; a personalidade é organizada pelo gerenciamento do eu sobre os processos de construção da inteligência.

O processo socioeducacional (expresso pelas experiências que constituem a nossa história intrapsíquica e pelas circunstancialidades psicossociais do presente), a "carga genética" (expresso pelo metabolismo neuroendócrino), os fenômenos que lêem a memória, as variáveis intrapsíquicas que cointerferem nos bastidores da mente e o eu (expresso pelo gerenciamento da construção de pensamentos) levam o homem total não apenas a ser complexo, mas a ter uma complexidade multivariável, um ser que vive sob a influência de variáveis multifocais. Por isso, dizer que a personalidade humana se constrói sob o tripé da carga genética, do ambiente social e dos fatores psicológicos é indubitavelmente simplista, reducionista.

Temos múltiplas variáveis que atuam no processo de formação da personalidade. A carga genética e o ambiente socioeducacional são duas variáveis complexas; porém, associados a elas, temos os fenômenos que lêem a memória. Temos também um conjunto significativo de variáveis, tais como o fenômeno da psicoadaptação, a história intrapsíquica, a ansiedade vital, a energia emocional etc., que atuam a cada momento da interpretação e na construção das cadeias de idéias.

Ora somos vítimas das duas primeiras variáveis, genética e socioeducacional, ora somos agentes modificadores da nossa história psicossocial. Às vezes, somos atores coadjuvantes das variáveis intrapsíquicas, tais como a energia emocional e o fenômeno da psicoadaptação, que atuam nos processos de construção dos pensamentos ou, às vezes, funcionamos como atores principais do processo de formação da personalidade, através do gerenciamento do eu. Às vezes, ainda, figuramos como meros espectadores dos espetáculos intrapsíquicos produzidos pelos fenômenos que lêem a memória e que constroem as cadeias de pensamentos e as transformações da energia emocional.

Quem somos? É difícil de responder. Somos vítimas e, ao mesmo tempo, agentes modificadores de nossa história psicossocial. Somos os tijolos e a argamassa provenientes da carga genética e do processo socioeducacional e, ao mesmo tempo, somos os construtores da arquitetura intelectual ou, então, meros assistentes dos fenômenos intrapsíquicos que se encontram num fluxo vital contínuo e inevitável. Quem somos? Somos vítimas, agentes modificadores, espectadores passivos, atores principais, atores coadjuvantes, diretores e autores do *script* de nossas histórias intrapsíquicas e psicossociais. Da qualidade do exercício dessas funções dependerá a qualidade da personalidade que teremos, a qualidade de nossa sanidade psicossocial, a qualidade de nossas produções intelectuais, a qualidade de nossas relações sociais, do nosso humanismo e cidadania, a qualidade de nossas capacidades de trabalhar dores, perdas e frustrações existenciais e as possíveis doenças psíquicas, psicossomáticas e psicossociais que teremos.

As pessoas rígidas, agressivas e auto-suficientes são freqüentemente, ao contrário do que pensam, marionetes dos fenômenos que atuam inconscientemente e espontaneamente nos bastidores da mente. As pessoas instáveis e hipersensíveis são controladas pelas circunstancialidades psicossociais, vivem excessivamente preocupadas com o que os outros pensam e falam delas; por isso os estímulos estressantes, as perdas e as contrariedades causam um "eco introspectivo" inadministrável. As pessoas hipercinéticas (hiperativas) ou com uma influência genética marcante para o humor (ex., depressão distímica, que se desenvolve no processo evolutivo da personalidade) vivem debaixo do controle dos microcampos de energia físico-química que se transmutam ou se transformam no campo de energia psíquica e afetam quantitativamente e qualitativamente a leitura da história intrapsíquica. No caso das pessoas hiperativas, elas promovem uma hiperconstrutividade de pensamentos e uma hipertransformação da energia emocional e motivacional, que as faz rejeitar a rotina com freqüência, procurar desafios continuamente e ter uma hiperatividade psicomotora. Esses três exemplos indicam que o eu tem apenas controle parcial do fluxo vital dos fenômenos inconscientes da mente, do meio ambiente e da carga genética.

Reitero: ninguém pode deter os processo que constroem o mundo das idéias e as vias fundamentais da inteligência. Reis e ditadores quiseram silenciar a mente humana provocando o terror, cerceando a liberdade e produzindo as mais diversas formas de opressão, de violação dos direitos humanos; mas eles caíram ou morreram, e a contínua produção de pensamentos ocorrida na mente daqueles que continuaram vivos modificou e reorganizou os sistemas políticos. Ninguém que queira colocar a mente humana num cárcere sobreviverá.

Há um clamor inconsciente e irrefreável de liberdade que emana do cerne da alma humana. O socialismo desmoronou-se, o capitalismo se reciclará, o nazismo foi esmagado, a globalização econômica sofrerá modificações, os estereótipos sociais estão em transição etc. O homem é vítima e agente modificador da sua história. É impossível não ser vítima da história, tanto da história social quanto da história intrapsíquica, mas cumpre ao homem exercer com dignidade, dentro do espaço intelectual possível, a função de agente modificador da sua história, expandindo sua qualidade de vida psicossocial e cultivando os direitos humanos.

A evolução das funções mais nobres da mente e a evolução da história psicossocial do homem não é unidirecional e cumulativa, como os conhecimentos nas ciências físicas e o desenvolvimento tecnológico. Infelizmente, apesar do impressionante salto da espécie humana, da memória genético-instintiva para a memória histórico-existencial, que propiciou as avenidas fundamentais para que ela desenvolva a espetacular construtividade de pensamento e a sofisticadíssima consciência existencial, é questionável se somos uma espécie viável, pois as violações dos direitos humanos não foram casuísmos históricos, mas fizeram e ainda fazem parte da rotina das sociedades.

A HISTÓRIA COMO LEME INTELECTUAL. A MORTE DA HISTÓRIA E SEU RENASCIMENTO

Nas sociedades modernas, as pessoas estão ocupadas com a cotação do dólar, em comprar ou vender ações nas bolsas de valores, com o último lançamento da moda em Paris, com as novas surpresas da tecnologia de ponta, em expandir seus *status* sociais, mas poucas pessoas procuram se interiorizar e conquistar uma macrovisão da psique e uma macrovisão histórico-crítica da história da espécie a que pertencemos. Provavelmente, muitos professores universitários têm institucionalizado inconscientemente sua liberdade de pensar, sua consciência crítica, comprometendo sua macrovisão da história humana sob a luz dos holofotes dos processos de construção dos pensamentos.

Pelo fato de ter tido uma dedicação intensa, há muitos anos, em pesquisar os processos de construção dos pensamentos e escrever este livro, raramente aceitei convites para proferir palestras sobre a produção de conhecimento que desenvolvo. Porém, um dia, aceitando um convite de uma universidade, dei uma palestra para professores universitários de História e de Filosofia, e para alunos do último ano desses cursos. O tema que escolhi foi "a revolução das idéias e a interpretação do outro". Eu sabia que iria comentar assuntos diferentes daqueles que comumente ouviam, e que também iria fazer várias críticas a alguns paradigmas socioculturais e a algumas convenções do conhecimento, mas não sabia qual seria a recepção deles, mas fiquei impressionado com o nível de interesse e participação.

Os assuntos que eu abordava eram tão diferentes do que ouviam ou liam, que parecia que eu estava diante de uma platéia atônita. Eu percebia que eles compreenderam, ainda que minimamente, que nos bastidores de sua mente ocorria inevitavelmente uma riquíssima revolução das idéias. Sentia que havia despertado nos ouvintes, ao longo da exposição, um desejo de se interiorizar e de promover essa produção de idéias e redirecioná-la para a expansão da consciência crítica, do humanismo, da cidadania e dos mecanismos de superação das suas intempéries existenciais.

Além de fazer uma exposição sucinta dos fenômenos que atuam inconscientemente e que geram a construção de pensamentos, comentei as possíveis distorções que ocorrem na interpretação do outro e na interpretação da história. A respeito da interpretação da história, evidenciei que, sem considerarmos os processos de construção da inteligência e sem procurarmos fazer uma exposição multifocal e teatralizada dos fatos, desesperos, angústias existenciais, destrutividades e circunstancialidades contidos nos momentos históricos, nós matamos a história, despersonalizamos a história, reduzimos as tensões e as idéias nela contidas.

Citei o exemplo de Sócrates condenado à cicuta,[9] ou seja, à morte por envenenamento devido ao tumulto sociopolítico que suas idéias causaram na época. Disse que um professor poderia comentar esse momento histórico de maneira "intelectualmente superficial", "historicamente despersonalizada", sem se transportar interpretativamente ao lugar de Sócrates, sem perceber a dramaticidade psicossocial daquele momento histórico e, conseqüentemente, sem promover a arte de pensar dos alunos e, o que é pior, sem estimular a consciência crítica deles. Essa transmissibilidade superficial e despersonalizada da história reproduz "a-historicamente" o conhecimento histórico, retransmite apenas as letras "mortas" dos livros de história. A transmissibilidade unifocal e "a-histórica" não reconstrói, ainda que minimamente, a história real, não reaviva a história; por isso, ela gera uma platéia de espectadores passivos do conhecimento e não de pensadores que tenham consciência crítica sociopolítica.

A transmissibilidade despersonalizada do conhecimento histórico provoca a morte da interpretação da história e não estimula a formação de pensadores. Embora existam exceções, esta frase resume minha crítica: "A história, que está morta nos livros, é enterrada pelos professores universitários e secundaristas e assistida por uma platéia de espectadores passivos no velório da sala de aula..."

Um povo sem consciência crítica da sua história vive um presente sem futuro, sem leme intelectual, sem proteção contra seus próprios erros e sem direção psicossocial.

O drama intelectual da transmissibilidade fúnebre do conhecimento, que informa mas não provoca a inteligência, que introduz as idéias mas não constrói a consciência crítica, não ocorre apenas no conhecimento histórico, mas em todas as áreas das ciências, principalmente no campo das ciências da cultura, ou seja, na Psicologia, na Sociologia, na Educação, na Filosofia.

As salas de aula se tornam, não poucas vezes, um cemitério de idéias. Nelas, as informações são transmitidas com técnicas e eficiência psicopedagógica, porém de maneira fria, não viva, incapaz de provocar o desenvolvimento da inteligência, estimular o debate das idéias, catalisar o desenvolvimento da consciência crítica. No que tange ao conhecimento histórico, há uma grande diferença entre transmitir exteriorizadamente e "a-histórico-crítico-existencialmente" as informações históricas do que reconstruí-las interpretativamente e procurar vivenciá-las psicossocialmente. Fazer um transporte psicossocial da interpretação dos momentos históricos, até de nossas histórias intrapsíquicas, e analisá-los detalhadamente é fundamental para que a história se torne o leme intelectual do presente.

A transmissibilidade superficial da história, que apenas remete à lembrança psicopedagógica da história, não tem condições de desenvolver a consciência crítica e sociopolítica dos alunos. Quando os professores abordam a discriminação racial nas salas de aula, tal como a discriminação dos negros, se eles não forem eficientes em levar os alunos a realizarem uma interpretação dos momentos históricos abordados, em orientá-los quanto a se colocar psicossocialmente no lugar dos negros, a perceber suas necessidades psicossociais, a compreender a dor da negação da espécie, eles, os professores, contribuirão indireta e inconscientemente com a perpetuação da discriminação racial. Os professores, ao transmitir informações como lembranças históricas e não como reconstruções histórico-existenciais, não provocam o debate de idéias, não catalisam a consciência crítica e sociopolítica dos alunos, não os formam como pensadores humanistas. A decorrência psicossocial dessa transmissibilidade do conhecimento histórico é que o fenômeno da psicoadaptação, que é um fenômeno intrapsíquico inconsciente, leva os alunos a se adaptar psiquicamente à miséria da discriminação, perpetuando algumas de suas raízes.

O homem tem uma capacidade de psicoadaptação incrível. Ele pode-se adaptar àquilo que mais rejeita. Pode-se adaptar às maiores misérias sociais, às maiores injustiças e até à sua própria doença. O fenômeno da psicoadaptação, se não trabalhado adequadamente, leva-nos a perder a sensibilidade e a capacidade de lutar e transformar nossa história e os fenômenos do meio social. Essa é a face negativa desse fenômeno, e a face positiva é que ele impulsiona a inteligência, estimula o mundo das idéias.

O fenômeno da psicoadaptação pode impulsionar a criatividade humana. Ele gera o tédio, a rotina e a solidão, perceptíveis ou imperceptíveis. Estes fazem com que o homem crie novas idéias para superá-las.

Creio que muitos historiadores, pesquisadores e professores de história, que têm consciência crítica e sociopolítica da história, que a consideram um leme intelectual fundamental da evolutividade e da aplicabilidade da ciência e do desenvolvimento qualitativo das sociedades humanas, concordam que a maioria dos alunos, seja dos cursos das ciências da cultura, seja dos cursos das ciências físicas e biológicas, não se tornam intelectuais que apreciam e que sabem utilizar a história social, a história da ciência, a historiologia (filosofia da história) e até a história intrapsíquica (armazenada na memória) como leme intelectual. Não há como eximir o sistema acadêmico de culpabilidade, pelo menos parcial, nesse processo socioeducacional superficializante.

Muitas misérias humanas foram perpetuadas pela ineficiência do sistema educacional em produzir pensadores psicossociais, homens que tenham consciência crítica, que tenham consciência sociopolítica. A maioria dos homens que foram líderes destrutivos de nossa espécie também sentaram-se nos bancos de alguma escola em alguma fase de sua vida. Se os alunos nunca fizeram uma interpretação multifocal das discriminações; se nunca vivenciaram, ainda que minimamente, o ódio, a dor, o desespero, a indignação, a humilhação e a angústia existencial de um ser humano submetido à escravidão, à discriminação e à opressão pelos membros da sua própria espécie, se nunca analisaram a dor psicossocial indescritível de ser considerado uma escória humana, nunca poderão contribuir com a expansão das idéias humanísticas, nunca funcionarão como agentes psicossociais capazes de "se vacinar", e aos seus íntimos, contra qualquer forma de discriminação.

A história precisa ser reconstruída, através de uma transmissibilidade teatralizada, viva, psicossocial. Caso contrário, ela será pobre e superficial, como ocorre com muitos jornais televisivos, em que o jornalista transmite a dor e a miséria do "outro" sem emoção e, em seguida, bruscamente, abre um sorriso largo ao dar uma notícia positiva. Assim, nos adaptamos psiquicamente à miséria do "outro".

Todo professor de história deveria ser, ainda que minimamente, um ator e um diretor teatral; deveria ter uma "fala" teatralizada; deveria vivenciar a história que está morta nos livros e estimular seus alunos a vivenciá-la, analisá-la com consciência crítica; deveria levá-los a apreciar e debater o mundo das idéias.

As escolas, na minha opinião, por terem funcionado freqüentemente, ao longo dos séculos, como cemitério de idéias históricas, como transmissoras unifocais e exteriorizantes do conhecimento, tiveram participação passiva na perpetuação das misérias psicossociais e nas discriminações intelectuais, raciais, sexuais, por estética, por idade.

Nunca ouvi falar de uma universidade que alimentou uma indignação visceral contra o racismo, contra a desinteligência e a falta de humanismo da discriminação de seres humanos pela fina camada de cor da pele, promovendo a greve dos seus professores e alunos! As universidades tomaram para si mesmas uma grande responsabilidade por se posicionarem histórica e autoritariamente como centro da produção e validação do conhecimento científico e como centro da produção de intelectuais. Porém, não tem cumprido com adequação essa responsabilidade, principalmente no campo sociopolítico, na formação de pensadores capazes de provocar a revolução do humanismo, da cidadania e da democracia das idéias. Elas formam homens que pensam, mas não os formam coletivamente.

A transmissão superficial do conhecimento, associada à redução do exercício intelectual da arte da formulação de perguntas, da arte da dúvida e da crítica, se tornaram grandes causas que promovem a falência do sistema acadêmico. Se 100% dos membros de uma sociedade tiverem formação universitária com alto nível de informação e títulos de pós-graduação, ainda assim, não existem garantias de que a capacidade de interiorização, a qualidade de vida psicossocial, a cidadania e a preservação dos direitos humanos seriam coletivamente desenvolvidas. Os sistemas socioeducacionais das sociedades modernas tornaram-se protagonistas da propagação de uma doença psicossocial epidêmica que atinge a maioria dos estudantes, chamada de "mal do *logos* estéril" (mal do conhecimento estéril).

O "mal do *logos* estéril" é uma doença psicossocial que possui uma rica sintomatologia, expressa, entre outros sintomas, pela incorporação do conhecimento, sem crítica, sem deleite, sem sabor, sem dúvida, sem utilidade humanística, sem desafio, sem aventura, o que aborta não apenas a consciência crítica e sociopolítica, mas também o desenvolvimento do humanismo, da cidadania e o engajamento em projetos sociais.

Na palestra que citei, procurei reconstruir interpretativamente a história de Sócrates, conduzindo os ouvintes a se colocarem "interpretativamente" no lugar dele e a analisarem as possíveis angústias existenciais, ansiedades, reflexões, que ele poderia ter experimentado naquele dramático momento: momento de hesitação, de intensa dor emocional, de dúvida existencial; momento este em que teria que decidir por sobreviver e negar as suas idéias, inclusive sua crítica à mitologia grega, ou morrer, por ser fiel a elas. Que drama existencial! Eu sentia que, enquanto reconstruía interpretativamente a história de Sócrates, temperando-a com a consideração sobre a revolução da construção dos pensamentos ocorrida nos bastidores da sua mente, ainda que essa reconstrução fosse limitada e contivesse distorções inevitáveis, meus ouvintes não se posicionavam como espectadores passivos do conhecimento, mas foram incitados ao debate das idéias e a aprimorar sua consciência crítica. Foram transportados para aquele momento histórico e estimulados a analisar o drama psicossocial de Sócrates e sua opção pela fidelidade às suas idéias.

Após a palestra, não apenas vários alunos me procuraram, mas também alguns professores de Filosofia e História. Esses professores não se constrangeram em reconhecer que precisavam expandir sua visão sobre a psique, repensar criticamente o que pensavam sobre a exposição psicopedagógica da história e, além disso, expressaram a necessidade de aprender a fazer uma interpretação dela, objetivando o debate das idéias e o desenvolvimento da consciência crítica dos alunos.

Ainda nesta palestra, também abordei que, de um modo geral, as sociedades modernas estão doentes psicossocialmente, porque têm vivido epidemicamente a síndrome da exteriorização existencial e o "mal do *logos* estéril", o que propicia grandes dificuldades para nos colocarmos no lugar do "outro" e reconstruir interpretativamente as suas dores e necessidades psicossociais, independentemente de sua condição sociofinanceira, racial, cultural. O homem moderno tem vivido na superfície da mente, delira em função do consumismo, experimenta um êxtase quando está diante de um jogo esportivo ou de um artista da sua preferência, mas pouco aprecia o mundo das idéias, pouco é estimulado a transitar pelas avenidas do seu próprio ser.

Embora o homem moderno esteja vivendo com "ufanismo" e perplexidade as maravilhas da ciência e da tecnicidade, principalmente no campo da computação, esse "ufanismo" e perplexidade esconde o superficialismo intelectual, pois desconsidera a insuperabilidade do espetáculo da construção dos pensamentos que ocorre, a cada momento existencial, nos bastidores da mente de cada ser humano.

Dei-lhes o exemplo da construção da consciência existencial de uma mãe, financeiramente pobre, que sai pelas ruas pedindo ajuda para saciar a fome de seu filho. A construtividade de pensamentos dialéticos e antidialéticos gera uma consciência existencial extremamente complexa, que, no caso dessa mãe, a faz reconstruir interpretativamente a angústia do filho e a necessidade da sua sobrevivência, compreendendo que elas são seletivamente mais importantes do que a sua própria dor emocional, a sua miséria social e a humilhação psicossocial gerada pelo *status* de mendiga. A construtividade da consciência existencial dessa mãe não é um milímetro menos sofisticada do que a de um membro da Corte da Inglaterra, do que a dos homens mais ricos listados pela *Forbes*, do que a dos cientistas mais brilhantes que conquistaram o Nobel. Porém, apesar da complexa construtividade de pensamentos e da sofisticada formação da consciência existencial ser comum a todo ser humano, os níveis de respeitabilidade e desigualdade entre os membros da nossa espécie são gritantes, desinteligentes e desprovidos de humanismo.

Também comentei que a consciência existencial é tão complexa e sofisticada, que jamais será vivenciada por um computador, ainda que a humanidade se embriague de séculos e construa, através da expansibilidade da ciência e da tecnologia, inúmeras gerações de computadores. O espetáculo da construção da consciência existencial não depende apenas da quantidade de informações e dos níveis de organização das mesmas, mas de um conjunto de variáveis intrapsíquicas que co-interferem mutuamente para gerar uma construtividade de pensamentos livre e criativa. Tal construtividade, além de ultrapassar os limites da lógica, sofre um processo de leitura virtual, capaz de libertar o homem da dramática e indescritível solidão da consciência existencial e levá-lo a conquistar a consciência existencial (dialética e antidialética) do mundo intrapsíquico e extrapsíquico.

Ao analisar os processos de construção dos pensamentos produzidos nos bastidores da mente, compreendemos que tanto a prática da discriminação como a da supervalorização de uma minoria de seres humanos (intelectuais, artistas, líderes políticos, líderes místicos etc.) são desinteligentes.

Creio que, pela receptividade e pelo debate de idéias que surgiu "durante" e "após" a exposição do conhecimento nessa palestra, estimulei e catalisei, ainda que minimamente, a revolução das idéias que ocorre clandestina e espontaneamente nos bastidores da psique dos alunos e professores universitários. Entre os objetivos fundamentais das ciências da cultura não está a transmissibilidade da verdade para os alunos, pois esta, como veremos, é inalcançável, nem o torná-los meros retransmissores do conhecimento, mas levá-los a descobrir o mundo das idéias, estimulá-los ao debate delas, a questionar seus paradigmas socioculturais, a pensar antes de reagir, a desenvolver a arte da dúvida e da crítica, a desenvolver sua consciência crítica e sociopolítica e, conseqüentemente, a formá-los como pensadores humanistas, como agentes sociais.

Capítulo 13

O Processo de Interpretação e a Evolução Psicossocial

TODOS COMETEMOS TRAIÇÕES NO PROCESSO DE INTERPRETAÇÃO

Nestes textos estudaremos alguns fenômenos fundamentais que estão na base da formação da personalidade e da evolução social do homem. Algumas importantes perguntas serão respondidas. Como o homem desenvolve os alicerces básicos da sua personalidade? Qual é o real papel da educação nesse processo? Por que os manuais de educação pouco funcionam? Por que logo depois que uma teoria é produzida ela sofre uma curva ascendente de desenvolvimento, mas com o passar do tempo ela se estanca?

Compreenderemos que a inteligência prioriza a evolução da história intrapsíquica, da consciência existencial, da construção de pensamentos, da transformação da energia emocional, enfim, prioriza a revolução criativa e evolutiva das idéias e, conseqüentemente, o processo de desenvolvimento da personalidade. Ficaremos surpresos ao descobrir que não evoluímos em todos os campos da cultura apenas porque quisemos conscientemente evoluir, mas também porque temos fenômenos inconscientes que produzem essa evolução. A compreensão desses fenômenos revela-nos alguns segredos fundamentais da requintada capacidade de pensar e do desenvolvimento social de nossa espécie.

Além dessas questões, também compreenderemos duas atitudes anti-humanistas que saturam as sociedades modernas: a discriminação e o culto ao personalismo, que faz com que uma grande maioria superadmire uma minoria de políticos, intelectuais, artistas, líderes místicos e gravite em torno dela.

A discriminação procura anular o "outro", impedindo de alguma forma que ele seja livre, enquanto o culto ao personalismo anula a si mesmo e contrai a própria liberdade crítica de pensar. A discriminação e o excesso de admiração são duas faces da mesma doença da interpretação. Até mesmo nas ciências há essas duas atitudes anti-humanistas. Ambas abortam o mundo das idéias, maculam a inteligência. A ciência e as sociedades foram drasticamente prejudicadas por elas. Há diversas formas de discriminação e supervalorização intelectuais que circulam nas ciências.

Neste capítulo, farei uma exposição sobre o processo de interpretação gerando as mudanças contínuas nas idéias e pensamentos. O processo de interpretação é realizado pela atuação dos fenômenos que atuam desde a recepção de um estímulo físico (como, por exemplo, imagem, sons) e intra-orgânico (exemplo, droga ou medicamento psicotrópico) até a atuação do conjunto de fenômenos intrapsíquicos, nos bastidores da mente, que são responsáveis por gerar a construtividade de pensamentos, emoções e motivações.

Como me preocupo com a cidadania da ciência, ou seja, com a aplicação psicossocial da teoria que desenvolvo, farei a abordagem do processo de interpretação usando o exemplo da infidelidade da interpretação dos profissionais da Psicologia, da Sociologia, da Filosofia, da educação etc. com relação à teoria que abraçam e às distorções da interpretação ocorridas na observação dos fenômenos.

O excesso de admiração dos discípulos de um pensador por sua teoria pode abortar a liberdade crítica e criativa dos pensamentos, gerando discípulos que são apenas retransmissores do conhecimento, mas não pensadores capazes de expandir qualitativamente as idéias.

Utilizar uma teoria é importante; mas admirá-la excessivamente e gravitar em torno dela é uma doença anti-humanística e desinteligente da interpretação, pois aborta a capacidade crítica de pensar.

É criticável o sistema de discipulado que há nas ciências, cultivada pela admiração excessiva de um discípulo pela teoria ou pelo teórico que a produziu, ou até mesmo pela corrente eclética de pensamento que abraça. Dizer-se freudiano, junguiano, spinosista, hegeliano, marxista, piagetiano etc. é uma ofensa à inteligência, é uma ingenuidade empírica, pois, como veremos, todos os discípulos traem interpretativamente, nos bastidores de sua mente, a teoria que adotam. A defesa radical de uma teoria nos coloca num cárcere intelectual, num aprisco teórico.

Todos os discípulos são micro ou macroinfiéis aos seus mestres, pois fazem micro ou macrotraições da interpretação quando utilizam as teorias que eles produziram, devido ao sistema de co-interferência de variáveis presentes, a cada momento, nos processos da construção de pensamentos. Essa frase, que parece uma crítica, na realidade esconde alguns segredos da evolução psicossocial do homem.

Para ilustrar o processo de infidelidade da interpretação ocorrida nas ciências, tomarei o exemplo dos psicoterapeutas e suas relações com a teoria psicológica. Os psicanalistas que se dizem radicalmente freudianos, tanto os professores nas faculdades de Psicologia como os psicoterapeutas pertencentes aos institutos de Psicanálise, embora objetivem ser fiéis à Psicanálise, sempre foram, ainda que inconscientemente, infiéis à teoria psicanalítica, sempre traíram Freud.

Não há discípulos fiéis nas ciências e na produção cultural. Essa afirmação pode inquietar muitos psicoterapeutas e muitos cientistas que utilizam uma teoria como suporte da interpretação, mas ela é uma realidade inevitável, pois é fundamentada em princípios universais ligados ao processo de interpretação e, conseqüentemente, ao processo de construção dos pensamentos.

Todos os seres humanos são micro ou macrotraidores da interpretação, mesmo que apreciem a fidelidade teórica e se esmerem por alcançá-la. Porém, jamais deveríamos pensar que a traição da interpretação a que me refiro, que acontece nos bastidores inconscientes da inteligência, é um processo maléfico ou destrutivo; pelo contrário, ela expande as possibilidades de construção da teoria, promove a revolução das idéias, contribuindo significativamente para a evolução do conhecimento.

Quando contemplamos um mesmo quadro de pintura em dois momentos distintos ou quando sofremos uma mesma ofensa também em dois momentos, era de se esperar que o processo de interpretação gerasse a mesma qualidade e quantidade de cadeias de pensamentos e de transformações da energia emocional nos dois momentos, já que os estímulos interpretados foram os mesmos. Porém, o processo de organização, caos e reorganização da energia psíquica não sofre ação apenas do estímulo observado, mas da história intrapsíquica (arquivada na memória), da qualidade da energia emocional e motivacional, do gerenciamento do eu, do fenômeno da autochecagem da memória, do fenômeno da psicoadaptação etc., que são variáveis intrapsíquicas que flutuam e evoluem a cada momento existencial. Como o campo de energia psíquica está num fluxo vital contínuo de autotransformações essenciais, essas variáveis também estão em contínuo processo de transformação. Disso podemos concluir que um mesmo observador pode, em dois momentos diferentes, produzir cadeias de pensamentos e experiências emocionais distintas diante da contemplação de um mesmo estímulo.

O processo de interpretação conduz o homem, ainda que ele não tenha consciência disso, a realizar micro ou macrotraições da interpretação. Por isso, num momento, podemos ficar inspirados ao contemplar o belo contido num quadro de pintura; noutro momento podemos ficar inertes diante dele. Num momento, podemos ficar profundamente angustiados com determinada ofensa; noutro, podemos ficar insensíveis ou pouco angustiados diante da mesma ofensa, produzida pelo mesmo ofensor num mesmo ambiente. A construtividade de pensamentos ultrapassa os limites da lógica.

O processo de traição da interpretação, caracterizado pelas modificações das variáveis intrapsíquicas e, conseqüentemente, da produção de conhecimento (pensamento consciente) diante da contemplação dos estímulos extrapsíquicos (comportamento das pessoas, imagens, sons etc.) e intrapsíquicos (fantasias, idéias antecipatórias, angústias, reações fóbicas etc.) contribui significativamente, como veremos, não só para a evolução espontânea de uma teoria, mas também para a evolução do homem em todos os seus amplos aspectos psicossociais, tais como a evolução das correntes literárias, da pintura, da arquitetura, dos paradigmas socioculturais, do pensamento filosófico. As traições da interpretação, ocorridas espontaneamente nos bastidores da mente de cada ser humano, contribuem também para a evolução do processo de formação de sua personalidade e de sua história.

As traições da interpretação ocorrem desde a aurora da vida fetal, pois nessa fase já se inicia, como comentarei, a produção das matrizes dos pensamentos essenciais (inconscientes) a partir da leitura multifocal da memória pelo fenômeno da autochecagem da memória e pelo fenômeno do autofluxo. A construção de cadeias de pensamentos sofre a influência de múltiplas variáveis, gerando inúmeras distorções inconscientes. Do ponto de vista teórico, isso deve ocorrer até quando a mente dos fetos interpreta os mesmos estímulos intra-uterinos. Provavelmente, em muitas situações os fetos não produzem as mesmas matrizes de pensamentos inconscientes e as mesmas reações emocionais diante dos mesmos estímulos. Tais distorções da interpretação enriquecem as experiências psíquicas e a formação da história intrapsíquica fetal.

Sem a existência das micro ou macrotraições da interpretação, que muitas vezes são produzidas de modo clandestino na mente, a revolução da construção de novas idéias seria abortada e, assim, a história humana seria paralisante, uma mesmice.

Há, na Sociologia e na Psicologia, um grande conhecimento das evoluções psicossociais determinadas e promovidas pelo "eu", ou seja, do "eu" como agente histórico das evoluções, produzindo arte, construindo relações sociais, produzindo conhecimento científico, transmitindo conhecimento etc. Contudo, provavelmente essas ciências ainda não incorporaram o conhecimento das sofisticadas evoluções psicossociais espontâneas e inconscientes ocorridas na clandestinidade da mente humana, geradas pelos complexos sistemas de co-interferências das variáveis da interpretação, capazes de levar o homem a fazer micro ou macrointerpretações diante da exposição dos mesmos estímulos ou de estímulos semelhantes e, conseqüentemente, levá-lo a realizar micro ou macroproduções distintas do conhecimento diante da contemplação de um mesmo estímulo em dois momentos diferentes.

Essa exposição é tão séria, que implica dizer que os juízes, os jurados, os promotores, os políticos, os psicoterapeutas, os médicos etc. possuem, a cada momento existencial, micro ou macrodistorções em seus processos de interpretação diante dos mesmos estímulos, gerando micro ou macrodistinções nas suas idéias e decisões. A produção de pensamentos não é linearmente lógica, principalmente quando ela se refere às questões existenciais que envolvem interpretações mais complexas. A isenção completa de ânimo, de distorções da interpretação, da participação de nossa própria história em nossas observações e julgamentos é impossível. Porém, é possível aprender a nos esvaziar dos tendencialismos, principalmente se vivenciarmos, no processo de interpretação, a arte da dúvida, a arte da crítica e a busca do caos intelectual, que são importantíssimos procedimentos de pesquisa e análise.

Devemos olhar a ciência e as relações sociais da perspectiva da democracia das idéias. No campo da democracia das idéias, o que se exige não é a busca radical da fidelidade da interpretação, a eliminação radical das distorções da interpretação, mas o desenvolvimento de uma consciência crítica dessas distorções e uma busca de fidelidade a essa consciência.

AS DISTORÇÕES NA INTERPRETAÇÃO E SUA RELAÇÃO COM A EVOLUÇÃO DA PERSONALIDADE

As infidelidades da interpretação são multifocais, ocorrem em todas as esferas do processo de interpretação. Elas ocorrem na ciência, quando um cientista contempla um estímulo em dois momentos distintos. Elas ocorrem no processo de utilização de uma teoria. Também ocorrem com relação à própria história intrapsíquica, ou seja: quando recordamos o passado, nunca o fazemos de maneira original, mas reconstruímos interpretativamente o passado. Nessa reconstrução cometemos invariavelmente micro ou macrotraições com relação às suas dimensões. Por isso, as recordações de nossas dores e angústias existenciais são reduzidas em relação às experiências originais.

O homem, desde sua vida fetal, embora utilize contínua e intensamente sua história intrapsíquica arquivada em sua memória, nos processos de construção dos pensamentos "trai" inconscientemente essa história quando contempla estímulos semelhantes, pois no processo de leitura e utilização da mesma ocorre, como disse, diversos sistemas de co-interferências de variáveis da interpretação que provocam diferenças na interpretação e, conseqüentemente, nos limites e no alcance das idéias, das análises, da síntese, da lógica dos pensamentos e das reações emocionais produzidas.

A conclusão psicossocial e filosófica dessa importante abordagem teórica é que somos intelectualmente diferentes a cada momento. Reagimos, pensamos, nos emocionamos, analisamos, sintetizamos etc. de maneira diferente a cada momento. Somos emocional e intelectualmente macro ou microdiferentes a cada momento de nossas vidas; por isso, produzimos diariamente milhares de pensamentos e emoções diferentes.

Pergunto: os milhares de pensamentos e emoções que vivenciamos diariamente foram todos determinados e produzidos logicamente pelo eu? Fiz essa pergunta, como disse, a inúmeras pessoas, e todas elas responderam o que eu já havia constatado na pesquisa, ou seja, que só uma pequena parte desses pensamentos e emoções foi determinada e produzida logicamente pelo eu. Muitos cientistas não têm noção das conseqüências psicológicas e sociológicas desse fato, da seriedade científica do que é responder que tais experiências foram produzidas fora do controle do eu. Esse fato importantíssimo provavelmente nunca foi investigado pelas teorias psicológicas e sociológicas. Ele está na raiz da Sociologia, pois envolve a construção e evolução das relações humanas, e na raiz da Psicologia, pois envolve o processo de formação da personalidade.

Algumas variáveis da interpretação, como estudamos, tais como o fenômeno da psicoadaptação, a história intrapsíquica, a energia emocional, o fenômeno da credibilidade autógena, a âncora da memória etc., não têm uma linearidade psicodinâmica estável, lógica, mas flutuante e evolutiva; por isso, são capazes de provocar distorções da interpretação e, conseqüentemente, a produção de cadeias de pensamentos distintas, mesmo quando contemplamos estímulos idênticos.

AS DISTORÇÕES DA INTERPRETAÇÃO PRODUZINDO A EVOLUÇÃO SOCIAL

Todo ser humano, da meninice à velhice, ao interpretar estímulos semelhantes (elogios, ofensas, reações discriminatórias, estressantes estímulos psicossociais etc.), produz experiências psíquicas distintas. Até mesmo o feto, ao interpretar estímulos semelhantes (temperatura e viscosidade do líquido amniótico, contração da parede intra-uterina, substâncias neuroendócrinas maternas que passam pela barreira placentária etc.), também produz experiências micro ou macrodistintas, devido à flutuabilidade e evolutividade das variáveis que participam do processo de interpretação desses estímulos. Tal abordagem, como disse, abre os horizontes para compreendermos o nascedouro e o desenvolvimento da evolução psicossocial do homem.

Se ocorre a produção de experiências distintas diante da interpretação de estímulos semelhantes, podemos prever que elas ocorrem quantitativa e qualitativamente em muito maior dimensão diante da interpretação de estímulos distintos. A produção de experiências micro ou macrodistintas, ocorrida no palco da mente humana, é registrada automaticamente pelo fenômeno RAM (registro automático da memória). Todos os pensamentos, angústias, prazeres, reações fóbicas são registrados na memória, não por opção intelectual, mas involuntariamente, o que faz com que a memória seja reescrita continuamente, transformando, assim, os pilares da personalidade. No computador, as informações são registradas através de um comando; no homem, são registradas involuntariamente. No *Homo sapiens*, conquistar uma história intrapsíquica é uma inevitabilidade.

O registro inevitável e contínuo das experiências intelecto-emocionais contribui para a evolutividade inconsciente da história intrapsíquica que é uma variável da interpretação fundamental que promove, impulsiona, o processo de construtividade de pensamentos e o processo de formação da personalidade.

A formação e desenvolvimento da história intrapsíquica na memória não depende apenas da intervenção do processo educacional sociofamiliar, que ministra conhecimento, regras comportamentais, paradigmas culturais, mas principalmente pela atuação de um conjunto de variáveis, na qual se incluem diversos fenômenos inconscientes, que se operacionalizam espontaneamente e silenciosamente nos bastidores da mente. É intelectualmente superficial achar que uma pessoa se tornou culta porque freqüentou anos de escola, se tornou um cientista porque freqüentou uma grande universidade e se doutorou nela.

A escolaridade e mesmo a leitura dos livros só podem contribuir com a expansão da cultura e a produção das idéias de alguém porque ocorrem na mente inúmeras, silenciosas e complexas etapas da interpretação não administradas pelo processo educacional, e que são responsáveis pelo indescritível processo de registro, de leitura da memória, de construtividade dos pensamentos e de formação da consciência existencial.

O sistema de variáveis que atuam nos bastidores da mente, associado ao irresistível caos intrapsíquico que desorganiza as estruturas psicodinâmicas (idéias, pensamentos, emoções, motivações etc.), abrem continuamente as possibilidades de construção da inteligência, gerando assim, silenciosamente, em cada ser humano uma produção contínua de novas idéias, que são registradas, lidas e utilizadas na construção de novas cadeias de pensamentos, promovendo a evolução da história intrapsíquica e da personalidade e, num sentido mais amplo, a evolução da história psicossocial do homem.

Reitero: devido ao sistema de co-interferência das variáveis da interpretação que atuam nos bastidores da mente, não somos fiéis no processo de observação, interpretação e produção de conhecimento, ou seja, não reproduzimos as mesmas experiências psíquicas diante da contemplação dos mesmos estímulos ou de estímulos semelhantes. Por incrível que pareça, nem quando resgatamos as experiências psíquicas passadas ocorre uma recordação pura, original, das mesmas, mas uma interpretação que sofre diversos encadeamentos distorcidos.

Como vimos, ao contrário do que pensamos, não existem recordações do passado, mas reconstruções do passado, fundamentadas na interpretação das complexas experiências psíquicas que foram registradas na história intrapsíquica arquivada na memória. Todas as finíssimas "arquiteturas psicodinâmicas" contidas nas experiências psíquicas, tais como as idéias, os pensamentos antecipatórios, as inspirações, as ansiedades, os desesperos, as reações fóbicas, os prazeres etc., antes de serem desorganizadas pelo caos intrapsíquico, são registradas no arquivo existencial da memória, que chamo de história intrapsíquica, pelo fenômeno do registro automático da memória.

Se não houvesse a atuação psicodinâmica do fenômeno RAM, fração de segundo antes da desorganização das experiências psíquicas pelo caos intrapsíquico, e se não houvesse o tecido do córtex cerebral intacto, sem degenerações, isquemias, traumas ou tumores, para receber a ação deste fenômeno intrapsíquico, nenhum ser humano teria uma história intrapsíquica e, conseqüentemente, nenhum ser humano desenvolveria a construtividade de pensamentos e a consciência existencial.

A HISTÓRIA INTRAPSÍQUICA (PASSADO) É ESSENCIALMENTE IRRETORNÁVEL

Um dia, ministrando um curso sobre a construtividade de pensamentos para uma equipe multidisciplinar de profissionais que cuidam de pacientes autistas, perguntei a eles se, quando recordam seu passado, resgatam a originalidade das suas experiências psíquicas. Eles me disseram que sim. Eu disse-lhes que isso era impossível, que a energia psíquica das idéias e das emoções do passado é essencialmente irretornável, pois ela não está no passado, mas evoluiu no presente.

A energia psíquica, ao contrário do que muitos psicólogos pensam, não se depositou nem se arquivou na memória como energia psíquica, mas como um sistema de códigos físico-químicos que representam essas experiências, as RPSs (representações psicossemânticas). Eu disse, para surpresa deles, que a energia psíquica vive num fluxo vital de transformações que evolui constantemente, por isso as idéias, as análises, os pensamentos antecipatórios, os pensamentos sobre o passado, as emoções etc., são continuamente produzidos. Quando essas experiências são registradas, elas perdem sua essencialidade original, tornando-se um sistema de códigos físico-químicos "pobres" em relação à originalidade das experiências psíquicas.

A história é registrada quando a experiência psíquica se descaracteriza ou se desorganiza essencialmente e evolui na construtividade de outras experiências. O processo de resgate da história intrapsíquica não é uma simples lembrança, mas um processo de interpretação complexo e cheio de segredos, capaz de produzir cadeias de pensamentos e experiências emocionais a partir dos sistemas de códigos físico-químicos "frios" e "restritos" contidos na memória.

A leitura da história intrapsíquica, associada à participação de um conjunto de variáveis da interpretação, faz com que o resgate das experiências passadas não obedeça a uma linearidade lógica e, por isso, não resgata as mesmas dimensões das idéias, dos prazeres, das frustrações, das angústias etc., contidas nas experiências originais.

Depois de minha exposição para a equipe multidisciplinar que cuidava de pacientes autistas, obviamente mais detalhada do que esta síntese, um participante do curso disse-me que havia entendido o que eu dissera, pois vivenciou esse processo através de uma experiência traumática no passado, porém sem entendê-lo na época. Ele comentou que há anos havia atropelado uma pessoa que veio a falecer. Embora não tivesse culpa no acidente, disse que havia sofrido intensamente com o fato. Toda vez que o recordava, se angustiava muito. Porém, com o passar do tempo, o processo de recordação não trazia os mesmos níveis de angústia como nas primeiras vezes, e ele não entendia a causa disso. Através da abordagem sobre os processos de construção dos pensamentos, ele compreendeu que o processo de registro descaracteriza a realidade essencial da experiência original, e o processo de resgate, devido à ação de um conjunto de variáveis, não reconstrói interpretativamente a mesma intensidade das angústias e das cadeias de pensamento produzidas na experiência original. O distanciamento do processo de interpretação do passado e as próprias experiências originais do passado ficam mais claros à medida que o tempo passa.

Nenhum ganhador do Oscar, do prêmio Nobel, de disputas esportivas, de pleitos eleitorais etc., consegue manter os mesmos níveis de prazer e auto-estima contidos nas experiências originais produzidas na época da premiação. Com o passar do tempo, o prazer se reduz e, às vezes, até se estanca diante dessas "recordações".

Quando reconstruímos interpretativamente o passado, fazemos micro ou macrotraições em relação à originalidade essencial das experiências do passado. As teorias psicológicas e educacionais precisam incorporar o conhecimento relativo ao processo de interpretação da história. Os psicanalistas e outros psicoterapeutas que procuram resgatar e analisar a história inconsciente dos seus pacientes têm de estar cientes de que a história é irrevogável, que aquilo que o paciente traz na técnica de associação livre não é a sua história pura, original, mas a história reconstruída interpretativamente e, portanto, passível de inúmeras distorções da interpretação. Na realidade, no processo psicoterapêutico, como em todas as esferas das relações humanas, ocorre uma cadeia de distorções da interpretação. O paciente distorce a sua história e o psicoterapeuta distorce a história do paciente já distorcida. Por isso, o que está em jogo no processo psicoterapêutico não é a verdade em si, não é trabalhar a verdade em si, mas a "reconstrução da verdade" e o "trabalhar dessa reconstrução da verdade" e, principalmente, a expansão da consciência crítica e da capacidade de o próprio paciente trabalhar as suas dores, perdas, frustrações e conflitos interpessoais.

A história intrapsíquica é fundamental para a construção de pensamentos e para a produção da consciência existencial, mas a história em si mesma é irretornável essencialmente. Por isso, todos temos a grande responsabilidade de reconstruí-la interpretativamente com adequação para evitar determinados níveis de contaminações da interpretação em nossos julgamentos, na compreensão de mundo, nas reações intrapsíquicas. A interpretação adequada também é importante para fornecer subsídios para trabalharmos e reciclarmos criticamente os registros inconscientes das experiências passadas e, assim, aliviarmos nossas tensões, fobias, ansiedades e sintomas psicossomáticos do presente.

AS TRAIÇÕES DA INTERPRETAÇÃO OCORRIDAS NA UTILIZAÇÃO DAS TEORIAS

Nenhum psicoterapeuta, sociólogo, filósofo, jurista, cientista etc., no processo de interpretação de uma teoria, resgata as dimensões das idéias de um teórico. No processo de interpretação da teoria já ocorrem traições da interpretação, que continuam à medida que se exercem. Dois profissionais, usando a mesma teoria para interpretar um mesmo fenômeno, produzem conhecimentos micro ou macrodistintos sobre ele. Até um mesmo profissional utilizando a mesma teoria em dois momentos distintos, para interpretar um mesmo estímulo, pode produzir conhecimento micro ou macrodistinto sobre ele.

Quando a teoria é interpretada, ela deixa de ser a teoria do teórico para ser a teoria do interpretador. Quando a "teoria interpretada" é arquivada na memória, as idéias que ela contém perdem suas dimensões essenciais intelecto-emocionais, o que favorece a continuação de traições da interpretação. Quando o interpretador (ex., discípulo de uma teoria) resgata as idéias da "teoria interpretada" na sua memória, ele, agora, trai a si mesmo pois, como disse, esse resgate não é uma recordação original, mas uma interpretação, passível de inúmeras distorções. Assim, o discípulo de uma teoria não apenas trai interpretativamente a teoria que abraça, mas também trai, ainda que minimamente, a si mesmo, ou seja, trai as dimensões das próprias idéias que produziu nas primeiras interpretações que fez da teoria. Por isso, ainda que se deva procurar fidelidade no processo de utilização de uma teoria como suporte da interpretação, é inevitável que haja microtraições da interpretação. Isso ocorre porque a mente ativa a evolução da história intrapsíquica, ainda que seja às custas de microtraições da interpretação inconscientes e não pela determinação do "eu". Este tema envolve alguns princípios fundamentais do processo de formação da personalidade e da construção das relações humanas e da história social.

Por que temos que reconstruir interpretativamente o passado e não resgatar a sua essencialidade original? Um dos motivos é que a mente, através da operacionalidade dos fenômenos intrapsíquicos, dá prioridade à evolução da história intrapsíquica e psicossocial e não à paralisia dessas histórias.

Se uma mãe, ao perder um filho, recordasse ao longo do tempo os mesmos níveis de sofrimento decorrente das experiências originais, ela paralisaria a evolução da sua história intrapsíquica. Nesse caso, sua história se tornaria um luto crônico, uma extensão dramática e contínua do velório do filho. Felizmente isso não ocorre. Já estudamos a atuação inconsciente do fenômeno da psicoadaptação em textos posteriores, vimos que ele produz uma redução nos níveis de dor, bem como de prazer, no processo de resgate contínuo das experiências passadas. O fenômeno da psicoadaptação é um dos fenômenos que evoluem ao longo do processo existencial, o que contribui, conseqüentemente, para a produção de diferenças de interpretação, tanto diante do resgate das experiências passadas como diante dos estímulos (fenômenos) do presente.

Provavelmente, a maioria dos teóricos das diversas áreas das ciências, bem como seus discípulos, não compreenderam a mente por esse prisma; não compreenderam que ocorrem inevitavelmente microtraições da interpretação porque ela dá prioridade à evolução da história intrapsíquica e psicossocial, na qual se inclui a evolução do conhecimento teórico.

No campo das psicoterapias, não poucos psicoterapeutas se perdem na compreensão dos labirintos da mente; eles pensam, como disse, que estão interpretando a realidade essencial dos conflitos dos seus pacientes, quando na realidade estão interpretando a reinterpretação da história dos seus pacientes. Muitos podem argumentar que, quando se lembram do passado, sentem e pensam a mesma coisa que sentiram e pensaram no passado, mas isto não é verdade; é fruto de uma análise superficial dos limites e do alcance das emoções e dos pensamentos nos dois momentos históricos: o passado e o presente. Pode haver aproximação no processo de construção das experiências passadas, mas haverá inevitavelmente, como disse, microdistinções.

Somos micro ou macroinfiéis em relação à história intrapsíquica, aos estímulos contemplados, aos conhecimentos coloquiais e científicos e às teorias. Tal infidelidade da interpretação, embora contribua muito para a construção e evolução das idéias, da arte e da personalidade, nem sempre é qualitativamente construtiva e evolutiva.

Nas ciências, o processo de utilização das teorias, das idéias e das teses de outros cientistas produzem também diversas infidelidades e traições da interpretação. É possível que muitas dessas infidelidades da interpretação não remetam a uma evolução qualitativa da teoria, principalmente se no processo de utilização de uma teoria não houver honestidade científica e o mínimo de consciência crítica capazes de auxiliar o processo de revisão do conhecimento produzido e da teoria utilizada.

Estes assuntos revelam alguns dos mais profundos segredos da evolução psicossocial do homem, contidos no inconsciente. O homem evolui psicossocialmente tanto pela administração consciente da sua construtividade de pensamentos quanto pelo sistema de co-interferências das variáveis que geram micro ou macrodistinções inconscientes da interpretação.

Há um *Homo interpres*, no cerne da psique humana, micro ou macrodistinto a cada momento da interpretação. Não somos os mesmos a cada momento existencial. Nosso processo de interpretação está em contínuo processo de mudança, porque algumas variáveis que o constituem evoluem e flutuam continuamente. Uma parte significativa das transformações das idéias filosóficas, do pensamento sociopolítico, das correntes literárias, da estética das artes, dos paradigmas socioculturais, das posturas intelectuais, é produzida por essa revolução clandestina que ocorre silenciosamente no processo de interpretação. Se o leitor ler dez vezes os textos deste livro, terá provavelmente dez produções de cadeias de pensamentos micro ou macrodistintas, expressando diversas impressões, reações emocionais, entendimento. Por isso, quanto mais estudamos, mais expandimos o mundo das idéias.

TODOS OS DISCÍPULOS SÃO INFIÉIS

Os discípulos de uma teoria não reproduzem, como disse, a originalidade, a pureza das idéias, os limites e o alcance do conhecimento, as emoções e motivações que foram vivenciadas pelo autor e registradas em livros. Até os discípulos das ciências físicas traem a completeza original das idéias contidas nas teorias que utilizam.

O discurso teórico de um discípulo pode parecer igual ao do teórico; mas, se forem analisados os labirintos intelectuais que estão na base dos discursos, é possível encontrar as distinções e, às vezes, até macrodistinções disfarçadas dialeticamente, e que estão subjacentes ao sistemas de códigos que confeccionam as frases, as idéias, os pensamentos. Quando dez pessoas julgam uma obra de arte, a contemplação do belo não será igual para todos os observadores, mas, provavelmente, haverá inúmeras dimensões qualitativas e quantitativas subjacentes à idéia do belo.

Quando um discípulo de uma teoria a estuda nos livros ou ouve a exposição dela diretamente do seu autor, ele não incorpora a realidade essencial da teoria, pois a teoria escrita ou falada é um sistema de código visual e sonoro. Em contato com esse sistema de código, o discípulo tem de interpretá-la. Interpretando-a, a compreensão dela não tem as mesmas dimensões qualitativas e quantitativas das idéias do autor, ainda que a diferença de pensamento esteja disfarçada dialeticamente. Os discípulos de uma teoria traem-na interpretativamente. Essa traição da interpretação inconsciente, associada a um questionamento consciente, poderá levar um discípulo a deixar de ser um mero espectador passivo da teoria, para ser alguém que contribui com o desenvolvimento das suas idéias.

Diante dessa exposição, pergunto: Quem são os piores inimigos de uma teoria? Os piores inimigos de uma teoria são aqueles que a superdimensionam, que gravitam em torno dela e a defendem radicalmente, pois são incapazes de contribuir para criticá-la, reciclá-la e expandi-la. Se os discípulos de uma teoria não são capazes de realizar críticas conscientes à teoria que abraçam, com medo de serem infiéis a ela ou com medo de serem banidos da sociedade científica ou psicoterapêutica a que pertencem, eles a trairão inconscientemente, através da co-interferência das variáveis que atuam clandestinamente nos seus processos de construção do pensamento. Os piores inimigos de uma teoria são aqueles que desconhecem os limites e o alcance de uma teoria, as sofisticadas relações entre a verdade essencial e a verdade científica e, principalmente, aqueles discípulos que defendem radicalmente a teoria que abraçam, que juram fidelidade ingênua a ela e não compreendem que a traem nos bastidores de sua mente. Os discípulos radicais de uma teoria, os "ianos" ou os "istas", confinam-se em um aprisco teórico, submetem-se a um cárcere intelectual, que compromete a liberdade de pensar e a consciência crítica. Nesse cárcere intelectual, ainda que inconscientemente, eles prejudicam a sua atuação socioprofissional, estancam a evolução da teoria e contraem o mundo das idéias.

É provável que grande parte das sociedades científicas e psicoterapêuticas não compreendam adequadamente as etapas do processo de interpretação e o processo de traição da interpretação que ocorre nos bastidores da mente dos seus membros. É provável que muitos professores de graduação universitária e de pós-graduação cometam o autoritarismo das idéias na transmissibilidade do conhecimento e na orientação dos alunos, por não compreender adequadamente os labirintos do processo de interpretação, os limites de uma teoria, e que os processos de construção dos pensamentos ultrapassam os limites da lógica. Vários alunos de Psicologia já me disseram que alguns dos seus professores afirmaram, em sala de aula, que são freudianos radicais e que não aceitam qualquer outra teoria sobre a personalidade. Esses tais, além de serem ingênuos intelectualmente, são traidores da teoria a que julgam ser fiéis e, o que é pior, exercem uma ditadura do pensamento, engessando, assim, a inteligência dos alunos.

Não existem discípulos fiéis e não existem teorias essencialmente verdadeiras e completas, pois além de não haver verdade essencial no pensamento dialético e no antidialético, a ciência é inesgotável. O pensamento dialético é um sistema de intenções conscientes e virtuais que acusa (define) e discursa sobre a verdade essencial sem nunca incorporá-la essencialmente.

O excesso de admiração e "endeusamento" de uma teoria ou de um teórico por parte dos discípulos radicais não apenas inibe sua evolutividade, mas também cultiva a produção de opositores igualmente radicais, que a criticam pelo próprio radicalismo dos discípulos e não através de uma análise mais adequada e isenta de paixões.

Os freudianos, junguianos, hegelianos, marxistas, piagetianos etc., enfim, os que aderem radicalmente a uma teoria, que são incapazes de criticá-la, de reciclá-la e de expandi-la são, ao contrário do que pensam, seus piores inimigos, são os que mais destroem sua credibilidade ao longo da história. As grandes teorias sociais, políticas, econômicas, culturais, acabam sendo destruídas, não pelos seus opositores, mas pelos seus defensores radicais, que são incapazes de reciclá-la e adequá-la historicamente.

Esses acidentes intelectuais não estão presentes apenas nas ciências da cultura, mas também nas ciências físicas e correlatas, bem como em todas as esferas das relações sociais.

Só o fato de alguém dizer-se freudiano, junguiano, spinosista, ou qualquer expressão que indique ser ele um discípulo contumaz de um teórico ou de uma teoria de qualquer natureza é uma expressão da ingenuidade intelectual. A adesão não-crítica a uma teoria bloqueia a catalisação das idéias e a utilização humanística da própria teoria.

Todos os freudianos são traidores da interpretação da teoria psicanalítica de Sigmund Freud. O excesso de admiração e a defesa radical de uma teoria são um dos motivos que também abortam a produção de novas safras de pensadores, pois reduzem a capacidade crítica de pensar e bloqueiam a expansibilidade análise do defensor radical.

Os discípulos que gravitam em torno de uma teoria e são incapazes de criticá-la se tornam retransmissores do conhecimento e não pensadores que promovem novas idéias. Esse é um dos mais importantes motivos que sufocaram e sufocam a formação de pensadores.

Expressarei sinteticamente os mecanismos psicossociais que exterminam com a safra de pensadores na Psicologia, na Sociologia, na Filosofia, na Educação e em todas as demais áreas da cultura. Um pensador começa a observar, a interpretar e a produzir conhecimento sobre os fenômenos. Sua produção de conhecimento conflita com as idéias vigentes. Como ele tem de optar em ser fiel às suas idéias ou submeter-se ao conhecimento vigente, ele opta por se rebelar contra este. Por fim, sua produção de conhecimento se expande e se torna uma teoria ou uma corrente de pensamento. Suas idéias cativam seus primeiros discípulos, que se tornam, não meros discípulos, mas colaboradores, que debaixo do calor da rebeldia do pensador, das perspectivas da sua teoria e das possíveis discriminações sofridas por ele se tornam também produtores de conhecimento capazes de utilizar, reciclar e expandir a teoria que abraçam.

A teoria, em seus estágios iniciais, que ainda não se tornou uma instituição intocável, gera nos discípulos divergências na interpretação e, conseqüentemente, divergências na produção de conhecimento. O teórico não consegue controlar essas divergências; por isso elas parecem ruins, pois comprometem a unidade da teoria, mas, na realidade, expandem o mundo das idéias. Foi através desses mecanismos psicossociais que, provavelmente, Sócrates, Platão, Hegel, Freud, Piaget etc. agregaram inicialmente não apenas discípulos, mas pensadores. Porém, nas gerações posteriores, ocorre a produção dos discípulos radicais, aqueles que institucionalizam o conhecimento, que supervalorizam a teoria ou a corrente de pensamento e que são incapazes de criticá-la e reciclá-la. Assim, morre a safra de pensadores e somente algures ou alhures ocorre a produção de alguns deles.

Usar as teorias para se produzir as teses científicas é legítimo e pode ser importantíssimo para expandir a produção do conhecimento cultural e científico, mas querer submeter exclusivamente os comportamentos e os fenômenos físicos que observarmos dentro dos seus limites, retrai a evolução das idéias.

Tanto os teóricos como os discípulos de uma teoria têm que aprender a conhecer alguns pilares do processo de construção do pensamento e de interpretação. A ciência é inesgotável e todas as teorias são redutoras da inesgotabilidade do conhecimento; por isso, todas elas precisam ser continuamente revisadas.

Os desastres do socialismo, do capitalismo, da globalização das informações, da globalização da economia estão na incapacidade intelectual dos seus defensores de reciclá-los e expandi-los continuamente respeitando as avenidas da democracia das idéias.

Qualquer pensador-teórico faz freqüentemente microtraições inconscientes ao interpretar sua própria teoria, pois discutir, ler e refletir sobre as próprias idéias não quer dizer resgatá-las com pureza, originalidade, mas reconstruí-las interpretativamente na mente com micro ou macrotraições.

As microtraições da interpretação geram uma promoção evolutiva inconsciente importante de uma teoria ou de qualquer produção científica. As microtraições inconscientes da interpretação são produzidas, como comentei, inevitavelmente pelos sistemas de co-interferências das variáveis que flutuam e evoluem continuamente nos bastidores inconscientes da inteligência e que geram os sistemas de encadeamentos distorcidos na racionalidade, ou seja, na construção das cadeias de pensamentos. Se não houvesse esses espetáculos na mente humana, seria impossível produzir milhares de pensamentos, idéias, análises, reações ansiosas, prazeres, inseguranças, desejos, etc., distintos diariamente. A vida humana seria uma mesmice insuportável, um tédio existencial, pois não teria sua maior fonte de entretenimento.

O fenômeno da psicoadaptação, a âncora da memória, a energia emocional, a história intrapsíquica, o fenômeno do autofluxo etc., são fenômenos que se apresentam qualitativamente distintos a cada momento, fazendo com que os processos de construção da inteligência sofram sistemas de encadeamentos distorcidos que geram as distorções inevitáveis da interpretação que, por sua vez, geram uma variabilidade nas dimensões qualitativas e quantitativas dos pensamentos, idéias, conceitos, análises, emoções.

A história intrapsíquica se expande diariamente, através da atuação psicodinâmica do fenômeno do registro automático da memória. A energia emocional flutua a cada momento, levando-nos a experimentar diversos tipos de estresses, prazeres, ansiedades. O fenômeno da psicoadaptação evolui continuamente ao longo da trajetória existencial, fazendo-nos reduzir a capacidade de experimentar prazer ou dor diante da exposição dos mesmos estímulos. A âncora da memória desloca constantemente o território de leitura da memória. O fenômeno do autofluxo financia o fluxo vital da energia psíquica, através da reorganização do caos dessa energia, da leitura espontânea da memória e da abertura, a cada momento, das possibilidades de construção de novos pensamentos.

A flutuabilidade e evolutividade dessas variáveis da interpretação provocam um riquíssimo sistema de encadeamento distorcido no processo de interpretação, expressa por micro ou macrotraições da interpretação, que produz diariamente milhares de idéias distintas, uma verdadeira revolução de idéias nos bastidores da psique humana.

As traições inconscientes da interpretação, somadas à revisão crítica do conhecimento pelo eu, foram e são os dois pilares fundamentais que sustentam a evolução de qualquer teoria científica, de qualquer estereótipo social, de qualquer paradigma sociocultural, de qualquer ideologia política, de qualquer sistema socioeconômico, sociopolítico e socioeducacional, enfim, de qualquer área da história psicossocial humana.

O ZELO EXCESSIVO DE FREUD PELA PSICANÁLISE CONTRAPONDO-SE À DEMOCRACIA DAS IDÉIAS

Após serem produzidas, todas as teorias continuam evoluindo, não apenas pelo gerenciamento exercido pelo "eu", mas também pela flutuabilidade e evolutividade das variáveis da interpretação e pelos sistemas de encadeamentos distorcidos que atuam nos processos de construção do pensamento do teórico e de seus discípulos.

Freud, embora fosse um inteligente e respeitável teórico, um pensador sobre o inconsciente, não compreendeu algumas áreas fundamentais do inconsciente, principalmente as que se relacionam com os complexos sistemas de co-interferências mútuas das variáveis intrapsíquicas e com os sofisticados sistemas de encadeamentos distorcidos ocorridos no processo da construtividade de pensamentos.

Se ele tivesse tal conhecimento, teria compreendido que as traições da interpretação são inevitáveis na construção dos pensamentos; teria compreendido que tanto ele como seus discípulos traíam inconscientemente a teoria psicanalítica. Se ele tivesse esse conhecimento, também teria compreendido, apreciado e cultivado a democracia das idéias, não seria tão rígido com os limites e contornos teóricos da psicanálise e, conseqüentemente, não teria banido da família psicanalítica os que pensavam contrariamente às suas idéias, tais como Carl Gustav Jung e Alfred Adler.[10]

Muitos filósofos e pensadores não compreenderam a democracia das idéias. Não compreenderam que ela está muito acima da democracia política e que ela nem mesmo é uma opção ideológica, mas uma inevitabilidade nas ciências e nas relações humanas. A democracia das idéias é expressa pela rejeição a toda e qualquer forma de discriminação; pelo respeito e consideração pelas idéias do "outro", ainda que possamos discordar delas, pelo direito personalíssimo "meu" e do "outro" de pensar e ser livre. A democracia das idéias é derivada de um corpo de conhecimento universal ocorrido nos processos de construção do pensamento, tais como: a flutuabilidade e evolutividade das variáveis da interpretação, o sistema de encadeamento distorcido, as traições inconscientes da interpretação, a liberdade criativa e plasticidade construtiva dos pensamentos dialéticos, a virtualidade da consciência existencial, a inesgotabilidade do conhecimento, etc.

O *Homo sapiens* micro ou macroviolou os direitos humanos, mesmo nos ambientes menos suspeitos, porque ele pouco conheceu a democracia das idéias, pouco compreendeu que a divergência de idéias é uma inevitabilidade e não apenas uma opção do eu, pois há um *Homo interpres* que o constitui intrinsecamente e que é micro e macrodistinto a cada momento existencial.

Temos de compreender que a verdade essencial, embora uma pérola a ser procurada ansiosamente pela pesquisa científica, pela pesquisa empírica, é inalcançável pela consciência existencial, cuja natureza é antiessencial ou virtual; por isso, os pensamentos dialéticos, apesar de acusar e discursar teoricamente sobre os objetos e fenômenos de estudos, jamais incorporam a realidade essencial intrínseca dos mesmos.

Todos os teóricos, cientistas e pensadores são andejos da virtualidade dialética que percorrem e esquadrinham os territórios essenciais dos fenômenos extrapsíquicos e intrapsíquicos, porém sem nunca encontrá-los na sua essencialidade. Porém, apesar de nunca incorporarmos pela consciência existencial a realidade essencial do mundo que contemplamos, nossa produção de conhecimentos pode produzir, como comentarei, conseqüências científicas, tais como verificabilidades, aplicabilidades e previsibilidades. Sem essas conseqüências, a ciência não existiria.

Muitos poderiam reclamar do fato de a consciência existencial não incorporar a realidade essencial dos fenômenos, do fato de que milhões de pensamentos sobre um objeto são apenas um discurso virtual intencional sobre ele, pois nunca atinge em si mesmo a realidade essencial do objeto. Não poucos pensadores tentaram superar a distância entre o pensamento e o objeto, pois não perceberam que essa distância é infinita, que existe um antiespaço entre o pensamento consciente (virtual) e a realidade essencial do objeto. Porém, temos de compreender que a nossa incrível liberdade criativa e plasticidade construtiva dos pensamentos conscientes advêm da própria limitação da natureza antiessencial e virtual dos mesmos.

Se os discursos dos pensamentos conscientes tivessem de incorporar a realidade intrínseca dos objetos sobre os quais se discursa, nós jamais seríamos seres pensantes. Os astrônomos jamais poderiam abordar os astros e os químicos jamais poderiam discursar sobre os átomos e as moléculas que nunca tocaram; os psicólogos jamais poderiam discorrer sobre as emoções intangíveis sensorialmente e inacessíveis essencialmente. Se a construtividade dos pensamentos não operasse na esfera da virtualidade, não poderíamos antecipar fatos futuros, pois estes ainda não aconteceram; nem poderíamos discorrer sobre experiências passadas, pois estas são irrevogáveis essencialmente; nem poderíamos pensar sobre qualquer coisa ou pessoa sem que elas penetrassem no "tecido" dos nossos pensamentos.

A virtualidade dos pensamentos produz, como comentei, limites intransponíveis na sua práxis ou "materialização", mas, ao mesmo tempo, produz uma liberdade criativa e uma plasticidade dialética indescritíveis.

Só é possível a existência da revolução criativa e evolutiva das idéias porque as idéias são produzidas na esfera da virtualidade, pois nessa esfera elas conquistam uma plasticidade e liberdade que superam a necessidade de incorporação da realidade essencial do mundo que somos e em que estamos.

O FLUXO CONTÍNUO DOS PROCESSOS DE CONSTRUÇÃO DA MENTE GERANDO A REVOLUÇÃO INEVITÁVEL E CLANDESTINA DAS IDÉIAS

Penso que os cursos de Psicologia, Sociologia, Filosofia, Educação, Direito, Psiquiatria etc., precisam compreender e incorporar o conhecimento básico sobre o funcionamento da mente. Com respeito aos cursos de Psicologia, há grandes lacunas na formação dos psicólogos clínicos, que saem motivados a abraçar uma teoria da personalidade.

A postura de se abraçar uma teoria como suporte da interpretação e como validação dos procedimentos psicoterapêuticos, sem um processo de filtragem crítica das idéias nela contida, se deve à imaturidade científica da Psicologia na compreensão dos processos de construção dos pensamentos.

Seria importante que as sociedades de Psicoterapia (Psicanálise, Psicoterapia analítica, Psicodrama, Logoterapia, cognitiva, comportamental etc.) promovessem cursos sobre os sistemas de encadeamentos distorcidos ocorridos na construtividade de pensamentos; sobre os sistemas de co-interferências das variáveis da interpretação que conduzem à ocorrência de micro e macrotraições da interpretação do *Homo interpres*, passíveis de ocorrer no processo psicoterapêutico; sobre a necessidade de promover a revolução construtiva das idéias dos pacientes e torná-los agentes ativos e críticos no "ambiente da psicoterapia", e não espectadores passivos das interpretações e dos procedimentos psicoterapêuticos.

Pode não ser confortável para um psicoterapeuta promover a capacidade crítica de pensar dos pacientes e incentivá-los a criticar suas próprias interpretações e procedimentos psicoterapêuticos, mas tal atitude, além de se afinar com a democracia das idéias, contribui muito para promover a revolução das idéias, expandir a capacidade de superar seus fracassos, refinar o processo de superação dos estímulos estressantes e tornar os próprios pacientes agentes modificadores da sua história psicossocial.

Os psicoterapeutas, independentemente se não incorporarem um conhecimento básico sobre o funcionamento da mente e o processo de interpretação, poderão exercer o processo psicoterapêutico fora do campo da democracia das idéias, produzindo interpretações e procedimentos sem dar aos pacientes o direito de discuti-los e criticá-los. Assim, podem criar uma relação psicoterapeuta-paciente desigual, em que eles, os psicoterapeutas, exercem uma poderosa influência sobre os pacientes, gerando um microclima de autoritarismo das idéias, submetendo o mundo dos pacientes às restritas dimensões da teoria que abraçam e das interpretações e procedimentos que produzem. Tal postura psicoterapêutica contrai e, às vezes, pode até abortar o desenvolvimento da capacidade crítica de pensar dos pacientes ("iatrogenia psicoterapêutica"), fazendo com que estes gravitem em torno da "órbita intelectual" dos seus psicoterapeutas. A dependência do terapeuta encarcera a inteligência.

Princípios semelhantes podem ocorrer no processo educacional. Professores que desconhecem os processos de construção da inteligência podem ter uma postura tão rígida e unidirecional no processo educacional que contraem ou abortam a capacidade crítica de pensar dos seus alunos, tornando-os espectadores passivos do conhecimento, com grande dificuldade para expressar suas dúvidas e criticar seus professores e as idéias por eles expressas, o que revela uma "iatrogenia socioeducacional". O processo educacional unidirecional, "a-histórico-crítico-existencial" e exteriorizante pouco alavanca e redireciona a espetacular revolução da construção das idéias que ocorre clandestinamente na mente dos alunos e, conseqüentemente, pouco contribui para expandir neles o humanismo e a cidadania.

Os professores e os psicoterapeutas precisam compreender que, de fato, eles não fazem muito no processo socioeducacional e psicoterapêutico; no máximo, contribuem para estimular a produção das idéias que ocorre espontaneamente em seus alunos e pacientes. Sem a operação espontânea e inevitável dos fenômenos que constroem os pensamentos, o homem nem mesmo desenvolveria sua personalidade e nem teria condições de conquistar a consciência de si mesmo e do mundo que o circunda.

Ilustres pensadores abordaram o princípio fundamental que rege o processo de formação da personalidade. Sigmund Freud[11] abordou o princípio do prazer; Carl Gustav Jung[12], o *self* (eu) criador; Alfred Adler[13], a busca de superioridade; Erich Fromm[14] abordou, entre outros fatores, a busca de proteção e segurança; Viktor Frankl[15] abordou a busca do sentido existencial etc. Porém, há um princípio globalizante, um princípio dos princípios, que é a fonte que incorpora todos os princípios postulados pelos demais autores e que está na base de todos os processos de construção inconscientes e conscientes da mente, que é o fluxo vital da energia psíquica. Vejamos.

A energia psíquica, como disse, está num fluxo vital contínuo e inevitável. Cada idéia, pensamento, análise, reação fóbica, humor deprimido, desejo, reação instintiva etc., produzida inconscientemente e manifestada nos palcos conscientes da mesma se descaracteriza e é registrada na história intrapsíquica.

A leitura da história intrapsíquica, sob a influência dos sistemas de variáveis intrapsíquicas, produzirá um universo de novas idéias que promoverá a expansão dos alicerces da personalidade. À medida que novas idéias, pensamentos, análises, reações emocionais e motivacionais são produzidos na mente, eles novamente se desorganizam caoticamente e, ao mesmo tempo, são registrados no arquivo existencial da memória pelo fenômeno RAM.

Registrar ou arquivar as experiências psíquicas na memória não é, como vimos, um processo opcional do homem, mas um processo involuntário e inevitável. Mesmo que possamos rejeitar contundentemente as ofensas, as discriminações e as experiências mais angustiantes que vivenciamos, elas serão inevitavelmente, à medida que caminham para o caos psicodinâmico, registradas no arquivo da memória pelo fenômeno RAM. Se a ausência dessa "opção" traz alguns transtornos, traz também, como comentei, imprescindíveis benefícios à psique, tal como a preservação da história intrapsíquica, pois sem ela viveríamos um contínuo, indescritível e dramático estado inconsciente. Embora não seja possível optar por ter ou não a história intrapsíquica, é possível, no entanto, reciclá-la e reorganizá-la.

O campo de energia psíquica é tão complexo que, simultaneamente ao processo de desorganização das idéias, das emoções e das motivações, ocorre o desenvolvimento da história intrapsíquica. Com a expansão da história intrapsíquica estimula-se a produção de novas cadeias de pensamentos, reações emocionais e experiências existenciais, que alavancarão o desenvolvimento da personalidade. Através desse desenvolvimento, ocorrerá a "busca do prazer", o "*self* criador", a "busca de proteção e segurança", a "busca de superioridade", a "busca do sentido existencial", que são os princípios que gravitam em torno da órbita globalizante do princípio do fluxo vital da energia psíquica. Portanto, os princípios estabelecidos por outros teóricos são "sintomas" do fluxo vital que ocorre no cerne da psique humana.

Existe, por incrível que pareça, um paralelo entre o desenvolvimento da personalidade humana e das teorias científicas. Embora ambas possam ser evolutivamente recicladas e promovidas pelo "eu", pelo determinismo do pensamento dialético (lógico), na realidade esse determinismo apenas "pega carona psicodinâmica" no fluxo vital espontâneo e inevitável dos fenômenos que reorganizam a energia psíquica.

O "eu" só pode pensar "o que quer", "quando quer" e na "freqüência e velocidade que quer" porque, na base inconsciente da mente, há um grupo de fenômenos que realizam tarefas psicodinâmicas extremamente refinadas, tais como a leitura dos endereços da memória e a organização de dados.

As matrizes dos pensamentos essenciais são inconscientes; porém, na medida em que são geradas, sofrem, como vimos, um intrincado processo de leitura virtual que produz o espetáculo da construção dos pensamentos conscientes (dialéticos e antidialéticos).

O *Homo sapiens* é tão sofisticado que podemos dizer que o controle das idéias, das argumentações, das análises, das sínteses, das previsibilidades tempo-espaciais é operacionalizado em cima de um processo inevitável, multifocal e multidirecional gerado pelo *Homo interpres*. O *Homo sapiens* não é *sapiens* porque quer, ou seja, não é um ser pensante porque determina sê-lo, mas porque é inevitável sê-lo. O fluxo vital dos fenômenos que organizam e reorganizam o caos da energia psíquica torna o homem um ser inevitavelmente pensante, um ser inevitavelmente consciente.

Muitos filósofos e teóricos da Psicologia procuraram ansiosamente compreender como se forma a consciência do homem, que chamo de consciência existencial ou "eu". Alguns até mesmo dizem que essa compreensão é o maior desafio da ciência. Realmente, essa compreensão não apenas revela os segredos inconscientes do homem, pois o espetáculo da construção da consciência é produzido por fenômenos inconscientes, mas também os segredos intrínsecos da própria ciência, pois a ciência é uma manifestação da consciência.

Devido a alguns limites dos pensamentos conscientes usadas na investigação da própria consciência, a ciência jamais irá alcançar algumas respostas, pois a natureza dos pensamentos conscientes é "antiessencial", virtual e, como vimos, o que é virtual nunca incorpora a realidade intrínseca daquilo que é essencial; apenas a discursa, a conceitua, a define. Porém, em detrimento das limitações da consciência em compreender a si mesma, é possível compreender diversas peças intelectuais dos processos de construção da psique que nos constituem intrinsecamente como seres que pensam, se emocionam e têm consciência existencial do mundo que somos e em que estamos.

TODO AUTOR DEIXA DE SER PROPRIETÁRIO DE SUAS IDÉIAS QUANDO AS PUBLICA. O JULGAMENTO DA INTERPRETAÇÃO DAS IDÉIAS PERTENCE AO LEITOR

Os fenômenos responsáveis pela construção dos pensamentos são inacessíveis essencialmente e intangíveis (imperceptíveis) sensorialmente, o que dificulta intensamente o processo de observação, interpretação e produção de conhecimento sobre eles. Essa dificuldade gerou grandes confusões teóricas na Psicologia, na Filosofia, na Educação e em outras ciências.

Não poucos cientistas, ao conquistar reconhecimento social, diminuem significativamente sua produção intelectual. Ao contrário do mundo profissional, no universo científico os aplausos, se inadequadamente trabalhados, podem fechar as janelas da inteligência e conspirar contra o livre pensamento. Isso se deve à atuação do fenômeno da psicoadaptação na terceira etapa inconsciente do processo de interpretação. A fase mais produtiva de um cientista muitas vezes ocorre quando ele não tem estética socioacadêmica; quando a ciência é sua única paixão; quando ele se considera um aprendiz diante da sua inesgotabilidade e considera que a grandeza das idéias é muito mais importante do que a hierarquia acadêmica e do que a conquista de títulos.

O sistema acadêmico pode libertar o pensamento ou encerrá-lo num cárcere. Freqüentemente ele o aprisiona. Todos somos inconscientemente micro ou macroinfiéis ao nosso processo de interpretação, o que expande, como disse, a evolutividade das próprias idéias. Porém, falo de uma outra fidelidade: a fidelidade à consciência crítica, aos princípios que norteiam a honestidade intelectual. Devemos procurar ansiosamente ser fiéis aos princípios que norteiam a honestidade intelectual, independentemente dos constrangimentos sociais que possamos vivenciar pelas nossas idéias e pela prática dessa honestidade. O homem que não é fiel às suas idéias, fiel à sua consciência, tem uma dívida impagável consigo mesmo.

Diante da exposição sobre o processo de interpretação, estou convencido de que a democracia das idéias deva ser exercida em todos os níveis das relações humanas, em destaque na ciência. As idéias de um cientista ou pensador, incluindo os produtores de arte, à medida que ele as expressa em livros ou em qualquer outro meio de comunicação, deixa de ser do próprio autor e passa a pertencer invariavelmente ao observador. Interpretar, ou seja, ser um *Homo interpres*, não é uma opção do *Homo intelligens*, mas seu destino inevitável.

A *Mona Lisa* deixa de ser de Da Vinci e passa a pertencer ao observador, que, ao interpretá-la, acrescenta "cores" e "formas" próprias em sua mente, ou seja, acrescenta cadeias de pensamentos e experiências emocionais próprias no processo de observação e interpretação.

Do mesmo modo, a teoria de um teórico deixa de pertencer a ele mesmo e passa a pertencer ao observador (leitor ou utilizador da teoria) que, ao interpretá-la, ainda que com critérios, acrescentará a ela suas particularidades sobre as quais o autor jamais terá controle. Por isso, cumpre ao observador a responsabilidade de interpretar uma obra, não apenas com liberdade, mas também com consciência crítica, procurando descontaminar-se no processo de interpretação, tanto quanto possível, de cientificismos e psicologismos.

O autor só pode julgar sua obra para si mesmo. Ele jamais poderá transferir ou abortar o direito do julgamento do observador; caso contrário, ele pratica o autoritarismo das idéias e a ditadura dos discursos teóricos.

O direito à interpretação do observador é inalienável e intransferível. Mesmo os ditadores políticos não podem sufocar completamente o direito do julgamento da interpretação dos consócios de uma sociedade; não podem abortar a revolução clandestina das idéias que ocorrem nos bastidores de sua mente; por isso, como disse, todos os sistemas político-econômicos opressivos reciclam-se inevitavelmente ao longo da história.

Penso que todo teórico, cientista, pensador ou produtor de arte, não apenas deveria aceitar, mas até mesmo estimular, os que entram em contato com sua obra a julgá-la com liberdade e consciência crítica, até porque, nos labirintos da sua mente, todo observador realiza inconsciente e inevitavelmente esse julgamento com micro ou macrotraições.

Nas sociedades modernas, a estética sobrepuja o conteúdo. Essa doença intelectual contaminou também a ciência, pois a procedência universitária, a fama do centro de pesquisa, os títulos acadêmicos, o país de origem de um cientista se tornam um *marketing* socioacadêmico e sociopolítico inconsciente, que pesa sutilmente na interpretação, julgamento e credibilidade do observador.

Tais sutilezas, que influenciam o processo de interpretação, ocorrem em todas as esferas das relações sociais. Creio que a maioria dos cientistas e dos demais produtores de conhecimento não tem como evitar totalmente a estética socioacadêmica e outras influências passíveis de contaminar a interpretação; por isso eles deveriam estimular o julgamento das suas idéias pelo observador onde elas são expressas, seja nos livros, nas salas de aula, nos congressos, na imprensa. Esta atitude está dentro do contexto da democracia das idéias.

Capítulo 14

O Conceito de Cidadania, Humanismo e Democracia das Idéias Derivados dos Processos de Construção da Inteligência

A "CIDADANIA DA CIÊNCIA": SOCIALIZANDO A CIÊNCIA, TORNANDO-A ASSIMILÁVEL E ÚTIL PSICOSSOCIALMENTE

A Psicologia estuda o nascedouro dos pensamentos, o nascedouro das idéias; a Filosofia estuda as dimensões filosóficas das idéias, estuda as suas possibilidades e, portanto, expande o mundo das idéias. A inteligência multifocal, portanto, não é fruto apenas da construção dos pensamentos, mas também das possibilidades psicossocial e filosóficas desses pensamentos. A Filosofia amplia os horizontes da Psicologia.

Penso que os assuntos concernentes aos fundamentos do processo de interpretação, à construção de uma teoria e aos limites e alcance do conhecimento raramente são ministrados com profundidade nos cursos de graduação de Psicologia, Sociologia, Direito, Antropologia, Pedagogia, nos cursos de especialização de Psiquiatria e até mesmo nos cursos de graduação das Ciências Físicas e demais Ciências Naturais. Creio que eles são ministrados com mais profundidade nos cursos avançados de pós-graduação acadêmica, porém, não exatamente da maneira como os exponho, pois tenho uma produção de conhecimento original sobre eles. Provavelmente, esses assuntos são os mais difíceis de serem compreendidos pelos alunos de pós-graduação (mestrando e doutorando) e até pelos cientistas.

Confesso que, em boa parte destes anos em que pesquiso sobre o funcionamento da mente, eu pensava em escrever apenas para cientistas e intelectuais circunscritos nas universidades e institutos de pesquisas. Porém, apesar de ainda não ter perdido esse alvo, admito que estava sendo exclusivista ao me dirigir somente a um pequeno grupo de pensadores; por isso, procurei compreender e me reconciliar com a democracia das idéias e exercer a "cidadania da ciência".

A cidadania da ciência, como já comentei, é expressa pela atitude do teórico em procurar humanizar ou socializar sua teoria, tornando-a acessível aos profissionais que exerçam qualquer tipo de trabalho intelectual e útil como fonte de pesquisa e de aplicabilidade. A cidadania da ciência ou científica deveria ser o objetivo fundamental de todo cientista, seja ele um teórico ou um utilizador de uma teoria. No meu caso, embora minha linguagem escrita nem sempre seja fácil de se entender, devido à complexidade dos assuntos abordados, me animo com a possibilidade de humanização da teoria, de ela se tornar útil como fonte de pesquisa e de aplicabilidade psicossocial.

A ciência não existe fora da mente humana; ela é um produto intelectual do homem e, como tal, seu objetivo ético fundamental é ser útil à humanidade e ao meio ambiente. Produzir ciência para violar os direitos humanos ou qualquer tipo de comprometimento da qualidade de vida biopsicossocial humana é um desvio dos sentimentos mais nobres da ética científica.

Os homens que mais macularam e maculam a história humana nem sempre foram desprovidos de cultura e escolaridade. A cultura e a escolaridade quantitativa são insuficientes para promover a cidadania e o humanismo, bem como a democracia das idéias. É necessário uma cultura qualitativa, interiorizante, ou seja, aquela que estimula o homem a ser um caminhante nas trajetórias do seu próprio ser, um caminhante à procura de suas origens intelectuais, de suas origens como ser pensante. Se o pensamento não for usado para investigar o próprio pensamento, para questionar seus limites, alcance, validade e processos envolvidos na sua construção, ele poderá ser facilmente usado com autoritarismo, contribuindo para promover toda sorte de violação dos direitos humanos.

Tenho consciência de que a grande maioria das pessoas que praticaram na história o humanismo e a cidadania nunca compreenderam os fenômenos que participam da construção dos pensamentos e nem algumas variáveis do processo de interpretação. Porém, é mais fácil produzir um ambiente coletivo solidário, tolerante e saturado de cooperação social se investigamos nossas limitações, se compreendermos as origens do pensamento e as bases do processo de interpretação.

Em todos os níveis escolares deveriam ser ministrados, obviamente com linguagens distintas, conhecimentos que expressam que a memória não pode ser apagada, apenas reescrita; que o fenômeno RAM registra automaticamente todas as experiências que transitam no palco de nossas mentes e que privilegia as que têm mais tensão; que o fenômeno da autochecagem gera o gatilho da inteligência, produzindo as primeiras cadeias de pensamentos e reações emocionais; que a memória não está toda disponível para leitura, mas por território; que o fenômeno do autofluxo produz milhares de pensamentos diários sem a autorização do "eu" e que, portanto, gera a maior fonte de entretenimento ou de terror humano; que o "eu" precisa aprender a gerenciar os pensamentos e ser líder do seu próprio mundo; que o processo de interpretação nunca é puro, mas sofre a influência de inúmeras variáveis, gerando uma produção de pensamentos continuamente distinta, mesmo sobre um mesmo objeto.

Conhecer a Física, a Matemática, a Química, a Geografia, é importante, mas é tão ou mais importante que os alunos aprendam a conhecer que o pensamento não é apenas relativo, mas que sofre diversos sistemas de encadeamentos distorcidos, que o *stress* pode comprometer nossa liberdade de pensar e nossa consciência crítica em determinados momentos da interpretação, que nos bastidores de nossa mente somos micro ou macrodistintos a cada momento de nossa existência, que o pensamento dialético é produzido na esfera da virtualidade e que, nessa esfera, apesar de conquistar uma indescritível liberdade criativa, possui limitações em sua práxis ou materialização, que a arte da pergunta, da dúvida e da crítica deveria fazer parte de todo o processo de aprendizado escolar e coloquial.

As escolas deveriam também ministrar cursos específicos sobre a democracia das idéias, a cidadania e o humanismo. Essa nova abordagem do processo educacional objetiva formar um homem completo, seguro e livre no território dos pensamentos e das emoções, um homem que sabe trabalhar suas intempéries existenciais e usa sua inteligência para contribuir com sua espécie.

Comentei a cidadania da ciência. Agora, comentarei o conceito de cidadania social, do humanismo e da democracia das idéias à luz da teoria multifocal do conhecimento humano que estou expondo.

O CONCEITO DE CIDADANIA

A cidadania social, neste livro, vai muito além da definição clássica de cidadania, expressa pelo gozo pleno dos direitos políticos de um cidadão em uma determinada sociedade. Essa definição clássica é redutora e eucentrista, pois envolve os direitos de um indivíduo em relação à sua sociedade e não expressa o comprometimento psicossocial desse indivíduo com sua sociedade. Aqui, a definição de cidadania é abrangente. A cidadania é um exercício intelectual de mão dupla, que envolve tanto os direitos políticos de um cidadão em sua sociedade como os deveres de um cidadão para com essa sociedade. Esses deveres não apenas se referem àqueles previstos em lei, mas também àqueles que dependem da maturidade intelectual, emocional e social, tais como: solidariedade, tolerância, dignidade, cooperação social, preocupação com as dores e necessidades psicossociais do outro, aprender a se doar psicossocialmente sem esperar a contrapartida do retorno etc.

As pessoas raramente sabem se doar sem a contrapartida do retorno, pois subjacente às suas intenções existe uma busca de prestígio, de retorno social, de retorno político. Por exemplo, as drogas nem sempre interessam apenas aos usuários e aos traficantes, mas também a alguns que, ao falar do seu combate, apenas usam-na como instrumento para se promover politicamente. Infelizmente, na história humana, muitos políticos utilizaram e ainda utilizam as misérias humanas como instrumento para ampliar seus poderes, para conquistar prestígio social e ganhar espaço eleitoral. Para aqueles que conhecem a cidadania apenas no discurso, a miséria humana é uma grande mercadoria para ser usada para promoção social. O exercício mais nobre da cidadania é aquele que se faz no silêncio, que se faz sem alardes, que se faz sem esperar a contrapartida do retorno. O único retorno legítimo que deveria ser almejado no exercício da cidadania é aquele produzido pelo prazer de contemplar a melhora da qualidade de vida do outro, da sociedade e do meio ambiente.

A solidariedade, expressa pelo prazer de ser útil e de contribuir para o alívio das dores e das necessidades biopsicossociais do outro, é um dos pilares mais ricos da cidadania. Cultura e dinheiro não compram a cidadania. A cidadania é conquistada na trajetória existencial; é conquistada quando alguém se torna um poeta da vida, um poeta existencial, quando alguém aprende a se interiorizar.

Eu não sei como muitos dos homens mais ricos do mundo, listados pela revista *Forbes*, conseguem dormir com a consciência tranqüila, enquanto há tantos seres da sua própria espécie, tão complexos intelectualmente como eles, que estão subnutridos, famintos, vivendo em condições miseráveis em diversas sociedades. Talvez porque, em contraste com a riqueza financeira, eles estão pobres no mundo de idéias, estão subnutridos de cidadania e de humanismo. Enriquecer apenas para si mesmo, excluindo toda e qualquer meta social, é uma mediocridade. A vida humana é como uma gota existencial na perspectiva da eternidade; refletir sobre a temporalidade e a fragilidade da vida humana deveria nos fazer expandir a lucidez intelectual e nos estimula a estabelecer metas e prioridades humanísticas.

As empresas também deveriam exercer a cidadania empresarial. Deveriam não apenas ter como meta a competitividade, a qualidade dos seus produtos e serviços e a lucratividade, mas também a cidadania, expressa pela meta de procurar expandir a qualidade de vida dos seus trabalhadores e da sociedade como um todo, bem como deveriam exercer a cidadania verde, ou seja, expressa pela preocupação com a preservação do meio ambiente, não como *marketing* político, mas como responsabilidade social.

A cidadania, portanto, é um exercício intelectual em que o cidadão incorpora e exercita seus direitos sociopolíticos e, ao mesmo tempo, coopera com a preservação dos direitos e da qualidade de vida dos consócios da sua sociedade, contribuindo para que a sociedade se torne um albergue não apenas da democracia política, mas também um albergue do humanismo e da democracia das idéias. A cidadania, ainda, envolve a consciência crítica de cada ser humano do seu papel ecossocial. Este expressa tanto a consciência da preservação da natureza como a necessidade de coexistência harmônica entre a espécie humana e o meio ambiente. O exercício pleno da cidadania é uma expressão da maturidade da inteligência multifocal.

O CONCEITO DE HUMANISMO

O humanismo foi um termo filosófico usado de diversas maneiras por diversos pensadores em gerações passadas; porém, neste livro, ele tem conotações extensas e particulares. Para alguns, o humanismo é o exercício da complacência, da bondade, da tolerância e, nesse sentido, ele se confunde com o conceito de cidadania. Porém, esse tipo de humanismo está sujeito às flutuações das intempéries sociais, das circunstâncias psicossociais, das pressões políticas, dos paradigmas culturais. Portanto, ele é instável e suas raízes intelectuais são pouco profundas.

O humanismo a que me refiro vai além do exercício da cidadania, além do exercício da tolerância, solidariedade e cooperação social, pois ele se alicerça numa macrovisão das origens intelectuais da espécie humana. Ele é fruto da procura do *Homo intelligens* pelo *Homo interpres*, ou seja, do homem que pensa pelos processos inconscientes que constroem os pensamentos. Portanto, o conceito de humanismo incorpora a necessidade de compreendermos as origens da inteligência, os fenômenos que nos constituem como seres pensantes. Esse humanismo diminui a paixão nacionalista, grupal, bairrista e expande a paixão pela espécie humana. Ele cria uma relação poética do indivíduo com a espécie humana. Esse humanismo tem uma reação visceral contra a multiplicidade dos parâmetros que promovem as mais diversas formas de discriminação humana: racial, cultural, religiosa, intelectual, etc. Ele ecoa altissonante, evidenciando que acima de sermos americanos, alemães, franceses, brasileiros, árabes, judeus, ingleses, africanos, curdos, somos uma única espécie, uma espécie que, apesar de todas as diferenças genéticas, geográficas, culturais e sociopolíticas, possui clandestinamente, nos bastidores da mente, os mesmos processos e fenômenos que são responsáveis pelo maior de todos os espetáculos humanos, o espetáculo da construção de pensamentos e da consciência existencial.

O humanismo declara uma paixão poética pela espécie humana, porque decorre da compreensão de que a inteligência é produzida gratuitamente por fenômenos que realizam uma sofisticadíssima e inconsciente leitura da memória, que resulta numa complexa construção das cadeias psicodinâmicas de pensamentos. Devido ao fluxo vital da energia psíquica, pensar é um privilégio inevitável de nossa espécie. Sem o espetáculo gratuito da construção dos pensamentos, não haveria ciência, arte, livros, leitores, relações interpessoais conscientes; não haveria nem mesmo a consciência do tempo, pois um segundo e a eternidade seriam a mesma coisa. Por isso, toda forma de violação dos direitos humanos, bem como toda forma radical de nacionalismo, de bairrismo e de defesa grupal ou racial é desumanística e intelectualmente injustificável.

O humanismo evidencia que a teoria da igualdade, que é a matriz de todos os demais direitos humanos, não é apenas uma defesa jurídica, constitucional, cultural, ética, social, mas, muito mais do que isso, se considerarmos a construção da inteligência constatamos que ela é inevitável.

A teoria da igualdade humanista evidencia que, apesar de todas as diferenças humanas, somos inevitavelmente iguais nas origens da inteligência, no nascedouro das idéias, no espetáculo da construção do pensamento. As sociedades humanas não compreenderam a complexidade da teoria da igualdade, e por isso cometeram genocídios, discriminações raciais e outras formas de violação dos direitos humanos. Essas violações ocorreram ao longo da história porque o mundo das idéias humanísticas dos seres humanos, em especial dos homens que detinham o poder sociopolítico, foi e ainda é pequeno. A teoria da igualdade humanista demonstra que todo ser humano, independentemente de sua raça, nacionalidade, cor, idade, sexo, condição social, nível cultural, condição econômica, níveis de sanidade psíquica, etc., tem o direito irrestrito, inalienável e intransferível de igualdade em seus amplos aspectos biopsicossociais. Um dia, proferindo uma palestra sobre a formação de pensadores para cientistas de um instituto de pesquisa, vários deles me procuraram após a palestra e elogiaram a abordagem do humanismo e sua relação com a inteligência. Eles me disseram que nunca tinham compreendido o ser humano na perspectiva psicológica e filosófica e ficaram surpresos ao perceber que a igualdade humana decorre dos fenômenos que nos tornam seres pensantes e que constroem a inteligência. Nessa palestra, a união da Psicologia com a Filosofia causou um choque de humanismo nos ouvintes.

O humanismo afirma que nenhum ser humano, por mais sucesso que tenha, pode acrescentar algo à sua condição humana e tornar-se, assim, supra-humano, semideus. Por isso, toda supervalorização de líderes políticos, religiosos, intelectuais, artistas, esportistas etc., tão comum nas sociedades modernas, é uma atitude desinteligente e desumanística, uma expressão da imaturidade da inteligência. Aquele que supervaloriza o outro e gravita em torno dele, ou da imagem intelectual que faz dele, discrimina a si mesmo, pois desconhece suas origens intelectuais.

Existem pessoas que funcionam como modelos de comportamento saudáveis, que inspiram a produção intelectual; porém, quando alguém supervaloriza uma pessoa e gravita intelectualmente em torno dela, isso compromete sua liberdade de pensar e a consciência crítica. O humanismo também afirma que nenhum ser humano, por menos sucesso que tenha, por mais desprivilegiado socialmente que seja, não perde a dignidade da sua condição humana. Assim, o humanismo evidencia que tanto discriminar como supervalorizar o "outro" são pólos doentios do mesmo processo de interpretação desinteligente e desumanístico.

O CONCEITO DE DEMOCRACIA DAS IDÉIAS

Após ministrar uma conferência num congresso de educação, um diretor de uma escola, me procurou para falar da importância da democracia das idéias. Ele já havia lido a primeira edição deste livro. Disse-me que teve de estudar cerca de dez vezes o conceito de democracia das idéias para ministrá-lo aos seus professores. O assunto pode ser complexo, mas ele é fundamental para regular as relações humanas.

A democracia das idéias representa uma das mais nobres funções intelectuais da maturidade da inteligência humana. Depois de fazer a exposição deste assunto extrairemos uma série de direitos e deveres importantes que podem preparar um ambiente para que as relações humanas passem a ser construídas com mais dignidade, respeitabilidade, inteligência.

A democracia das idéias tem um conceito sofisticado, mais sofisticado que o humanismo. Enquanto o conceito de humanismo é extraído da compreensão de que todo ser humano tem um conjunto de fenômenos que participam da organização da inteligência, o conceito de democracia das idéias é extraído da atuação desses fenômenos, formando um intrincado conjunto de processos que são responsáveis pela leitura da memória e pela construção das cadeias de pensamentos. Esse conceito também é extraído da natureza, limites e alcances desses pensamentos, dos entraves da comunicação interpessoal e das variáveis que atuam no processo de interpretação.

O humanismo evidencia que há uma igualdade humana inevitável quando consideramos as origens da inteligência, quando consideramos os fenômenos que constroem os pensamentos. A democracia das idéias evidencia que há, opostamente, uma desigualdade inevitável quando consideramos o resultado dessa construção, ou seja, o resultado das cadeias de pensamentos construídas.

Os fenômenos que constroem os pensamentos são os mesmos, mas o resultado dessa construção, que são as próprias cadeias de pensamentos, freqüentemente não são exatamente iguais, ainda que possamos considerar dois observadores diante de um mesmo estímulo, ou um mesmo observador diante do mesmo estímulo observado em dois tempos distintos. A produção de pensamentos tem uma diversidade interpessoal (entre duas pessoas) e intrapsíquica (em uma mesma pessoa). Ainda que estejamos num ambiente social prejudicial à arte de pensar, devido à globalização da informação e à massificação da cultura, a construção de pensamentos sofre uma contínua diversidade.

Os fenômenos que atuam na construção da inteligência são iguais; mas o resultado nunca é uma inteligência igual, o resultado nunca é uma unanimidade de idéias. A diversidade de pensamentos não acontece, como disse, apenas entre duas pessoas diferentes, que supostamente têm cargas genéticas diferentes, estímulos familiares diferentes, estímulos socioeducacionais diferentes, etc., mas também no universo psíquico de uma mesma pessoa. Como vimos, há um *Homo interpres* nos bastidores da psique humana, micro ou macrodistinto a cada momento existencial. Por isso, mesmo diante dos mesmos estímulos, freqüentemente produzimos pensamentos micro ou macrodiferentes. Procurar uma unanimidade de idéias é uma atitude desinteligente.

A democracia das idéias é tão importante, que deveria regular todas as esferas das relações humanas: as relações pais-filho, professor-aluno, político-eleitor, as relações acadêmicas, jornalista-leitor etc. Os alicerces da democracia das idéias são constituídos por diversos fatores. Para compreendê-los melhor, podemos dividi-los em oito grandes processos: 1. A comunicação social é mediada, ou seja, as relações humanas não transcorrem através de trocas essenciais, tais como da energia psíquica das angústias, ansiedades, prazeres, etc., mas por um sistema de códigos sensoriais, principalmente sonoros e visuais. 2. Pelo fato de a comunicação social ser mediada, conhecemos o "outro" não pela essência do outro, mas pela reconstrução dele nos bastidores de nossas mentes, produzida pelo nosso processo de interpretação. Assim, o conhecimento do "outro", bem como de todo fenômeno extrapsíquico, é passível de inúmeras distorções. 3. O pensamento dialético e o pensamento antidialético, os dois tipos de pensamentos conscientes produzidos pela psique humana, são de natureza virtual. 4. A virtualidade dos pensamentos conscientes indica que, por mais que eles sejam eficientes em conceituar os fenômenos, eles nunca atingem a realidade essencial (a verdade essencial) dos mesmos, ou seja, a essência intrínseca que os constitui. 5. Por não atingir a realidade essencial dos fenômenos, os pensamentos conscientes, que representam a verdade científica, jamais incorporam a verdade essencial. Assim, a verdade científica torna-se apenas um sistema de intenções intelectuais que tenta discursar sobre a verdade essencial. 6. O *Homo interpres* (processo de interpretação), que representa os processos intrapsíquicos inconscientes envolvidos na construção de pensamentos, é micro e macrodistinto a cada momento existencial, pois diversas variáveis que participam desses processos flutuam e evoluem continuamente. 7. Devido à flutuabilidade e evolutividade contínua das variáveis intrapsíquicas, ocorre um sistema de encadeamento distorcido no processo de construção dos pensamentos, gerando uma diversidade de idéias inevitáveis. 8. O gerenciamento do eu na construção de pensamentos nunca é completo, pois existe um conjunto de fenômenos que constroem pensamentos sem a sua autorização.

Portanto, concluindo, a democracia das idéias é inevitável, pois a comunicação social é mediada, os pensamentos conscientes são limitados, a verdade essencial é inatingível, o processo de interpretação é passível de inúmeras distorções e o eu não é líder absoluto do processo de construção de pensamentos. A democracia das idéias expressa, portanto, que a verdade é inatingível, que é muito difícil interpretar adequadamente o outro, que o pensamento consciente tem limites, que o eu não reina na mente humana.

A arte de viver é mais complexa do que podemos imaginar. Somos complexos e sofisticados intelectualmente e, ao mesmo tempo, limitados e frágeis. Produzimos o indescritível mundo das idéias e, ao mesmo tempo, podemos distorcer a verdade mais do que podemos compreender. Construímos belíssimas relações humanas e, ao mesmo tempo, podemos ser autoritários e distorcer o direito do outro mais do que temos consciência.

A democracia das idéias é muito mais abrangente, profunda e complexa do que a democracia política. A democracia das idéias, diferente da democracia política, não é uma opção intelectual, mas uma inevitabilidade. Só não é inevitável porque conhecemos pouco o processo de construção dos pensamentos, o processo de construção das relações interpessoais, o processo de interpretação, o processo de gerenciamento do eu e a natureza dos pensamentos.

A democracia das idéias é o ponto de encontro da Psicologia com a Filosofia, a Sociologia, a Educação e demais ciências, mesmo as ciências naturais.

Os direitos e deveres extraídos da democracia das idéias são mais profundos e abrangentes do que aqueles contidos na constituição dos países ou na carta dos direitos humanos das Nações Unidas. A seguir, farei uma síntese desses direitos e deveres:

a) Como a comunicação social é mediada, temos de aprender a desenvolver relações sociais maduras e inteligentes: aprender a respeitar a complexidade do outro; compreender que nunca temos a realidade essencial das pessoas com as quais nos relacionamos; ter consciência de que nossas interpretações sobre o outro são facilmente contaminadas pelo nosso universo psíquico e, portanto, são passíveis de inúmeras distorções; aprender a interpretar o outro com consciência crítica, a analisá-lo e procurar se colocar no lugar dele, para que possamos compreender, com menos distorção possível, suas idéias, dores e necessidades psicossociais; aprender a arte de ouvir, ou seja, ouvir com maturidade e consciência crítica, ouvir o que o outro tem para falar e não ouvir o que queremos ouvir.

b) Como os pensamentos conscientes são de natureza virtual, temos de compreender alguns limites e alcances básicos dos pensamentos: aprender que a verdade essencial é inalcançável; reconhecer que a verdade científica é apenas um sistema de intenções que tenta conceituar a verdade essencial; ter consciência de que a verdade coloquial, aquela que expressa nossos julgamentos, opiniões, idéias em nossas atividades sociais, também não expressam a realidade essencial; aprender a expor e não a impor nossas idéias; aprender a não nos submetermos passivamente às idéias do outro, julgando-as com liberdade e consciência crítica e a permitir que os outros possam julgar nossas idéias com a mesma liberdade.

c) Como o *Homo interpres* é micro ou macrodistinto, a cada momento existencial temos que aprender a respeitar a diversidade das idéias: aprender a respeitar o pensamento do "outro" (o outro como indivíduo e como grupo social), ainda que confronte com o nosso pensamento; compreender que a unanimidade de idéias no campo político, social, econômico, cultural e educacional é impossível; aprender que a democracia das idéias implica respeitar as diferenças e não impor a unanimidade; compreender que a unanimidade ocorre apenas no campo do espírito humano, da solidariedade, da respeitabilidade, da tolerância, do humanismo, da cidadania.

d) Como o eu não exerce um gerenciamento pleno na construção de pensamentos, devido à atuação psicodinâmica de outros fenômenos que também constroem pensamentos, temos que aprender a desenvolver com maturidade esse gerenciamento: aprender a pensar antes de reagir; aprender a ser fiel aos nossos pensamentos; trabalhar os estímulos estressantes e as frustrações psicossociais; aprender a desenvolver a arte de perguntar, duvidar e criticar; aprender a expandir o mundo das idéias e a criatividade na superação dos problemas socioprofissionais; aprender a nos tornarmos pensadores humanistas e engenheiros de idéias originais; aprender a revisar nossos paradigmas socioculturais; rever nossas posturas dogmáticas e autoritárias, caso contrário, engessamos nossa capacidade de pensar e seremos escravos de nossa rigidez.

Devido às distorções inevitáveis ocorridas no processo de interpretação e de construção multifocal de pensamentos, o uso da democracia das idéias torna-se não um luxo intelectual, mas vital e necessário nas relações sociais e na produção científica.

A liberdade humana não é cultivada apenas pelo fato de o homem aprender a produzir pensamentos e expressá-los livremente, pois os ditadores, os psicopatas e os que praticam as múltiplas formas de discriminação usam suas produções de pensamento para defender suas idéias anti-humanísticas. A liberdade do *Homo intelligens* (homem consciente) é cultivada quando ele aprende a pensar sobre o *Homo interpres* (bastidores inconscientes da inteligência), ou seja, pensar criticamente sobre o próprio pensamento, quando procura suas origens e processos intelectuais, quando conquista um conhecimento básico sobre os limites e alcance da construção da sua inteligência, quando aprende a desenvolver com maturidade a arte de pensar. Assim, ele pode reunir subsídios para desenvolver uma sólida consciência crítica, um exercício maduro da cidadania, do humanismo e da democracia das idéias.

O enfileiramento de centenas de milhares de soldados germânicos na promoção do holocausto judeu ocorreu não apenas pelos fatores sociais, econômicos e políticos da Alemanha pré-nazista, e nem pela agenda nazista de Hitler, pois esses fatores eram extrapsíquicos. Ocorreu também por fatores intrapsíquicos, dos quais se destaca a psicoadaptação à dor dos judeus, a dificuldade da liderança alemã e dos soldados em se interiorizar, gerenciar seus pensamentos e revisar seus paradigmas. Os nazistas eram violentos por fora, mas frágeis por dentro, no território da inteligência. A Alemanha sempre foi um dos mais nobres celeiros de idéias e de pensadores, tais como Kant, Hegel e Schopenhauer. Todavia, a cultura histórica não é insuficiente para conter a agressividade e a violação dos direitos humanos em determinados períodos.

Devido à conjunção de fatores externos e psíquicos, os nazistas fizeram um corte radical com as raízes intelectuais e a história social de sua nação. O homem instintivo prevaleceu e controlou o homem pensante. As reações inumanas que eles produziram indicam que é possível um grupo de pessoas anular a história do seu povo, construída ao longo dos séculos, e viver em função dos paradigmas construído em determinado momento histórico. Se as bases filosóficas e psicológicas do humanismo e da democracia das idéias não forem amplamente incorporadas, através da educação, a cada geração, outros holocaustos surgirão. De fato, alguns holocaustos têm surgido depois da Segunda Grande Guerra. Basta citar o dramático e indescritível genocídio de Ruanda, no fim do século XX, o século mais prodigioso para a ciência: neste genocídio milhares de homens, mulheres e crianças foram dizimados a golpes de clavas e facões.

A única "vacina intelectual" segura contra as múltiplas formas de violência é a construída todos os dias no cerne do espírito e da alma humana, no âmago da construção da inteligência. A construção de pensamentos é mais vulnerável e influenciável do que podemos imaginar, principalmente nas situações estressantes; por isso, se as bases que regulam o processo de interpretação não for a democracia das idéias, o humanismo e o exercício da cidadania, podem-se cometer as maiores atrocidades humanas, seja uma Ruanda, desprovida do brilho da cultura ocidental, ou uma Alemanha, que contém a fina flor do pensamento filosófico. A nação mais solidária, tolerante e humanista pode, na geração seguinte, produzir as mais repugnantes violações dos direitos humanos.

Somos uma espécie que tem o privilégio da capacidade de pensar, mas que não conhece minimamente as origens da sua inteligência. Infelizmente, raramente temos uma relação humanista e poética com a nossa própria espécie. Raramente temos consciência de que a teoria da igualdade é mais do que uma teoria ética, mas uma inevitabilidade; que a democracia das idéias é mais do que um discurso teórico, mas é ou deveria ser um mecanismo psicossocial regulador do processo de interpretação. Por esses motivos, apesar de sermos uma espécie pensante que está no topo da inteligência de dezenas de milhões de espécies na biosfera terrestre, temos tido grande dificuldade de viabilização psicossocial.

Nas sociedades modernas, há uma verdadeira crise de interiorização crítica e de idéias humanistas; por isso é fundamental que o conhecimento possa ser democratizado, humanizado; que a produção das idéias seja organizada e promovida nos territórios sociais, e não seja apenas privilégio de uma elite de pensadores. Essa visão, como disse, estimulou-me a exercer a "cidadania da ciência" e, ao mesmo tempo, fez-me desenvolver críticas sobre o papel sociopolítico e histórico-social das instituições acadêmicas, bem como de uma série de outras instituições sociais e de posturas intelectuais individuais que ferem a democracia das idéias.

A PRÁTICA DO AUTORITARISMO DAS IDÉIAS NO PROCESSO DE INTERPRETAÇÃO DAS RELAÇÕES SOCIOPROFISSIONAIS

A ciência é um dos frutos mais nobres da "respiração da interpretação" da mente humana. A interpretação reduz a realidade essencial dos fenômenos e dos sistemas de relações que eles mantêm entre si. Por exemplo, toda angústia, dor, desespero que percebo do outro é sempre um exercício da interpretação que faço dele e que é passível de distorções e reduções em relação à essência emocional que ele está vivendo.

Qualquer processo ou sistema da interpretação comete inconscientemente distorções e produz injustiça em relação ao objeto interpretado. Porém, há grande diferença entre a interpretação que é extraída de um processo de interpretação realizado dentro do campo da democracia das idéias e que revisa criticamente o conhecimento produzido, da interpretação extraída de um processo de interpretação que desconsidera completamente a democracia das idéias e qualquer questionamento do processo de interpretação e do conhecimento produzido. O resultado desta última interpretação tem a pretensão absurda e autoritária de proclamar que a verdade da interpretação é idêntica à verdade essencial.

Devemos desconfiar de todas as pessoas que tentam impor seus pensamentos e querem que o mundo gravite em torno de suas idéias, de suas verdades. Os homens que são incapazes de ser questionados, ainda que tenham elevada cultura e poder político, são frágeis, se escondem atrás de sua agressividade.

Toda interpretação comete injustiça em relação ao objeto interpretado; mas as grandes injustiças, as grandes distorções, seja na esfera científica ou na esfera dos direitos humanos, foram produzidas pela prática do tendencialismo, pela falta de consciência crítica sobre as distorções passíveis de ocorrer no processo de construção de pensamento.

Toda vez que pensarmos que "algo" é "assim", deve estar claro que esse "algo" nunca é exatamente "assim", pois este "assim" é um sistema intelectual que, além de não ser idêntico à essência real desse "algo", é passível de diversas distorções. Há inúmeras conseqüências psicossociais derivadas desses fatos. Os pais compreendem menos os filhos do que imaginam. Os juízes e promotores distorcem mais seus julgamentos do que têm consciência. Os jornalistas distorcem mais as informações do que acreditam. Os políticos desfiguram a realidade mais do que têm consciência dela. Os psicoterapeutas compreendem menos seus pacientes do que pensam.

Não é possível impedir que se cometam determinadas injustiças intelectuais no processo de interpretação, mas a prática deliberada e consciente do autoritarismo das idéias e da ditadura do discurso teórico é anticientífica, antidemocrática e anti-humanística. O homem que não duvida e critica suas próprias interpretações, ainda que tenha excelente cultura e eloqüência dialética, torna-se um agente micro ou macrodestrutivo da sua sociedade.

Se a utilização de uma teoria psicológica pode ser muito importante para enriquecer a produção de conhecimento sobre o paciente e a eficiência do processo psicoterapêutico, pode também ser contracionista se utilizada autoritária e ditatorialmente. Por isso, é imprescindível que todas as sociedades de psicoterapias, independentemente da corrente teórica que utilizam, possam compreender os limites e alcance de uma teoria no processo de interpretação e alguns aspectos básicos dos processos de construção dos pensamentos, para que possam estimular a capacidade crítica de pensar dos psicoterapeutas e conduzi-los a compreender e cultivar a democracia das idéias no processo psicoterapêutico, inclusive estimular os pacientes a desenvolver a arte de pensar.

A democracia das idéias é tão importante, que qualquer ser humano deveria expor e defender suas idéias em quaisquer níveis das relações humanas, mas nunca deveria impô-las como verdades irrefutáveis. Devido à relevância da democracia das idéias e à sua superioridade em relação à democracia política, eu a aplico de diversas maneiras nos textos deste livro. A democracia das idéias é um canteiro vivo onde se cultiva o humanismo, a cidadania e a capacidade crítica de pensar.

Alguém poderia argumentar que a matemática é a ciência mais lógica e deveria ser usada como princípio básico em todas as ciências, inclusive nas ciências da cultura. Vários pensadores exaltaram os princípios da Matemática e quiseram usá-los para regular a produção de conhecimento, conformando-a aos limites da lógica.

Os princípios da Matemática são importantes e seduziram filósofos, psicólogos, sociólogos, psicopedagogos etc., porque eles são constituídos de leis lógicas, que se pautam pela linearidade e previsibilidade. As leis físico-químicas também possuem lógica, linearidade e previsibilidade. Porém, esses pensadores não compreenderam que a verdade científica é derivada da verdade da interpretação e não da verdade essencial dos fenômenos; e a verdade da interpretação está sujeita não apenas aos limites da virtualidade da consciência, mas também aos sistemas de encadeamentos distorcidos ocorridos no processo de interpretação e, conseqüentemente, no processo de construtividade dos pensamentos (conhecimento). A verdade científica possui um distanciamento infinito em relação à verdade essencial, embora possa ser submetida à prova, produzir aplicabilidades e gerar previsibilidades.

A verdade científica é uma consciência virtual, formada por pensamentos dialéticos, sobre a realidade essencial. Entre o que é virtual e o que é essencial existe uma distância intransponível.

Grande parte dos professores, inclusive universitários, provavelmente nunca perceberam que os pensamentos e, conseqüentemente, as verdades científicas descrevem os fenômenos, mas, ao mesmo tempo, jamais os incorporam essencialmente, pois estão a uma distância infinita, intransponível em relação a eles. Devido a essa falta de compreensão, os professores, ao transmitir o conhecimento em sala de aula, usam argumentos e uma tonalidade lingüística que impõem as idéias e não as expõem, expressando que a verdade científica é idêntica à verdade essencial. Eles praticam uma ditadura do pensamento por desconhecerem a natureza e os limites do conhecimento. As salas de aulas, mesmo nos países que mais honram a democracia política, nem sempre são albergues da democracia das idéias, mas do autoritarismo das idéias. Por isso, as escolas formam homens que retransmitem o conhecimento, mas que não são pensadores humanistas.

As verdades científicas sofrem contínuas transformações ao longo do tempo, porque são sistemas de intenções intelectuais que tentam descrever e discursar sobre os fenômenos e objetos de estudos. Com o avanço das pesquisas, as verdades científicas se tornam paradigmas ultrapassados. As verdades científicas de há um século foram profundamente repensadas. Daqui a um século, grande parte do conhecimento, que hoje é aceito como verdade científica, também será profundamente reorganizado.

A verdade científica não coincide jamais com a verdade essencial dos fenômenos, embora possa produzir conseqüências científicas, tais como a comprovação dos argumentos e aplicabilidades técnicas. Além disso, a lógica, linearidade e previsibilidade, que são características fundamentais que promovem a produção de conhecimento na Física, na Química, na Biologia, etc., são restritivas para esquadrinhar psicodinamicamente os processos de construção dos pensamentos.

Os processos de construção das cadeias psicodinâmicas dos pensamentos ultrapassam os limites da lógica, da linearidade e da previsibilidade das leis da Matemática contidas nos processos físico-químicos. Os pensamentos esquadrinham e utilizam os princípios da Matemática, mas eles têm uma natureza e construtividade que ultrapassam esses princípios, que ultrapassam a lógica, a previsibilidade e a linearidade dos mesmos.

Todo pesquisador ou utilizador de uma teoria deveria ser um democrata das idéias e, tanto quanto possível, rever as idéias e expandir os discursos teóricos contidos na mesma, e não utilizá-los com autoritarismo e com uma postura ditatorial, circunscrevendo rigidamente os fenômenos de estudos apenas dentro dos seus limites, como se quisesse prestar a ela uma fidelidade inalcançável e encontrar a partir dela uma verdade essencial inatingível.

O homem deveria ser livre na sua mente. A mais refinada e nobre liberdade ocorre na fonte produtora dos pensamentos. Há muitas pessoas que não são autoritárias com os outros, mas são extremamente rígidas consigo mesmas, pois conduzem suas vidas, sua capacidade de contemplação do belo, de superação dos estímulos estressantes e sua capacidade de dar soluções aos conflitos interpessoais e às intempéries socioprofissionais dentro dos limites contracionistas, rígidos e irrecicláveis das suas idéias, de seus paradigmas socioculturais, de sua maneira de ser e de pensar. Há milhões de pessoas ditadoras de si mesmas nas diversas sociedades, pessoas que são incapazes de ferir e tolher conscientemente os direitos dos outros, mas que são algozes, carrascos de si mesmas. Essas pessoas não se permitem relaxar, errar, começar tudo de novo, experimentar o prazer de viver, etc. Eu costumo dizer que as pessoas rígidas e autopunitivas dançam a valsa da vida com as duas pernas engessadas. Elas costumam ser ótimas para os outros, mas péssimas para si mesmas.

Pode-se ter privilégios econômicos, sucesso social e liberdade de expressão, mas, ainda assim, ser um prisioneiro no seu próprio mundo, na sua própria mente, praticam o autoritarismo e o auto-autoritarismo das idéias.

Capítulo 15

A Reorganização do Caos da Energia Psíquica

O processo de construção dos pensamentos gera múltiplas formas de "conhecimento", que são direcionadas para produzir a ciência, a tecnologia, as artes, as relações humanas, o processo socioeducacional e profissional. Porém, em detrimento de o "conhecimento" ser o material fundamental de toda produção intelectual, pouco se conhece de sua natureza intrínseca, bem como das variáveis que co-interferem mutuamente e que participam dos seus processos de construção.

Percorrer algumas trajetórias do conhecimento sobre o próprio conhecimento e sobre a fonte que o produz pode nos remeter temporariamente a um profundo estado de ansiedade e a um dramático caos intelectual, que pode expandir a produção de novos pensamentos.

Há três tipos de caos que abrangem, talvez, a totalidade dos tipos de caos existentes no universo: o caos físico-químico, o caos da energia psíquica e o caos intelectual.

Neste capítulo, farei um comentário um pouco mais abrangente sobre o caos da energia psíquica, bem como sobre o fluxo vital dos fenômenos da mente e sobre a reorganização do caos através da leitura da história intrapsíquica e dos sistemas de co-interferência das variáveis. Além disso, também farei um breve comentário sobre o caos físico-químico.

O conceito, expresso neste livro, dos vários tipos de "caos" implica um processo vital de construtividade, expresso pela organização, desorganização e reorganização dos fenômenos. Antes de abordar mais extensamente o caos da energia psíquica, eu gostaria de fazer uma pequena síntese do que penso sobre o caos físico-químico. Quero, entretanto, reafirmar que a teoria sobre o caos intelectual e o caos da energia psíquica foi, como os demais textos deste livro, produzida sem nenhuma influência sistemática de outras teorias e de outros teóricos. A teoria do caos intelectual e do caos da energia psíquica pertencem à teoria multifocal do conhecimento (TMC).

Não podemos confundir o caos da energia com o caos intelectual. O caos da energia psíquica refere-se ao fluxo contínuo de pensamentos e de emoções que ocorre no cerne da psique; enquanto o caos intelectual é um procedimento de pesquisa, refere-se a um "desmoronamento" dos conceitos para descontaminar o processo de observação e interpretação.

O CAOS FÍSICO-QUÍMICO

O caos físico-químico está presente em todo o universo, expandindo as possibilidades de construção da matéria e da energia.

No processo de decomposição dos organismos, ocorre o caos físico-químico e, assim, os átomos e as moléculas são incorporadas ao solo e passam a fazer parte de novas estruturas físico-químicas. Partes desses elementos também serão incorporados e assimilados novamente nas cadeias alimentares. No ciclo da água, na formação das rochas, na fusão nuclear ocorrida no Sol, no ambiente de cada átomo, na formação dos planetas, nos buracos negros, etc., o caos está presente, não é estático.

O alimento digerido experimenta o caos, para depois ser assimilado e incorporado pelo organismo. Somente depois de experimentarem o caos é que os alimentos se tornam materiais de construção.

Toda construção civil emerge do caos. A argila, que estava caoticamente desorganizada nos pântanos, se organiza em tijolos. O minério de ferro, que estava organizado nas rochas, é implodido, desorganizado, "imerso" no caos e, uma vez fundido, emerge do caos como barras de ferro organizadas para serem usadas nas construções. Se tivermos quatro paredes, cada uma das quais composta por milhares de tijolos, definiremos uma única arquitetura, formaremos um único ambiente. Porém, se as paredes imergirem no caos, se forem destruídas, produzirão milhares de tijolos inteiros e de fragmentos. Assim, poderemos usá-los para definir inúmeras arquiteturas, formar inúmeros ambientes. O caos físico-químico é um precioso estágio no ciclo da construção.

A cadeia sistemática de fenômenos que ocorre na macroessência (qualquer objeto, planeta ou galáxia) para a infinidade microessencial da matéria ou da energia, está num contínuo movimento de organização, de caos e reorganização. A experiência do caos dinâmico desta cadeia faz da Física uma ciência infinita, pois não apenas abre as possibilidades de construção e expansão do universo macroessencial, mas também do universo microessencial, gerando infinitamente micro e macrorrelações multifocais.

Do ponto de vista filosófico, não há nenhuma possibilidade de construção mais rica no campo das idéias e no campo dos fenômenos físicos sem ocorrer uma desorganização, um caos das estruturas.

Nas artes, o caos físico-químico se mescla com o caos da energia psíquica. O nascedouro do belo emerge do caos. Um belo quadro de pintura emerge tanto do caos do processo de construção da inteligência como também do caos físico-químico da tinta. À medida que a inspiração vai se reorganizando na mente, as pinceladas de tintas, por sua vez, também conquistam a estética. As composições musicais e muitas outras obras de arte emergem do caos.

Muitas poesias foram inspiradas e produzidas a partir do caos emocional, da angústia existencial. A produção das artes nos bastidores da mente são, enquanto construções psicodinâmicas, mais complexas do que os próprios artistas conseguem expressar. Por exemplo, o caos emocional, expresso pela depressão, pela angústia existencial, pela dor da solidão, etc., é reorganizado pelos fenômenos que fazem a leitura da história intrapsíquica. Dessa leitura é produzido um grupo de matrizes de pensamentos essenciais históricos que transformam a energia emocional, gerando a criação e a inspiração artística. Ao mesmo tempo, essas matrizes preparam uma pista de decolagem virtual para a produção de pensamentos antidialéticos e dialéticos, que organizarão o "eu". Todo esse processo ocorre rapidamente, e não pára por aí.

O eu, uma vez formado num determinado momento existencial, lê novamente a memória, utiliza as informações nela existentes, forma as cadeias de pensamentos essenciais que materializam sua intencionalidade no córtex cerebral, produzindo em último estágio o refinado trabalho motor do pintor, do escultor, do autor literário, do fraseologista. O trabalho motor, gerenciado pelo eu, por sua vez reorganiza o caos físico-químico da tinta usada nas pinturas, ou o caos físico químico dos materiais usados nas esculturas.

A mesclagem da reorganização do caos da energia psíquica com a reorganização do caos físico-químico gera a produção das artes. Mesmo as obras literárias são produzidas a partir dessas duas mesclagens.

As artes e as ciências emergem do brilhante caos intrapsíquico que reorganiza os sofisticados símbolos extrapsíquicos. A poesia, o romance, a escultura, as pinturas, os textos científicos, etc., são reorganizados extrapsiquicamente como símbolos que expressam os refinados processos de construção produzidos clandestinamente nos bastidores da mente dos artistas. Porém, a simbologia literária, científica, poética é sempre reducionista em relação às dimensões do belo intrapsíquico.

Embora seja um pesquisador das ciências da cultura e não um físico, vejo o universo físico-químico num processo contínuo de organização, de caos e reorganização da matéria e da energia, onde mesmo as estruturas mais sólidas não são rígidas, mas se movimentam intrinsecamente, se desorganizam e se reorganizam micro e macroessencialmente. Porém, sob determinados ângulos, há exceções na expansibilidade de construção decorrente do caos físico-químico, pelo menos na esfera da qualidade. Nessas exceções se incluem as atitudes antiecológicas, os procedimentos anti-humanísticos, as doenças neurológicas.

Nas atitudes antiecológicas, o caos físico-químico pode desorganizar seres vivos e comprometer seriamente a preservação das espécies, ainda que quantitativamente a desorganização dos elementos possa ser incorporada em outros seres vivos e em novas estruturas físico-químicas. A complexidade da organização dos milhões de espécies existentes na natureza nos impõe grande responsabilidade, pois o caos físico-químico, decorrente da extinção delas, se reorganizará em outras formas, o que nos faz supor que a extinção delas implica uma perda irreparável.

Nas atitudes anti-humanísticas, tais como as produzidas pela guerra, pelo genocídio, pela propagação da fome, também há um caos físico-químico e psicossocial dramático que expande a destrutividade, as dores e as misérias biopsicossociais.

Na degeneração do cérebro (ex., doença de Alzheimer), nos traumas cranioencefálicos, nos tumores cerebrais, nos acidentes vasculares cerebrais, pode ocorrer uma desorganização caótica das células do córtex cerebral que arquivam os segredos da complexa história existencial humana, fazendo com que ocorra uma desorganização do processo de leitura da memória por parte dos fenômenos que reorganizam o caos da energia psíquica, comprometendo dramaticamente a construtividade das cadeias psicodinâmicas dos pensamentos, a formação da consciência existencial e, conseqüentemente, a organização do eu, da identidade psicossocial da personalidade e da lógica dos referenciais históricos da racionalidade.

O FLUXO VITAL DA ENERGIA PSÍQUICA

O caos da energia psíquica, como vimos, é mais complexo e submete-se, freqüentemente, a um processo de transformação bem mais rápido e intenso do que o caos físico-químico.

As idéias, os pensamentos antecipatórios, os pensamentos existenciais, os desejos, as ansiedades, etc., são produzidos num fluxo vital contínuo a cada momento existencial. Uma complexa experiência psíquica, constituída de uma energia emocional prazerosa, pode, numa fração de segundo, "imergir" num caos essencial e, em fração de segundo depois, ser reorganizada e "emergir" numa experiência ansiosa.

Um paciente que sofre um ataque de pânico submete-se a um caos dramático que desorganiza sua experiência intelecto-emocional prazerosa, coerente, lúcida, produzindo uma reação fóbica súbita, intensamente ansiosa e irracional, acompanhada de diversos sintomas psicossomáticos, tais como taquicardia, sudorese (excesso de suor), falta de ar.

O ciclo vital dos processos de construção da inteligência, expresso pela organização, desorganização caótica e reorganização da energia psíquica, ocorre tão subitamente que não temos consciência da extrema rapidez da sua transformação.

Na mente humana, tanto a organização quanto a reorganização da energia psíquica normalmente é desencadeada por fenômenos que fazem a leitura da memória. Tais fenômenos sofrem a ação dos sistemas de co-interferências de variáveis que interferem qualitativa e quantitativamente tanto no processo de leitura quanto nas matrizes de pensamentos essenciais históricos resultantes dessa leitura. Tal interferência influencia a qualidade do processo de reorganização da energia psíquica, ou seja, a qualidade das idéias, pensamentos, análises, reações emocionais e reações motivacionais que são produzidas.

Entre as variáveis que interferem no processo de leitura e nas matrizes dos pensamentos essenciais históricos, decorrentes dessa leitura, se encontram a própria energia emocional e motivacional anterior.

Por exemplo, quando uma reação fóbica é organizada como microcampo de energia emocional dentro do campo de energia psíquica, ela, imediatamente após sua organização, caminha automaticamente para o caos psicodinâmico. Ao mesmo tempo que ela se desorganiza, ela também atua psicodinamicamente na reorganização da energia psíquica, atua nos fenômenos que fazem a leitura da história intrapsíquica, influenciando a qualidade das matrizes de pensamentos essenciais históricos e, conseqüentemente, a qualidade das transformações da energia emocional e motivacional e a qualidade dos pensamentos dialéticos e antidialéticos que serão produzidos. Com isso, uma reação fóbica anterior influencia a produção de novas emoções ansiosas e a produção de pensamentos que expressem desespero e preocupação. Assim, uma reação fóbica anterior, ou uma angústia existencial (tristeza decorrente de uma contrariedade), ou qualquer outro microcampo de energia emocional mais intenso, atua psicodinamicamente no processo de reorganização do caos da energia psíquica e na qualidade das emoções e pensamentos que serão produzidos. Por isso, os psicopatas alimentam continuamente suas idéias e suas compulsões psicopáticas; as pessoas obsessivas alimentam continuamente suas idéias obsessivas, as pessoas existencialmente angustiadas alimentam continuamente sua produção de idéias que antecipam o futuro ou que remoem o passado; os usuários de cocaína retroalimentam continuamente sua dependência psicológica, o que os expõe a uma necessidade de novas doses da droga para aliviar as experiências psíquicas decorrentes da abstenção.

As experiências emocionais anteriores funcionam como variáveis intrapsíquicas que podem ter uma grande influência em todos os processos que geram a inteligência. Por isso, quando estamos vivendo um humor sereno e prazeroso, as contrariedades, as intempéries existenciais pouco nos atingem, pois o humor tranqüilo interfere, desloca a leitura da história intrapsíquica para áreas da memória que subsidiam a maturidade da inteligência, expressa pela construção das matrizes de pensamentos essenciais, que gerarão reações emocionais e motivacionais menos tensas e pensamentos dialéticos e antidialéticos com mais flexibilidade e habilidade para dar solução às contrariedades e aos desafios psicossociais.

Por outro lado, quando alguém vive uma reação depressiva, fóbica, um ataque de pânico, uma angústia existencial, ele interpreta os estímulos estressantes que o envolvem, tais como ofensas, erros, perdas, frustrações, de maneira superdimensionada. Esses estímulos estressantes causam um "eco introspectivo" intenso nos bastidores da mente, gerando matrizes de pensamentos essenciais que provocam irritabilidade, tensão, intolerabilidade e dificuldade na organização das idéias e na superação dos problemas psicossociais.

A energia emocional influencia a qualidade da interpretação e, conseqüentemente, a qualidade das cadeias de pensamentos e da história arquivada na memória. Quanto mais emoção tensa, ansiosa ou prazerosa as cadeias de pensamentos possuem, mais o fenômeno RAM as registra em zonas privilegiadas da memória, o que facilita sua leitura. Portanto, a energia emocional influencia decisivamente a maturidade da inteligência ou da personalidade.

É possível que haja muita gente vivendo exteriormente em excelentes condições sociais, mas vivendo interiormente uma verdadeira miséria emocional. É possível também que haja pessoas que vivam exteriormente em condições miseráveis, mas são emocionalmente livres e alegres. Assim, apesar de suas limitações exteriores, se tornaram poetas da existência, pensadores que aprenderam a destilar sabedoria nos seus desertos existenciais.

Precisamos compreender os processos básicos envolvidos na construção da inteligência para ter subsídios para reciclar as experiências emocionais e para trabalhar com maturidade os estímulos psicossociais estressantes.

NA AUSÊNCIA DA ATUAÇÃO DO EU, OS FENÔMENOS INCONSCIENTES PROMOVERÃO A CONSTRUÇÃO DAS IDÉIAS SEM CONSCIÊNCIA CRÍTICA

Se o eu não reorganizar o campo de energia psíquica, então, os três fenômenos inconscientes, que estão num fluxo vital contínuo, farão espontânea e inevitavelmente essa reorganização, gerando uma produção de idéias, de pensamentos existenciais, de resgate de experiências passadas, de reações emocionais, etc., sem determinismo lógico, sem consciência crítica.

Creio que todos nós já ficamos surpresos com determinados pensamentos ou idéias que são produzidos em nossa mente e que não foram produzidos conscientemente pela determinação consciente do "eu".

Muitas idéias e pensamentos que produzimos não têm nenhuma relação com os estímulos do meio ambiente ou com pensamentos anteriores. É comum recordarmos determinadas experiências passadas que não têm nenhuma relação lógica com as circunstâncias intrapsíquicas e extrapsíquicas. Na realidade, tais resgates de experiências do passado foram produzidos pela leitura dos fenômenos contidos nos bastidores da mente, dos quais destaco, aqui, o fenômeno do autofluxo.

O fenômeno do autofluxo é um dos fenômenos que impulsionam psicodinamicamente o fluxo vital da energia psíquica; é um dos fenômenos que lêem a memória, resgatando as RPSs (representações psicossemânticas das experiências psíquicas passadas) mais disponíveis nas tramas da memória. Em diversos casos, o resgate dessas RPSs realizado pelo fenômeno do autofluxo tem uma estreita relação com as experiências psíquicas anteriores e com os estímulos extrapsíquicos; porém, em muitos outros, a leitura da memória, como disse, é feita aleatoriamente.

Todos os dias produzimos milhares de pequenos pensamentos, de idéias, ainda que muitas delas sejam vagas, pela leitura contínua e espontânea da memória pelo fenômeno do autofluxo.

Um palestrante, no momento em que expõe suas idéias, utiliza preponderantemente o eu para ler a própria memória e construir pensamentos com a consciência crítica. Por sua vez, os ouvintes usam preponderantemente o fenômeno da autochecagem da memória, para captar as informações, autochecá-las automaticamente na memória e compreendê-las.

É possível que, na platéia, haja ouvintes desatentos ou desinteressados no assunto e que usem preponderantemente o fenômeno do autofluxo para ler suas memórias e produzir pensamentos, idéias e fantasias que não têm nada a ver com a exposição do palestrante. Além desses três fenômenos que citei — o "eu", o fenômeno da autochecagem da memória e o fenômeno do autofluxo — há outro fenômeno, a âncora da memória, que é responsável por deslocar o território de leitura da memória e subsidiar para cada ser humano informações que eles utilizarão nos processos de construção dos pensamentos. Assim, o palestrante, os ouvintes atentos e os ouvintes desatentos deslocam a âncora da memória para uma região específica da memória, e isso faz com que eles resgatem as informações da memória e construam uma agenda específica de pensamentos.

O campo de energia psíquica se encontra num fluxo vital contínuo e inevitável de autotransformações essenciais. Todas as idéias, pensamentos antecipatórios, análises, desejos, angústias, ansiedades, reações de prazer, etc., produzidas no palco da inteligência se desorganizam.

Os fetos, as crianças de colo, os pré-adolescentes, os adolescentes, os adultos jovens, as pessoas idosas, enfim todo e qualquer ser humano, organizam e reorganizam diariamente milhares de vezes a energia psíquica, através dos fenômenos que lêem a história intrapsíquica e da ação psicodinâmica dos sistemas de variáveis intrapsíquicas. Todos vivemos sob o regime da revolução dos processos de construção das idéias. Pensar é o destino do *Homo sapiens*. Todas as construções psicodinâmicas caminham para o caos desorganizacional; caminham para desorganizar os microcampos de energia psíquica que constituem os pensamentos e as emoções.

Não há convivência simultânea de dois tipos de emoções, motivações e pensamentos na mente. Os microcampos de energia psíquica, expressos nas emoções, motivações e pensamentos, precisam se desorganizar para que haja a expansão das possibilidades de construção da psique.

O fim de toda idéia, de todas as análises, de todas as reações emocionais, de todos os desejos e impulsos instintivos é o caos psicodinâmico, a descaracterização essencial. Porém, à medida que se processa a descaracterização ou desorganização essencial das construções psicodinâmicas da mente, ocorre sinergicamente a operacionalidade dos fenômenos que fazem a leitura da história intrapsíquica, bem como a ação psicodinâmica dos sistemas de variáveis intrapsíquicas, reorganizando novamente os microcampos de energia psíquica que são traduzidos como novas construções psicodinâmicas: novas idéias, novas emoções, novas motivações. Assim, se constrói o espetáculo da inteligência.

NINGUÉM CONSEGUE RETER NA MENTE AS CONSTRUÇÕES PSICODINÂMICAS

Ninguém consegue manter por muito tempo os microcampos de energia psíquica que são expressos como idéias, pensamentos antecipatórios, reações de ansiedade, de prazer ou qualquer outro tipo de construção psicodinâmica, pois o fluxo vital da energia psíquica é soberano; é o princípio dos princípios, que movimenta o processo de formação da personalidade e todo o processo psicossocial humano.

Este fluxo é expresso por um processo contínuo e inevitável de autotransformações essenciais. Ninguém consegue manter por muito tempo uma idéia ou pensamento. Na realidade, eles duram alguns segundos na mente de cada ser humano, duram o tempo em que são construídos psicodinamicamente e assimilados conscientemente, pois, em seguida, elas se desorganizam inevitavelmente. Para que a mesma idéia subsista na mente, elas têm que ser reconstruídas. Se isso não acontecer, outras idéias serão construídas no lugar delas, pois o fluxo da construção do campo de energia psíquica não pode ser detido, pois tem fenômenos em contínuo estado de operação. Como disse, até a tentativa de interrupção das idéias já é uma idéia; até a concepção do "nada" é a idéia do nada e, portanto, pertence à construção psicodinâmica da psique.

Ninguém consegue manter também por muito tempo uma reação emocional, ainda que ela seja ricamente prazerosa. As emoções também estão num fluxo vital contínuo de autotransformações essenciais. Elas, no entanto, possuem uma durabilidade maior do que os três tipos básicos de pensamentos da mente: as matrizes de pensamentos essenciais, os pensamentos dialéticos e antidialéticos.

As emoções podem durar minutos e, em casos mais raros, horas. Porém, em seguida, elas experimentam o caos que as desorganizam, enquanto os pensamentos, como disse, duram segundos ou até uma fração de segundo. Porém, a desorganização dos microcampos de energia emocional nem sempre é súbita, como é o caos dos pensamentos, mas flutuante, ou seja, aumenta ou diminui de intensidade. Por isso, as emoções podem tanto se transformar subitamente em outras emoções, como flutuar lentamente, diminuindo ou aumentando de intensidade.

A qualidade da desorganização da energia psíquica dependerá da intensidade do estímulo interpretado. A desorganização psicodinâmica das emoções tem muitas particularidades. Elas podem se desorganizar lentamente ou subitamente, dependendo das matrizes de pensamentos essenciais produzidas paralelamente ou dos estímulos que são interpretados no momento em que elas são vividas no campo de energia psíquica.

Se não há nenhum estímulo intrapsíquico extressante (ex.: ataque de pânico, pensamento antecipatório preocupante, resgate de experiência passada angustiante), intraorgânico estressante (ex.: medicamento psicotrópico, droga alucinógena, distúrbio metabólico) ou extrapsíquico estressante (ex.: ofensa social, perdas, frustrações) os microcampos de energia emocional se desorganizarão lentamente, ou seja, as reações de ansiedade e de prazer se descaracterizarão essencialmente de maneira lenta, abrindo lentamente também as possibilidades de construção para outros microcampos de energia emocional. Porém, se contemplarmos algum estímulo intrapsíquico, intraorgânico e extrapsíquico estressante, poderá ocorrer um caos súbito e uma reorganização súbita de outras emoções. Nesses casos, é possível alternar rapidamente os microcampos de energia emocional de prazer por sofrimento, de ansiedade por alegria, de fobia por tranqüilidade, de ansiedade por irritabilidade, etc.

As pessoas que se submetem continuamente aos estímulos estressantes têm propensão a ser mais ansiosas e a desenvolver mais sintomas psicossomáticos, pois intensificam o fluxo vital da energia psíquica: organização, caos e reorganização psicodinâmica. Porém, no universo psíquico não há regras matemáticas, pois é possível haver pessoas tranqüilas, mesmo vivendo em ambientes estressantes, e haver pessoas ansiosas, mesmo vivendo em ambientes tranqüilos. Do mesmo modo, é possível haver pessoas muito ansiosas que psicossomatizam pouco e pessoas pouco ansiosas que psicossomatizam muito. Se o estudo do *stress* e das doenças psicossomáticas não incorporar a teoria do fluxo vital da energia psíquica, ele será deficiente e incompleto.

AS DOENÇAS DEPRESSIVAS DA INTELIGÊNCIA MULTIFOCAL

A depressão é uma doença psiquiátrica grave, e tende a ser a doença que mais acometerá o homem do século XXI. Sua incidência é alta e atinge as pessoas de qualquer condição social, econômica e cultural. Por isso, compreendê-la, não apenas à luz dos postulados biológicos das neurociências, mas à luz dos processos de construção da inteligência, é fundamental para desenvolvermos procedimentos terapêuticos e preventivos. Há vários tipos de depressão e cada tipo tem múltiplas apresentações etiológicas (causas) e psicodinâmicas. Devido à falta de espaço, comentarei o assunto sinteticamente, fazendo abordagens genéricas para os vários tipos de depressão.

A dor emocional da depressão é indescritível e os prejuízos psicossociais e profissionais decorrentes dela são altíssimos. A energia emocional deprimida não consegue manter-se psicodinamicamente estática, mesmo numa pessoa cronicamente deprimida. Apesar de o humor deprimido ser, provavelmente, o microcampo de energia emocional de maior duração psicodinâmica, devido ao financiamento dos pensamentos negativos, ele não é estático, mas flutuante, alternando seus níveis de intensidade durante o dia.

Uma pessoa é acometida com um transtorno depressivo ou doença depressiva se ela tem um conjunto de sintomas básicos, entre os quais se encontra a ansiedade, a perda de energia biofísica, a insônia ou o aumento do sono, a perda da auto-estima, a perda do prazer de viver, o aumento ou diminuição do apetite, a desmotivação, as idéias de suicídio, etc. Nem todos os sintomas estão presentes nas doenças depressivas, e quando estão presentes, eles nem sempre têm a mesma intensidade psicodinâmica. Entre os sintomas da depressão, encontra-se também o humor deprimido, que é expresso por uma dor emocional intensa e indescritível. Somente quem a viveu sabe a sua dramaticidade.

O humor deprimido deveria ter uma duração psicodinâmica de no máximo algumas horas, como ocorre com todas as demais experiências emocionais, pois ela também se encontra num fluxo vital contínuo de autotransformações essenciais. Porém, se a dor emocional da depressão durasse algumas horas, ela não caracterizaria uma doença depressiva, mas apenas uma reação depressiva, pois a depressão como doença deve ter uma duração de alguns dias ou semanas.

Sabemos que as pessoas deprimidas não apenas permanecem com seus sintomas depressivos por dias, semanas e meses, mas também, em alguns casos, por anos ou até mesmo por dezenas de anos. Diante disso, temos que nos perguntar: como é possível a dor da depressão e as construções psicodinâmicas que geram os demais sintomas depressivos não viverem o caos como qualquer outra construção psicodinâmica na mente? Como é possível a depressão resistir ao caos da energia psíquica e ter uma duração psicodinâmica de semanas, meses ou anos?

Na realidade, a dor emocional e as construções psicodinâmicas que acompanham e que se manifestam através dos sintomas também experimentam o caos que as desorganizam, como qualquer microcampo de energia na mente. A diferença é que elas são reorganizadas continuamente pela produção de matrizes de pensamentos essenciais, que nem sempre são traduzidos por pensamentos conscientes de conteúdos negativos: pensamentos que expressam preocupação existencial (perdas, dificuldades financeiras, preocupações sociais excessivas, conflitos interpessoais, profissionais, etc.), pensamentos que evidenciam um sentimento de incapacidade, pensamentos antecipatórios mórbidos, ruminação de experiências que causaram sofrimento no passado, etc.

Os fenômenos que fazem a leitura da história intrapsíquica geram, nas doenças depressivas, matrizes de pensamentos essenciais históricos que transformam a energia emocional na terceira etapa da interpretação inconsciente. Há, como disse, cinco grandes etapas que constituem o processo de interpretação. As primeiras três são inconscientes; nelas ocorrem a leitura da história intrapsíquica, as matrizes de pensamentos essenciais históricos, os sistemas de co-interferências das variáveis e a transformação inicial da energia emocional e motivacional. As duas últimas são conscientes; nelas são formados os pensamentos dialéticos e antidialéticos e a estrutura do eu.

Nem sempre, como disse, as matrizes de pensamentos essenciais históricos, que são pensamentos inconscientes, geram pensamentos conscientes dialéticos e antidialéticos, como os citados há pouco. Porém, nas doenças depressivas, os pensamentos inconscientes, em detrimento de gerar ou não pensamentos conscientes, transformam e reorganizam constantemente a energia emocional depressiva antes que ela seja desorganizada completamente. Esse é o segredo da sustentabilidade psicodinâmica das depressões.

A dor da depressão e as demais experiências que a envolvem também vivem continuamente o caos psicodinâmico; por isso elas flutuam. Porém, antes que a energia psíquica desorganize por completo o humor deprimido e os demais sintomas, a hiperconstrutividade das matrizes de pensamentos essenciais inconscientes, independentemente de gerar ou não gerar pensamentos dialéticos e antidialéticos, reorganizam as mesmas, perpetuando o transtorno depressivo, bem como seus sintomas. Por isso, a pessoa depressiva não consegue viver completamente a desorganização do humor deprimido. Ela só percebe as flutuações do humor deprimido, que ora é muito intenso e ora é mais suportável.

Há períodos, pela manhã e ao entardecer de qualquer dia, principalmente no domingo à tarde, em que o humor deprimido piora muito, pois nesses períodos há uma introspecção maior e, conseqüentemente, uma exacerbação da leitura da história intrapsíquica, e também, conseqüentemente, uma exacerbação da hiperconstrutividade de matrizes de pensamentos essenciais que, por sua vez, financiam uma reorganização mais intensa do humor deprimido e dos demais sintomas da depressão, dos quais se destaca a intensificação dos níveis de ansiedade.

Aproveito o assunto para dizer que os diagnósticos na psiquiatria e na psicologia das doenças psíquicas, tais como depressão maior, depressão distímica, ansiedade fóbica, síndromes de pânico, neurose, transtorno obsessivo compulsivo (TOC), transtorno bipolar do humor, esquizofrenia, a partir de uma escala sintomatológica, expressam um conhecimento extremamente contracionista, que tem uma dívida teórica imensa com os complexos processos de construção da inteligência, que são os processos que realmente produzem as múltiplas formas de doenças psíquicas.

Os diagnósticos, ainda que em muitos casos sejam úteis, como, por exemplo, nas pesquisas e nos procedimentos terapêuticos, se não forem usados com critério, se não forem usados considerando a complexidade da mente de cada ser humano, com respeito e consideração pela dor do "outro", praticam o autoritarismo das idéias, pois subscrevem os sofisticados processos de construção dos pensamentos e de transformação da energia emocional à restritividade das idéias contidas nos diagnósticos e nos sintomas que os caracterizam.

Sabemos que, por trás de cada doença psíquica diagnosticada, há um ser humano complexo que está doente. Porém, devemos avançar para compreender que há não apenas um ser humano doente, mas também um ser humano cuja doença está em contínuo processo de evolução, de deslocamento, pois, no âmago da sua mente, há um *Homo interpres* micro e macrodistinto a cada momento existencial, que vive continuamente uma revolução íntima, criativa e evolutiva de idéias. As doenças psíquicas precisam ser estudadas não apenas à luz do *Homo intelligens*, mas também à luz da construção dos pensamentos ocorrida no *Homo interpres*.

Os medicamentos antipsicóticos, antidepressivos e ansiolíticos, por atuarem nas sinapses nervosas e corrigirem possíveis alterações metabólicas ligadas aos neurotransmissores, desobstruem transmutativamente, de diferentes maneiras e em diferentes níveis de intensidade, os obstáculos intrapsíquicos que impedem o desenvolvimento adequado da leitura da história intrapsíquica, da formação das matrizes dos pensamentos essenciais e da reorganização do caos da energia psíquica, expressa pela construção dos pensamentos, da consciência existencial e da energia emocional.

Os postulados biológicos que envolvem a culpabilidade dos neurotransmissores cerebrais na gênese das doenças psíquicas, que nas depressões está relacionada à desorganização metabólica da serotonina (hipótese serotoninérgica),[16] tem grandes deficiências psicodinâmicas e existenciais. Eles são restritos para explicar os complexos processos de construção dos pensamentos de conteúdo mórbido que ocorrem na pessoa deprimida, bem como para explicar o que é a energia emocional depressiva; como ela se organiza no campo da energia psíquica; como ela vive o caos e se reorganiza a partir das frustrações, contrariedades e estresses psicossociais; quais são as causalidades histórico-existenciais e as circunstancialidades que também participam da gênese da depressão.

Os postulados biológicos são insuficientes, pois são até mesmo restritos para explicar como e por que ocorrem as flutuações do humor deprimido em determinados períodos do dia. As leis físico-químicas, por serem caracteristicamente lineares, previsíveis, lógicas e estáveis, não têm como explicar a flutuabilidade da dor emocional. A explicação é dada pelo fluxo vital da energia psíquica, pela construção dos pensamentos e pelas causas psicossociais. Em determinados períodos do dia, ocorre uma retração social, um recolhimento introspectivo, que estimula a ação psicodinâmica dos fenômenos intrapsíquicos, que constroem cadeias de pensamentos de conteúdo negativo, que, por sua vez, intensificam o processo depressivo.

A PSIQUIATRIA E AS NEUROCIÊNCIAS PRECISAM REVER CRITICAMENTE SEUS PARADIGMAS

A Psiquiatria e as neurociências precisam se reciclar criticamente e sair da linearidade e da restritividade dos seus postulados biológicos, e incorporar os conhecimentos teóricos ligados à leitura da história intrapsíquica, aos fenômenos intelectuais e aos sistemas de variáveis intrapsíquicas, às matrizes de pensamentos essenciais históricos, à reorganização do fluxo da energia psíquica, aos pensamentos dialéticos e antidialéticos, à revolução das idéias, às relações do *Homo intelligens* com o *Homo interpres*, etc.

Ainda que eu creia que esses conhecimentos teóricos tenham fundamento científico, não é possível, em hipótese alguma, descartar o postulado dos neurotransmissores, pois é provável que a desorganização dos neurotransmissores nas sinapses nervosas, ocorrida em determinados sítios cerebrais, possam criar microcampos de energia (com comprimentos de ondas específicos) que transmutam energia físico-química no campo de energia psíquica, interferindo no processo de leitura da história intrapsíquica.

Neste caso, o postulado biológico representará algumas das muitas variáveis que atuam na construção de pensamentos e nas demais construções psicodinâmicas ocorridas na mente humana. Na condição de variável intraorgânica, a "desorganização metabólica dos neurotransmissores nas sinapses nervosas" atuará no campo de energia psíquica e, conseqüentemente, na qualidade da leitura da história intrapsíquica, nas matrizes dos pensamentos e, em última análise, na qualidade da revolução da construção das idéias.

Os postulados biológicos não são um fim em si, não fecham o ciclo vital que organiza, desorganiza e reorganiza os processos de construção dos pensamentos, da consciência existencial e da transformação da energia emocional, mas são apenas alguns tijolos da complexa arquitetura psicodinâmica da mente. As neurociências precisam se questionar e se expandir.

Não é possível explicar uma complexa construção, com inúmeros ambientes, com uma sofisticada estrutura de concreto e ferro, com uma rica rede hidráulica e elétrica e com uma arquitetura sofisticada, apenas através de alguns tijolos, pois essa atitude fere a democracia das idéias e propaga o autoritarismo das idéias e a ditadura do discurso teórico. Do mesmo modo, não é possível explicar os complexos processos de construção dos pensamentos, da consciência existencial, da história intrapsíquica e do processo de transformação da energia emocional, como pretendem as neurociências, apenas através dos postulados biológicos ligados aos neurotransmissores cerebrais.

Os postulados biológicos que enfocam a culpabilidade dos neurotransmissores cerebrais, bem como de outras cadeias de reações bioquímicas cerebrais ou neuroendócrinas, representam apenas o grupo de variáveis intraorgânicas que influenciam a construção da inteligência. Porém, temos que compreender a psique humana numa perspectiva psicossocial e filosófica, e não apenas neurocientífica. As neurociências, se não compreenderem o homem nessa perspectiva, adquirirão um alicerce científico insustentável: querer definir através de seus "tijolos" (os postulados biológicos e os fenômenos físico-químicos que pesquisam) a sofisticadíssima arquitetura psicodinâmica da psique humana, negando numerosos outros "tijolos" que fazem parte dela, expressos pelos complexos e sofisticados processos de construção dos pensamentos, que notoriamente ultrapassam os limites das leis físico-químicas.

Acredito que, através da exposição psicossocial e filosófica do autoritarismo das idéias e da ditadura dos discursos teóricos, bem como dos procedimentos multifocais de pesquisa que utilizei, descobri que a previsibilidade, linearidade e lógica das leis físico-químicas do metabolismo cerebral não explicam o funcionamento da mente, os processos de organização, desorganização e reorganização da revolução das idéias e da "usina psicodinâmica das emoções".

Ao estudar o processo de construção dos pensamentos, descobri diversas evidências científicas de que a psique humana não é meramente química, mas um sofisticado campo de energia psíquica que coabita, coexiste e co-interfere com o cérebro. Essa área da ciência é tão complexa e polêmica que a ciência deixou de investigá-la. Apenas os filósofos se atreveram a molhar os pés nessas águas, por isso, alguns deles abordaram genericamente a metafísica. Porém, a abordagem filosófica da metafísica é apenas uma especulação do mundo das idéias; portanto, é cientificamente superficial se não for acompanhada de uma investigação psicológica criteriosa do campo da energia psíquica e da construção dos pensamentos.

A omissão da ciência na investigação da natureza psíquica abriu as janelas para que o esoterismo, a superstição e o misticismo saturassem a sociedade e envolvessem a própria ciência.

Durante anos pesquisei na perspectiva de que o cérebro e a psique fossem uniessenciais, ou seja, fossem a mesma coisa; de que a construção dos pensamentos fosse exclusivamente produzida pelo sofisticado metabolismo cerebral. Porém, descobri que a previsibilidade, a linearidade e a lógica das leis físico-químicas do cérebro não explicam um conjunto de processos e fenômenos que participam da construção das cadeias de pensamentos e da transformação da energia psíquica.

Confesso que durante muitos anos fiquei perturbado com esse tema, pois, além de ser extremamente complexo, ele é também crucial na ciência. A tese dos limites e das relações entre a psique e o cérebro é, sem dúvida, a tese das teses na ciência, pois se refere à essência intrínseca do homem pensante, à essência intrínseca da inteligência humana e à essência intrínseca da própria ciência. Produzi sobre esse assunto diversos textos, que provavelmente um dia serão publicados.

Capítulo 16

As Possibilidades Infinitas da Construção dos Pensamentos: A Ciência Emergindo do Caos

A INCRÍVEL LIBERDADE CRIATIVA E A PLASTICIDADE DA CONSTRUÇÃO MULTIFOCAL DOS PENSAMENTOS

Os fenômenos que fazem a leitura das RPSs, contidas na história intrapsíquica, manipulam-nas psicodinamicamente para produzir as cadeias psicodinâmicas das matrizes dos pensamentos essenciais históricos. Como vimos, essas cadeias psicodinâmicas inconscientes sofrem, em fração de segundo, um processo de leitura virtual que produzirá a "psicolingüística consciente" dos pensamentos dialéticos e a "antipsicolingüística consciente" dos pensamentos antidialéticos.

Tanto a psicolingüística dos pensamentos dialéticos como a antipsicolingüística dos pensamentos antidialéticos financiam a consciência existencial. Ambas são usadas para o desenvolvimento de toda a racionalidade, de toda a produção intelectual, de toda a produção científica, de toda a produção de artes e de toda a comunicação humana. Os pensamentos antidialéticos são como quadros de pintura da mente, expressando a consciência das angústias, da insegurança, do humor deprimido, do prazer, etc. A consciência antidialética é sempre insuficiente para expressar as dimensões essenciais das emoções, e a consciência dialética é sempre insuficiente para expressar a consciência antidialética.

Quando os pensamentos dialéticos tentam definir e conceituar logicamente a consciência antidialética das emoções, ele reduz a complexidade da consciência antidialética e, conseqüentemente, a complexidade das emoções. Por isso, um "quadro antidialético" é mais completo e complexo do que "mil palavras dialéticas". Assim, à medida que se caminha da consciência antidialética para a lógica e a racionalidade dialética, ocorre, em todas as áreas do conhecimento, um reducionismo das dimensões essenciais dos fenômenos, embora seja através desse processo que se produza a ciência e a tecnicidade. Para se contrapor a esse reducionismo, se faz necessário a expansão quantitativa e qualitativa da racionalidade dialética, do conhecimento científico.

Os pensamentos antidialéticos e dialéticos, apesar de reduzirem as dimensões dos fenômenos que conscientizam, conquistam, na esfera da virtualidade, uma plasticidade construtiva e uma liberdade criativa indescritivelmente sofisticada.

Devido à extrema liberdade criativa e plasticidade construtiva dos pensamentos dialéticos e antidialéticos, produzidos pelos fenômenos que lêem a história intrapsíquica, principalmente pelo eu, fiquei durante mais de dez anos perturbado com uma grande dúvida teórica, que passo a apresentar. Num instante, podemos nos transportar virtualmente para Nova York e nos imaginar no Central Park. Em segundos ou fração de segundo depois, podemos nos transportar para São Paulo e nos imaginar na Avenida Paulista. Momentos depois, podemos resgatar uma experiência ocorrida em nossa infância e, em seguida, podemos antecipar situações passíveis de ocorrerem na nossa velhice. Como é possível produzir esse espetáculo intelectual?

Como podemos construir novas cadeias psicodinâmicas com tanta liberdade criativa e plasticidade construtiva? Durante muitos anos, eu tinha uma grande dúvida teórica, que ainda não foi completamente resolvida. Indagava se o "eu" tinha essa liberdade e essa plasticidade para construir as cadeias psicodinâmicas dos pensamentos conscientes apenas pela leitura virtual das matrizes dos códigos dos pensamentos essenciais, produzidos pela leitura da história intrapsíquica e pela manipulação psicodinâmica das RPSs, ou se conquistava também, na esfera da virtualidade, essa liberdade e essa plasticidade, sem a necessidade de substrato essencial, ou seja, sem necessidade das cadeias psicodinâmicas de pensamentos essenciais subjacentes.

Sei que é difícil entender a própria formulação da minha dúvida, quanto mais a sua solução; mas esse assunto é de fundamental importância, pois constitui os elementos íntimos do espetáculo intelectual que nos torna seres pensantes.

Quanto eu mais procurava pesquisar detalhadamente os processos de construção dos pensamentos, debaixo de uma revisão contínua do processo de observação e interpretação, mais intrigado eu ficava para saber se o eu precisava ler continuamente a memória e manipular psicodinamicamente as RPSs, e construir as cadeias de pensamentos essenciais, para depois construir as cadeias psicodinâmicas dos pensamentos dialéticos e antidialéticos. Eu me perguntava continuamente se, depois de organizado o eu, ou seja, o eu como consciência da identidade, ele conquistava uma liberdade criativa e uma plasticidade construtiva na esfera da virtualidade que ultrapassa os limites da leitura das matrizes dos pensamentos essenciais.

No mundo físico, não posso utilizar os materiais e fazer o que eu quero e quando quero; porém, no mundo das idéias, eu tenho liberdade e plasticidade para construir o que quero e quando quero. Posso construir um edifício em segundos no mundo das idéias. Posso imaginar o passado, embora ele seja irretornável, e imaginar o futuro, embora ele seja inexistente. Por que as construções no mundo físico contrastam com as construções no mundo das idéias? Quais fenômenos sustentam a liberdade e a plasticidade do campo de energia psíquica?

Através da versatilidade construtiva dos pensamentos dialéticos e antidialéticos, que tanto promove a lógica científica como ultrapassa os limites dessa lógica, compreendi que o eu, por um lado, se ancora na história intrapsíquica através do fenômeno da "âncora da memória", por outro, conquista uma liberdade criativa e uma plasticidade construtiva tão impressionante, na esfera da virtualidade, que permitem que ela construa as cadeias dialéticas e antidialéticas dos pensamentos sem substrato essencial, desprendido das matrizes essenciais. O mundo das idéias talvez seja construído também por um delírio virtual do eu.

O eu, por um lado, é produzido a partir da leitura virtual das matrizes de pensamentos essenciais extraídas da memória; por outro lado, após se alicerçar na memória, constrói na esfera da virtualidade cadeias de pensamentos dialéticos e antidialéticos com indescritível liberdade criativa e plasticidade construtiva.

Embora no mundo real, material, essencial, haja imensas limitações no processo de construção dos elementos, tais como na construção de um edifício, de uma avenida, de um veículo, de um embrião, no mundo da consciência existencial ou da consciência dialética e antidialética tudo é possível.

O psicoterapeuta pode interpretar um paciente, embora jamais penetre na essência intrínseca da sua angústia existencial, de seu humor depressivo, de sua história existencial. Os astrônomos podem discursar sobre os astros e sobre as forças intrínsecas e extrínsecas que os envolvem, embora jamais os toquem essencialmente. Os cientistas podem investigar os fenômenos físicos e produzir conhecimentos científicos sobre eles, sendo que toda produção de conhecimento é um sistema de intenções que discursa dialeticamente sobre os fenômenos, mas jamais incorpora sua realidade essencial. Podemos produzir relações humanas e dialogar uns com os outros em nossa trajetória existencial, embora exista uma distância infinita entre a consciência virtual do "outro" e a realidade essencial do mesmo. As pessoas psicóticas podem produzir delírios e alucinações e sofrer intensamente com idéias desconexas. Os poetas podem expressar suas emoções num coquetel de idéias, os romancistas podem construir e lapidar personagens imaginários, os pintores podem se inspirar num mundo sem cor, mas extremamente livre, plástico e criativo. O mundo das idéias é indescritível.

Na esfera da virtualidade dialética e antidialética da consciência existencial há uma liberdade criativa e plasticidade construtiva sem limites, onde tudo é possível construir, ainda que a grande maioria das cadeias psicodinâmicas virtuais não tenham como se materializar ou se transformar em realidade, ainda que grande parte delas sejam construídas sem considerar os parâmetros da realidade, sem nenhuma reciclagem crítica. Os homens constroem até deuses na sua mente, e muitos deles até mesmo se imaginaram deuses na história.

Os fenômenos que fazem a leitura multifocal da história e constroem os pensamentos dialéticos e antidialéticos conquistam uma liberdade e plasticidade que ultrapassam os limites dos alicerces históricos. Por isso, sempre que recordamos o passado, o reconstruímos com micro ou macrodiferenças. Creio que as cadeias psicodinâmicas das matrizes dos pensamentos essenciais que geram os pensamentos conscientes não são produzidas apenas pela simples leitura das RPSs contidas na memória, mas também pela manipulação psicodinâmica dessas RPSs. As mesmas informações, uma vez lidas e manipuladas em dois tempos distintos, podem gerar construções diferentes de pensamentos. Tudo vai depender das variáveis presentes: focos de tensão, ambiente social, grau de concentração.

O fenômeno do autofluxo é responsável diariamente pela produção de milhares de cadeias psicodinâmicas de pensamentos dialéticos e antidialéticos; entre elas se encontram as pertinentes aos sonhos. Nos sonhos, a leitura da memória gera as matrizes dos pensamentos essenciais, que sofre um desprendimento virtual e, conseqüentemente, produz os pensamentos dialéticos e antidialéticos. Os personagens, as situações e os fatos ocorridos nos sonhos são plásticos e criativos, devido a esse complexo funcionamento da mente.

A construção da inteligência, expressa pela construção dos pensamentos, é tão sofisticada que o discurso teórico é insuficiente para expressá-la, ainda que usado com brilhantismo literário.

A CONSTRUÇÃO DA INTELIGÊNCIA MULTIFOCAL E A CIÊNCIA EMERGEM DO BRILHANTE CAOS

O fluxo vital de alguns fenômenos que constroem a inteligência já estão presentes na vida intra-uterina, pelo menos a partir do final do primeiro trimestre do desenvolvimento embrionário, período em que o caos físico-químico do metabolismo está mais organizado e, conseqüentemente, o cérebro está mais desenvolvido. Nesse período, o feto começa a explorar o ambiente intra-uterino, a realizar malabarismos, a fazer sucção dos dedos, deglutir o líquido amniótico.

A criança é concebida como uma complexa memória instintiva de origem genética, que chamo de memória instintivo-genética. Nela ele tem mecanismos para reagir em determinadas situações e preservar a vida. A sucção do seio e o choro quando a criança está com fome são exemplos de reações provenientes dessa memória. O grande desafio é formar a memória existencial, a história intrapsíquica, que dará suporte para que ele não apenas sobreviva, mas se torne um ser pensante.

A partir do final do primeiro trimestre do desenvolvimento do embrião, provavelmente a memória instintivo-genética começa a incorporar a complexa memória histórico-existencial, ou seja, as RPSs. Os processos de construção da inteligência fetal são complexos, embora ainda não haja a produção de pensamentos dialéticos e, conseqüentemente, a organização do eu. Talvez, devido à não-mimetização visual e sonora, haja uma produção reduzida de pensamentos antidialéticos na vida intra-uterina. Se houver tal produção, ela é totalmente insuficiente para organizar o eu.

O gerenciamento da construção dos pensamentos é algo muito sofisticado, embora o exerçamos com determinada facilidade, ainda que sem qualidade. O eu, quando imaturo, gravita em torno da construção de pensamentos produzidos por outros fenômenos intrapsíquicos. Como vimos, a maioria das pessoas não exerce um gerenciamento maduro dessa construção. Para realizar esse tipo de gerenciamento, é necessário mais do que a existência do eu, é necessária uma expansão qualitativa da "consciência crítica do eu", expressa pela capacidade de se interiorizar e de se repensar. A qualidade da consciência crítica do eu é uma das características mais importantes no desenvolvimento da inteligência. Mas, como ela se desenvolve?

Durante muitos anos, tenho-me perguntado o que é o eu, como a sua consciência se desenvolve, quais são seus limites e qual é o seu alcance. O desenvolvimento do eu ocorrerá com a expansão qualitativa e quantitativa da história intrapsíquica e, conseqüentemente, com a expansão qualitativa e quantitativa da leitura da mesma e, também, com a expansão qualitativa e quantitativa das matrizes dos códigos dos pensamentos essenciais, que sofrerão um processo de leitura virtual multifocal que, por sua vez, produzirá os pensamentos dialéticos e antidialéticos. Com o passar dos anos, ocorrerá um enriquecimento da produção desses pensamentos que, pouco a pouco, organizará o eu e financiará os caminhos psicodinâmicos e psicossociais que propiciarão condições para que ele possa gerenciar a inteligência.

Muitas crianças, aos três e quatro anos de idade, não só têm uma reação emocional diante das frustrações, como também adquirem certa consciência sofisticada de algumas perdas, tais como a perda dos pais, de algumas diferenças básicas entre elas e o mundo, de alguns limites entre o ter e o ser. Pouco a pouco, através do "ensinamento psicodinâmico" silencioso dos mordomos da mente, elas aprendem não apenas a ler a memória, mas a desenvolver uma consciência dessa leitura e produzir uma construção de pensamentos com relações tempo-espaciais mais sofisticadas.

À medida que o fluxo de construção de pensamentos dialéticos e antidialéticos se intensifica, o eu vai-se organizando e tendo consciência do mundo intrapsíquico, do mundo extrapsíquico e da sua história intrapsíquica. Assim, aos poucos, o eu não só toma consciência de que pensa, mas, também, de que pode atuar na construção de pensamentos e tornar-se um agente modificador de sua história intrapsíquica e psicossocial. Porém, como abordei, o gerenciamento dos pensamentos nunca é exercido plenamente pelo eu. A maioria dos seres humanos é marionete das circunstâncias psicossociais (contrariedades, perdas, frustrações, sofrimentos, estímulos estressantes etc.) e da operacionalidade dos fenômenos que lêem a história intrapsíquica e produzem o mundo dos pensamentos.

A construção inicial da inteligência multifocal, decorrente das experiências psíquicas fetais, é produzida por pelo menos quatro grandes fontes.

Em primeiro lugar, a partir das matrizes dos pensamentos essenciais, que são geradas pelo processo de interpretação fetal diante dos estímulos intra-uterinos, expressos pelas experiências de deglutição do líquido amniótico, da pressão do líquido amniótico quando o útero se contrai, das experiências de liberdade motora, advindas dos malabarismos fetais (principalmente quando o feto tem apenas algumas centenas de gramas), da restrição da liberdade fetal quando ele já adquire mais de dois quilogramas e vai-se encaixando no colo do útero para nascer. As matrizes dos pensamentos essenciais atuam reorganizando os microcampos de energia emocional e motivacional fetal, expandindo as possibilidades de produção de experiências emocionais e motivacionais através do *pool* de estímulos intra-uterinos interpretados.

Em segundo lugar, a partir da iniciação da leitura da memória histórico-existencial pelos fenômenos inconscientes da psique: fenômeno da autochecagem da memória, âncora da memória e fenômeno do autofluxo. Toda vez que a memória histórico-existencial sofre um processo de leitura, são produzidas matrizes de pensamentos essenciais que atuam psicodinamicamente no campo de energia emocional e motivacional, produzindo emoções e desejos. Assim, as matrizes de pensamentos essenciais, as emoções, os desejos, tornam-se experiências psíquicas que são retroativamente arquivadas de modo automático pelo fenômeno RAM na memória histórico-existencial, enriquecendo a história intrapsíquica.

A memória genético-instintiva, que se relaciona à quarta fonte de estímulos fetais, sofre também um processo de leitura por parte dos fenômenos inconscientes da mente. Esse processo de leitura produz as matrizes de pensamentos essenciais que geram as reações instintivas que preservam a vida. Porém, a memória genético-instintiva não só tem a função de perpetuar a vida, mas também de enriquecer a memória histórico-existencial, pois cada reação instintiva produzida é arquivada na mesma como RPS, expandindo, assim, a história intrapsíquica.

Em terceiro lugar, a partir das substâncias neuroendócrinas do metabolismo da gestante e que passam pela barreira da placenta. Essas substâncias são produzidas, principalmente, em situações de tensão emocional e *stress* psicossocial. Essas substâncias neuroendócrinas provocam não apenas sintomas psicossomáticos na gestante, mas também no feto. Assim, creio que pode ser possível que o feto tenha taquicardia, contrações musculares, ansiedades etc., decorrentes de algumas substâncias neuroendócrinas produzidas pela gestante e que influenciam na qualidade da leitura da memória genético-instintiva e histórico-existencial e, conseqüentemente, nas matrizes dos pensamentos fetais e, também, no processo de formação da personalidade que se inicia na vida intra-uterina.

A qualidade e a quantidade das RPSs contidas na memória histórico-existencial, e que foram produzidas na vida intra-uterina, afetarão em diferentes níveis todo o processo de interpretação da criança na vida extra-uterina, influenciando o processo de formação da personalidade. Os níveis de timidez, de ansiedade diante das situações estressantes, de intolerância diante das frustrações, de excitabilidade diante de novas situações, de estabilidade emocional, de insegurança etc., não se iniciam a partir da expulsão do feto do útero materno, mas na vida intra-uterina.

Em quarto lugar, a partir da leitura da memória genético-instintiva e das substâncias neuroendócrinas fetais, produzidas pela carga genética, que transmutam microcampos de energia físico-química no campo de energia psíquica. Algumas substâncias neuroendócrinas geram, em determinadas regiões do cérebro (como, por exemplo, no sistema límbico), microcampos de energia físico-química de natureza "psicotrópica", que se transmutam no campo de energia psíquica, influenciando em diversos níveis o processo de leitura da memória genético-instintiva e histórico-existencial e os processos de construção da inteligência do feto.

A memória genético-instintiva contribui, tanto na vida intra-uterina como na vida extra-uterina, para a expansão da memória histórico-existencial, ou seja, para a evolução da história intrapsíquica. Todas as experiências psíquicas produzidas na mente do feto são registradas automaticamente pelo fenômeno RAM (registro automático da memória) na memória histórico-existencial e, assim, expandindo o processo de formação da história intrapsíquica e o fluxo vital da construção de pensamentos: organização, desorganização e reorganização.

Na vida extra-uterina, o fluxo vital da energia psíquica se perpetua através da leitura da história intrapsíquica pelos fenômenos da mente, inclusive pela atuação do eu, que gerará a produção contínua e inevitável das matrizes dos pensamentos essenciais, a produção contínua e inevitável de pensamentos dialéticos e antidialéticos, a produção contínua e inevitável da consciência existencial, a transformação contínua e inevitável da energia emocional e motivacional e a expansão contínua e inevitável da história intrapsíquica. Produzir pensamentos, emoções, ter consciência existencial, ter uma história intrapsíquica e possuir uma personalidade não são determinações da vontade consciente do *Homo sapiens*, mas decorrentes de processos contínuos e inevitáveis que ocorrem nos bastidores da mente de cada ser humano. Os processos de construção da inteligência se iniciam desde a aurora da vida fetal e se perpetuam por toda a trajetória da existência humana.

A psique não permite ao homem determinar se quer ou não ter uma história intrapsíquica arquivada na memória. A história intrapsíquica é, pouco a pouco, arquivada e produzida inevitavelmente pelo fenômeno RAM ao longo de todo o processo existencial. O homem pode desconhecer a história da sua sociedade, pode até negar a história dos seus antepassados, mas não pode negar a sua história intrapsíquica. Toda produção intelectual possui um sistema de relação com a história intrapsíquica.

Todas as idéias, pensamentos, análises, reações fóbicas, prazeres, angústias existenciais, desejos, impulsos, enfim, todas as construções psicodinâmicas são geradas a partir da leitura da história intrapsíquica. Além disso, essas construções psicodinâmicas realizam um "rebote histórico", que por sua vez expande a história intrapsíquica, pois são registradas automaticamente na memória pelo fenômeno RAM, antes que experienciem o caos. Assim, a conquista da história intrapsíquica não é uma opção intelectual, mas uma inevitabilidade existencial. Nenhum ser humano consegue construir cadeias psicodinâmicas de pensamentos sem passar pela sua memória. É possível reorganizar a história intrapsíquica, mas não é possível evitá-la nem destruí-la, a não ser através de um problema neurológico.

Sem a história intrapsíquica, não seria possível produzir as matrizes de pensamentos essenciais e, conseqüentemente, não seria possível produzir a reorganização do caos da energia psíquica, o impulso inicial dos processos de construção dos pensamentos e da consciência existencial. Sem a história intrapsíquica, o homem não seria um ser pensante, não construiria o mundo das idéias, não teria consciência existencial; seria um passante inconsciente na sua temporalidade existencial, pois não existiria conscientemente para si mesmo.

Os fetos "pensam" muito, mas "pensam" matrizes de pensamentos essenciais, que são inconscientes. Na vida extra-uterina, as crianças, auxiliadas pela orientação psicodinâmica dos "mordomos" da mente, ou seja, pelo fenômeno da autochecagem da memória, da âncora da memória e pelo fenômeno do autofluxo, produzem uma leitura da história intrapsíquica que geram cadeias psicodinâmicas das matrizes de pensamentos essenciais tão sofisticadas, que funcionarão como pista de decolagem virtual (leitura virtual) para a produção de pensamentos dialéticos e antidialéticos. Assim se processa o grande espetáculo da consciência existencial, o local onde nasce e se desenvolve o eu.

A ciência, em todas as suas dimensões, emerge do caos da mente humana. Alguns poderiam achar um absurdo, e argumentariam que o nascedouro da ciência emerge não do caos, mas de décadas de educação escolar e de incorporação do conhecimento. Porém, essa observação se refere a etapas posteriores do desenvolvimento da mente. As sucessivas gerações de cientistas que produziram, acumularam e organizaram o conhecimento não iniciaram sua produção de conhecimento na plenitude da maturidade da consciência intelectual, mas nos rudimentos da formação da história intrapsíquica, no magnífico caos intelectual ocorrido na aurora da vida fetal, dentro do útero materno.

A assimilação e produção da ciência inicia-se no fluxo vital dos processos de construção dos pensamentos: organização, desorganização caótica e reorganização. Esse fluxo de construção inicia-se na vida fetal, através da leitura contínua e inevitável da memória pelos três fenômenos inconscientes da mente. Se abolíssemos a operacionalidade dos fenômenos que atuam nos bastidores da psique e que constroem cadeias de pensamentos essenciais inconscientes, presente desde a vida fetal, o homem não chegaria a desenvolver a construção de pensamentos conscientes e, conseqüentemente, a construção do eu. Nesse caso, ele não teria uma identidade psicossocial nem a consciência própria.

Os três fenômenos inconscientes que lêem a história intrapsíquica, reorganizam a energia psíquica, promovem os processos de construção da psique humana e promovem a revolução das idéias e as transformações da energia emocional, funcionam como três importantíssimos "mordomos" do eu, encarregados de organizá-lo, educá-lo e orientá-lo psicodinamicamente e psicossocialmente.

Capítulo 17

Algumas Aplicações da Teoria da Inteligência Multifocal

Estamos estudando diversas teorias inter-relacionadas: a teoria da inteligência multifocal; a teoria do caos da energia psíquica e do caos intelectual; a teoria da interpretação; a teoria da formação da personalidade; a teoria da evolução psicossocial da consciência humana; a teoria do gerenciamento do eu; a teoria da natureza, limites e alcance dos pensamentos; a teoria da práxis ou materialização dos pensamentos; a teoria lógica do conhecimento e da relação entre a verdade científica e a verdade essencial etc. Farei uma síntese das aplicações do enigmático e importante mundo das idéias.

A CIÊNCIA E AS SOCIEDADES PRECISAM DE PENSADORES HUMANISTAS

A produção de cadeias de pensamentos, o registro dessas cadeias, a leitura e a utilização desse registro na construção de novas cadeias de pensamentos resultam na promoção do fluxo contínuo de idéias e na formação da inteligência. Através da inteligência, o homem sai da condição de animal não-pensante para ser um misterioso ser que pensa e tem consciência disso. É possível extrair dos processos que constroem a inteligência múltiplas conseqüências psicológicas, filosóficas, sociológicas, educacionais etc.

Conhecer e expandir o mundo das idéias sobre o universo intrapsíquico é viver uma poesia intelectual. Quando compreendemos onde nasce a inteligência, expandimos o mundo das idéias. É um fato que o mundo das idéias se expande quando estudamos com crítica, desafio e aventura as ciências naturais (a Física, a Matemática, a Biologia etc.); porém, ele se expande muito mais e forma pensadores quando nos interiorizamos e estudamos as origens do próprio mundo das idéias, a construção da própria inteligência.

Os princípios psicossociais e filosóficos que estimulam a inteligência multifocal são: a arte da pergunta, a arte da dúvida, a arte da crítica, a arte da observação, a análise das variáveis, a democracia das idéias, a identidade psicossocial dos pensadores, o deleite e o desafio do conhecimento, a compreensão básica da natureza, os limites e o alcance do conhecimento. Sem esses princípios, a transmissão do conhecimento pode reduzir o processo de interiorização e a expansão da construção das idéias e a formação dos homens que brilham na arte de pensar.

Cada cientista possui uma identidade, um "rosto intelectual", uma história existencial. Muitos deles, no processo de produção de conhecimento, gastaram os melhores anos de suas vidas e, nesse período, foram tomados pela insegurança, pela ansiedade, por desafios, frustrações e sucesso. Não foram poucos os que tiveram de romper os paradigmas intelectuais da época e, por isso, foram incompreendidos, rejeitados, discriminados. Como pensadores, eles possuem uma história rica, que é tão importante quanto o conhecimento que produziram. Sua história é capaz de estimular o prazer e a expansão do mundo das idéias. Porém, infelizmente, o conhecimento que produziram é transmitido friamente nas salas de aulas, ou seja, é transmitido sem o mínimo de história, de identidade, de "rosto" e, principalmente, de exposição do processo de produção do conhecimento.

O conhecimento na educação unifocal é transmitido de modo acabado, pronto e sem aventuras, como se tivesse sido produzido por um milagre da mente. A melhor maneira de estancar o debate de idéias e matar a criatividade intelectual é transmitir o conhecimento de maneira "fria", pronta e acabada, como se fosse uma verdade sem história, uma verdade inquestionável. Qualquer área das ciências tem identidade e "rosto intelectual", mesmo na literatura encontramos a história rica dos poetas, dos escritores.

A transmissão de conhecimento realizada sem "rosto intelectual", sem debate, sem crítica, sem desafio nem teatralização da história do processo de produção do conhecimento não estimula o desenvolvimento da inteligência, não catalisa a formação de pensadores, pelo menos de maneira coletiva.

Comentei que o conhecimento impresso nos livros está morto essencialmente; por isso ele precisa ser reconstruído pelo processo de interpretação do leitor. Os professores exercem uma das funções mais nobres e importantes da inteligência humana. Porém, na educação tradicional, a transmissão da informação é tão "a-histórica" e despersonalizada que o conhecimento, que está morto nos livros, é muitas vezes "enterrado" inconscientemente pelos professores, que fazem das aulas um velório intelectual que é assistido por uma platéia de espectadores passivos. A sala de aula, desde os primeiros anos da educação, deveria funcionar como um ambiente onde se processa um debate vivo das idéias, um ambiente que abriga a democracia das idéias, que estimula a arte de pensar, o questionamento, o respeito pelo pensamento do outro, a troca de informações.

Todos sabemos que uma nação precisa de educação para se desenvolver. A grandeza de uma nação não é medida pela dimensão do seu território geográfico, mas pela dimensão da sua educação. Porém, para que uma nação possa se desenvolver qualitativamente não apenas no aspecto econômico, mas também na esfera sociopolítica e nos princípios que derivam da democracia das idéias e do humanismo, ela precisa mais do que uma educação que forma retransmissores (repetidores) do conhecimento, mas de uma educação que forma pensadores, engenheiros de idéias, poetas existenciais.

Educar é muito mais do que transmitir o conhecimento; é duvidar do conhecimento, é questionar seu processo de produção. Educar é transmitir o conhecimento estimulando os princípios psicossociais e filosóficos que inspiram a formação de pensadores; é levar os alunos a serem caminhantes nas trajetórias do próprio ser. Educar não é dar títulos acadêmicos e nem convencer os alunos do tanto que eles sabem, mas convencê-los do tanto que eles não sabem, da inesgotabilidade da ciência, dos limites e alcance dos pensamentos. Educar é uma aventura, uma arte, uma poesia; é expandir o mundo das idéias dos alunos e transformá-los em eternos aprendizes.

É provável que mais de noventa por cento do conhecimento que estudamos jamais seja lembrado ou utilizado em nossa história socioprofissional. Por isso, na educação, precisamos um pouco menos da quantidade de informações e muito mais da qualidade de informações, principalmente das informações que levam os alunos a compreender o processo de produção do conhecimento e dos princípios psicossociais e filosóficos que inspiram a arte de pensar. Estudamos que a memória humana, a leitura da história intrapsíquica e a construção dos pensamentos são sofisticadíssimas. Porém, apesar de sofisticadas, elas têm limites. Os pensamentos que mais são registrados na memória, resgatados e utilizados em novas cadeias de pensamentos, não são as cadeias "secas" e isoladas de pensamentos, mas aquelas que estão envolvidas no processo de produção dos próprios pensamentos, nas situações históricas. Por exemplo, quantos pensamentos produzimos na semana passada? Talvez dezenas de milhares. De quantos deles nós conseguimos nos lembrar com exatidão? Talvez, de nenhum! Porém, apesar de não conseguirmos nos lembrar das cadeias exatas de pensamentos que produzimos, nós conseguimos resgatar e reconstruir a história e os processos em que muitos deles foram construídos, ou seja, as pessoas com as quais falamos, o assunto genérico que discutimos, os ambientes em que estivemos. Por isso, embora não nos lembremos das cadeias exatas de pensamentos que produzimos na semana anterior, podemos produzir muitos pensamentos a partir dos processos psicossociais em que nos envolvemos.

Na educação escolar, do mesmo modo, a maior parte do conhecimento que resgatamos, construímos e utilizamos em nossa história socioprofissional não advém das recordações das cadeias exatas das informações, à exceção das regras, das fórmulas e das leis científicas, que nossos professores nos transmitiram, mas dos processos intelectuais e das situações antidialéticas que formamos em nossa mente a partir das informações recebidas. Por isso, a transmissão do conhecimento não deve ser seca, a-histórica, despersonalizada, mas acompanhada dos processos de produção do conhecimento. Esses processos incluem, não apenas os recursos didáticos que estimulam os alunos a formar na sua mente um quadro construtivista do conhecimento, mas principalmente o processo de produção de conhecimento dos pensadores, a filosofia da história da ciência, a arte da dúvida, a arte da crítica, o debate das idéias, os limites e alcances do conhecimento, as possibilidades do conhecimento, etc. Assim, a educação se torna interiorizante e estimuladora da inteligência.

A transmissão unifocal, exteriorizante e "a-histórico-crítico-existencial" do conhecimento forma meros retransmissores do conhecimento e não pensadores. Esse tipo de educação gera nos alunos uma doença psicossocial que chamo de "mal do *logos* estéril". O "mal do *logos* estéril" é uma doença intelectual epidêmica que acomete não apenas os alunos das escolas secundárias, mas também os universitários, os pós-graduandos, os professores e até não poucos cientistas. Posteriormente, farei uma síntese dele.

Nas sociedades modernas, o prazer de pensar criticamente, de se interiorizar, de analisar o conhecimento, de discutir criticamente os paradigmas e os estereótipos socioculturais, de se colocar no lugar do "outro" e perceber suas dores e necessidades psicossociais, de se doar sem a contrapartida do retorno, de lutar por uma causa humanística e sociopolítica, está agonizante.

Multiplicaram-se as informações, multiplicaram-se as universidades, mas reduziu-se, proporcionalmente, a formação de pensadores. As universidades precisam sair do seu claustro e assumir na plenitude sua nobilíssima e eclética função intelecto-social de ser catalisadora, provocadora e instigadora do debate das idéias e da consciência sociopolítica. Caso contrário, elas gerarão apenas algumas estrelas do pensamento e não desenvolverão coletivamente o potencial intelectual dos seus alunos, prevenindo-os contra o "mal do *logos* estéril".

UMA SÍNTESE DAS APLICAÇÕES DA INTELIGÊNCIA MULTIFOCAL

A união da Psicologia e da Filosofia no mesmo corpo teórico me abriu os horizontes do conhecimento sobre a psique humana. Por isso, escrevi diversos textos sobre as conseqüências (implicações e aplicações) psicossociais derivadas da produção de conhecimento sobre os processos de construção dos pensamentos. Essas conseqüências não ocorrem apenas na Psicologia e na Filosofia, mas também na Sociologia, no Direito, na Educação, na Sociopolítica.

Os textos relativos a essas conseqüências são extensos e, talvez, sejam reorganizados em outras publicações. Aqui, farei apenas uma síntese deles, lembrando que alguns já foram comentados sucintamente ao longo deste livro. O objetivo principal dessa síntese é o exercício da cidadania da ciência, ou seja, procurar humanizar a teoria, torná-la acessível e aplicável.

1. A farmacodependência: O cárcere da emoção

Se fizermos uma varredura em nosso passado, verificaremos que temos mais facilidade de recordar as experiências mais frustrantes ou prazerosas. Elas foram registradas de maneira privilegiada, o que as disponibilizaram para serem lidas e utilizadas na construção de novas cadeias de pensamentos e novas emoções. Como as drogas produzem intensos efeitos na psique, estes ocupam espaços importantes nos arquivos da memória. Some-se a isso, as experiências emocionais de um usuário que não são nada serenas e tranqüilas. Por serem borbulhantes, tais experiências também se registram privilegiadamente na memória, contribuindo para produzir o cárcere da dependência.

Toda vez que o usuário fizer uso de uma nova dose da droga, sua emoção experimentará um intenso foco de tensão caracterizado por euforia, angústia, medo, ansiedade, apreensão. Imagine o impacto de uma droga estimulante ou alucinante no palco da emoção de um usuário. Tais experiências são registradas na memória ocupando áreas nobres que deveriam ser ocupadas pelos sonhos, projetos, metas, relações sociais. Dá para entender, através disso, por que os dependentes químicos com o passar do tempo perdem o encanto pela vida e não sonham mais. Eles, mesmo odiando esta masmorra, gravitam em torno do efeito psicotrópico destas ínfimas substâncias. Elas, de fato, se tornam uma "droga" na vida deles, pois são procuradas com desespero como tentativa de aliviar as dores e ansiedades da vida.

Os usuários de cocaína têm sensações paranóicas durante o efeito da droga. Sentem uma mescla de excitação com medo e idéias de perseguição. A reprodução contínua dessas experiências retroalimentam a imagem da droga no inconsciente. Assim, aos poucos, eles constroem um "monstros" dentro de si mesmos. Com o passar do tempo, o problema não é mais a substância química fora deles, mas a imagem monstruosa que eles construíram no âmago da memória. É uma imagem distorcida e superampliada, que aprisiona o grande líder da inteligência, o eu.

A dependência é uma atração irracional, enquanto que a fobia é uma aversão irracional. Estas doenças estão em pólos emocionais opostos, mas possuem os mesmos mecanismos de formação. A dependência é produzida quando se superdimensiona no inconsciente o objeto da dependência, que no caso são as drogas, enquanto toda e qualquer fobia é produzida quando se superdimensiona o objeto da aversão, que no caso pode ser uma barata, um ambiente escuro, um elevador, uma doença física.

Como apagar a imagem ou estrutura inconsciente da droga que financia a dependência psicológica? É impossível. Não se apaga ou se deleta a memória, apenas se reescreve. Filosoficamente falando, não é possível destruir o passado para reconstruir o presente, mas reconstruir o presente para reescrever o passado. Quanto mais reconstruímos o presente através de novas cadeias de pensamentos, novas atitudes e novas experiências, mais o registro da memória se renovará e, conseqüentemente, mais o passado será reescrito.

É uma corrida contra o tempo. Quanto mais tempo um usuário passa sem as drogas, mais ele vai arquivando novas experiências. Em um dia saudável ele pode arquivar centenas ou milhares de novas experiências. E se o eu atuar como agente modificador da sua história, ele impulsionará este processo, romperá o cárcere da dependência, por mais grave que ele seja. Se houver a colaboração corajosa, lúcida e completa do paciente, o tratamento poderá ser coroado de êxito, ainda que haja algumas batalhas perdidas no caminho, mas se houver uma colaboração frágil e parcial estará fadado ao insucesso.

2. Os transtornos depressivos, obsessivos e a síndrome do pânico

Diariamente produzimos inúmeras cadeias de pensamentos, ansiedades, sonhos, idéias negativas, pensamentos antecipatórios, angustias, prazeres, que são arquivados automaticamente na memória pelo fenômeno RAM (registro automático da memória). Em um ano registramos milhões de experiências.

O registro das experiências na memória é involuntário e não depende da vontade consciente do homem. Podemos ser livres para ir para onde quisermos, mas não podemos ser livres para decidir o que queremos registrar em nossas memórias. Se vivemos experiências ruins, elas se depositarão nos porões inconscientes da memória. Se hoje tivemos uma experiência de angústia, uma de medo, de agressividade, tenhamos a certeza de que, ainda que elas tenham sido aliviadas e não estejam mais presentes no território da emoção, elas foram registradas e ocuparam espaço privilegiado em nossas memórias.

Cuidar da qualidade daquilo que é registrado na memória é mais importante do que cuidar de nossas contas bancárias, de nossa higiene bucal, dos problemas mecânicos de nosso carro. No banco depositamos o dinheiro, na memória depositamos os tijolos que financiaram a nossa maneira de ver a vida e reagir ao mundo. A segurança, prazer de viver, criatividade, ansiedade, dependem da história arquivada na memória. Se a vida toda registramos idéias negativas, sentimentos de culpa e reações autopunitivas, não podemos esperar que um dia, como que por um encanto, possamos explodir de alegria e prazer de viver.

O que registramos todos os dias no inconsciente da memória definem o nosso futuro. E temos que ter em mente que o passado não pode ser deletado, apagado, apenas reescrito, substituído e, portanto, reconstruído. Não é à toa que há ricos que moram em favelas e infelizes que moram em palácios.

Não dá para bloquear o registro das experiências angustiantes, mas depende da pessoa atuar nessas experiências, quando elas estão se encenando no palco de sua mente e, assim, repensá-la, ou seja, dar um novo significado a ela. Desse modo, tais registros poderão, pouco a pouco, construir um oásis de prazer e não um deserto existencial. Nos computadores necessita-se dar um comando para registrar, "salvar" as informações.

À medida que as experiências são registradas automaticamente na memória ocorre a formação da história de vida ou história da existência. Os beijos dos pais, as brincadeiras de crianças, os desprezos, os fracassos, as perdas, as reações fóbicas, os elogios, enfim toda e qualquer experiência do passado formam a colcha de retalhos do inconsciente.

Todas as experiências que possuímos são registradas na mesma intensidade? Não! Existem diversas variáveis que influenciam o registro. Como vimos, uma delas é o grau de tensão positiva ou negativa que as experiências possuem.

O fenômeno RAM registra com mais intensidade as cadeias de pensamentos que tiverem mais ansiedade, angústia, apreensão, prazer, enfim, mais emoção. Toda vez que temos uma experiência com alto comprometimento emocional, tal como um elogio, uma ofensa pública, uma derrota, um fracasso, o registro será privilegiado. Por ser privilegiado, ele financiará as avenidas importantes da nossa personalidade. Por isso é muito importante que as crianças sejam alegres, ingênuas, tenham amigos, brinquem e tenham um clima para expor seus conflitos e seus pensamentos.

Crianças têm que possuir infância, têm que registrar uma história de prazer, criatividade e interação social. Não é saudável que elas cresçam aos pés da TV, vídeo-games, da Internet, cursos de línguas, de computação. A história arquivada na memória de uma criança definirá os pilares mestres do território da emoção e do desempenho intelectual do adulto. Crianças com uma rica infância têm grandes possibilidades de desenvolver a arte da contemplação do belo. Crianças que só são cobradas, punidas, confinadas aos estudos têm grande chance de ser deprimidas ou ansiosas.

Felizmente a emoção não segue a matemática financeira. Às vezes temos crianças que passaram por tantas dificuldades e sofrimentos na infância, mas, por alguns mecanismos interpretativos, aprenderam a filtrar os estímulos estressantes e construir uma vida emocional saudável.

Temos três situações importantes ligadas ao registro da memória: a) O registro das experiências é automático; b) Ele pode ocupar zonas importantes da memória, principalmente se as experiências tiverem mais tensão; c) Esse registro pode ser lido continuamente, produzindo cadeias de pensamentos que são novamente registradas, retroalimentando a memória e gerando os transtornos depressivos, obsessivos e a síndrome do pânico.

Uma pessoa portadora de síndrome do pânico também é vítima do gatilho da memória. Ela pode estar tranqüila em grande parte do seu tempo, mas de repente, por diversos mecanismos, o gatilho é detonado, deslocando a âncora para determinadas regiões da memória e gerando uma reação fóbica intensa, um medo súbito de que vai morrer ou desmaiar. A síndrome do pânico é o teatro da morte. É totalmente possível resolvê-la. Os princípios da terapia multifocal poderão também ajudá-las a resgatar a liderança do eu nos focos de tensão e torná-las líderes do seu próprio mundo.

Aprender a reescrever a história e a gerenciar os pensamentos e as reações detonadas pela autochecagem do gatilho da memória é o grande desafio terapêutico na resolução do cárcere dos transtornos ansiosos e depressivos.

3. A arte da contemplação do belo

Ninguém consegue excluir de sua trajetória existencial a rotina, a mesmice de eventos e situações psicossociais estressantes. Nenhum ser humano vive a vida como uma eterna primavera existencial. Até aqueles que conquistam o Nobel, ganham o Oscar, pertencem a uma corte real ou são listados pela revista *Forbes* vivem misérias emocionais, angústias e conflitos existenciais, pois não escapam da rotina psicossocial, do tédio e da redução da capacidade de sentir prazer ao longo da trajetória de vida.

Da meninice à velhice, há uma escala de redução quantitativa do prazer, embora não qualitativa, devido à atuação do fenômeno da psicoadaptação na terceira etapa inconsciente do processo de interpretação. A vida dos adultos e, principalmente, das pessoas idosas, quando é exteriorizada, mal resolvida, sem a experiência da arte da contemplação do belo, se torna angustiante, tediosa. Infelizmente, essa trajetória existencial ocorre freqüentemente.

Na meninice e na juventude, o prazer quantitativo normalmente é intenso, mais rico do que na vida adulta e na velhice. As crianças se distraem muito, até com pequenos objetos; os jovens explodem de emoção, até com pequenos eventos e pequenas brincadeiras. Porém, os adultos não têm prazer nesses estímulos, tanto pela adaptação psíquica a eles quanto pela sua exigência intelectual derivada da expansão da cultura e da personalidade. De um modo geral, quantitativamente o prazer vai diminuindo da meninice à velhice. Por isso, na vida adulta e na velhice, a redução quantitativa do prazer deve ser compensada pela expansão qualitativa do prazer, através da interiorização, das amizades profundas, das artes, dos projetos sociais, dos projetos de vida. Se com o decorrer da idade a quantidade de prazer não for compensada pela qualidade do prazer, essas fases da vida se tornam um tédio existencial, um poço de angústia e insatisfação.

A qualidade da atuação psicodinâmica do fenômeno da psicoadaptação pode definir a qualidade da arte da contemplação do belo. Reis podem tornar-se pobres, sem prazer existencial; pobres podem tornar-se ricos emocionalmente, verdadeiros poetas da existência, ainda que não sejam amantes das letras.

Como é possível tal contraste? A matemática da emoção não segue os princípios da matemática financeira. No universo da emoção, ter não é ser. Quem adquire a capacidade, ainda que inconscientemente, de gerenciar a atuação do fenômeno da psicoadaptação e aprimorar a arte da contemplação do belo diante dos pequenos estímulos da rotina existencial, diante dos pequenos detalhes e eventos da vida, expande a sua capacidade de sentir prazer. Muitos têm sucesso profissional, mas não têm sucesso em aprimorar a arte da contemplação do belo, não se tornam poetas da existência.

As pessoas que são saturadas de ansiedade, humor deprimido, *stress* e que vivem a paranóia da competição predatória, do individualismo e da estética do corpo encerram-se num cárcere emocional, se tornam prisioneiras e infelizes. Por quê? Porque o fenômeno RAM vai continuamente filmando uma história turbulenta e angustiante.

O resultado disso? Um envelhecimento da emoção, da capacidade de sentir prazer pela vida. Em poucos anos adquirem um estoque de experiências negativas e tensas que muitos velhos jamais terão em toda a sua jornada de vida. Infelizmente encontrei muitos velhos no corpo de um jovem. Eles perderam a singeleza e o encanto da vida, envelheceram no único lugar que é inadmissível envelhecer, no território da emoção. É possível envelhecer o corpo, mas a emoção nunca deveria envelhecer no cerne da alma. Há velhos num corpo de um jovem e jovens no corpo de um velho. Estes aprenderam a cultivar a sabedoria e o prazer de viver, ainda que tenham cicatrizes em seus corpos.

A arte da contemplação do belo é raramente desenvolvida nas sociedades modernas. A indústria do entretenimento não pode expandir essa sofisticada arte; ela tem de ser aprimorada nas avenidas da trajetória existencial, nos labirintos da inteligência.

4. A síndrome da exteriorização existencial

A síndrome da exteriorização existencial é uma doença psicossocial epidêmica nas sociedades modernas. Ela se expressa pela dificuldade crônica de interiorização, ou seja, de aprender a se questionar, a se repensar, de assumir as fragilidades, de trabalhar seus estímulos estressantes e suas reações emocionais; de usar os erros e as frustrações como alicerces para desenvolver a maturidade da inteligência; de se colocar como aprendiz no processo existencial; de aprender a se colocar no lugar do outro e a exercer a cidadania e o humanismo nas relações sociais.

O *Homo sapiens* tem uma tendência natural de desenvolver uma trajetória existencial exteriorizante. Os elementos responsáveis por essa tendência são muitos, tais como: as deficiências do processo socioeducacional; a necessidade contínua de superação da solidão paradoxal; o exercício contínuo do sistema sensorial; a intangibilidade sensorial dos fenômenos que constroem os pensamentos; as dificuldades de questionar os próprios paradigmas intelectuais, de criticar e duvidar de si mesmo; a massificação da cultura, o consumismo, etc.

É mais fácil, seguro e menos comprometedor explorar o mundo em que estamos, o mundo extrapsíquico, do que nos interiorizar e explorar o mundo que somos, circunscrito à nossa mente. A síndrome da exteriorização existencial nos transforma em passantes existenciais, homens que passam pela vida sem criar raízes mais profundas dentro de si mesmos, que são incapazes de administrar seus pensamentos e gerenciar suas emoções. O portador da síndrome da exteriorização existencial vive, como já comentei, a maior de todas as solidões, que é a solidão de abandonar a si mesmo em sua trajetória existencial.

As doenças psicossociais, tais como a discriminação racial, intelectual e outras; a supervalorização doentia de uma grande maioria por uma pequena minoria de personagens sociais; a farmacodependência, a agressividade, o individualismo social; a indiferença psicossocial em relação às dores e necessidades do "outro", etc., são cultivadas pela maior de todas as doenças psicossociais, que é a síndrome da exteriorização existencial. O homem que não tem consciência que a história inconsciente não pode ser apagada, mas apenas reescrita, jamais poderá ser um agente modificador dela.

A síndrome da exteriorização existencial pode ser prevenida pelos princípios psicossociais e filosóficos derivados da construção multifocal da inteligência, pois eles estimulam o processo de interiorização e de intervenção do eu.

5. O homem respirando a discriminação. A releitura do humanismo e da cidadania

Quando investigamos os processos de construção dos pensamentos e da formação da consciência existencial, compreendemos que, ainda que possamos ter diferenças genéticas e socioculturais, a teoria da igualdade é mais do que uma ética social e um fato jurídico, mas uma inevitabilidade psicológica e filosófica. Nas inúmeras particularidades da personalidade, somos diferentes, mas na operacionalidade dos fenômenos que lêem a memória e constroem os pensamentos e organizam a consciência existencial, somos iguais. Por isso, tanto valorizar o outro como discriminá-lo é uma atitude desinteligente e desumanística. Os princípios mais nobres do humanismo, como vimos, derivam desse conhecimento. Quem desenvolve o humanismo tem uma macrovisão da espécie humana e vive uma relação poética com ela que ultrapassa os limites do bairrismo social.

A democracia das idéias também decorre dos processos de construção dos pensamentos, bem como dos sistemas de encadeamentos distorcidos que ocorrem nessa construção, do processo de interpretação, dos limites e alcances da consciência existencial, etc. A diversidade de idéias é uma inevitabilidade; por isso, a democracia das idéias se torna uma necessidade vital em todos os níveis das relações humanas. O respeito pelas idéias do outro, ouvi-lo sem preconceitos, dando a ele o direito de questionar nossas idéias e posturas intelectuais são alguns princípios da democracia das idéias. Aprender a expor, e não a impor as idéias, aprender a ser fiel à nossa consciência, a pensar antes de reagir, a expandir a consciência crítica, e, além disso, conservando o direito de questionar as idéias e as posturas intelectuais do outro, são também alguns dos princípios da democracia das idéias.

Apesar de os princípios psicossociais e filosóficos do humanismo e de a democracia das idéias derivarem da complexidade e sofisticação universal dos processos de construção dos pensamentos, o homem sempre respirou discriminação ao longo de sua história e violou os direitos humanos.

A espécie humana, apesar de ser a única espécie pensante e, como conseqüência, a única que conquista a consciência existencial, produziu e vivenciou historicamente as mais diversas formas de discriminação. A discriminação intelectual, cultural, racial, econômica, ideológica, religiosa, social, por idade, por sexo, por nacionalidade, por estética, por deficiências físicas e intelectuais, etc., percorreram o sistema circulatório das sociedades. Não creio que haja uma sociedade, mesmo as mais primitivas, que tenha escapado ilesa das práticas discriminatórias.

O homem respira discriminação porque respira interpretação, porque precisa reconstruir interpretativamente o outro, porque essa reconstrução não transita pelas avenidas da pureza essencial do que o outro é, mas pode sofrer inúmeros processos distorcivos. As discriminações são produzidas espontaneamente no processo existencial e tendem à universalidade; porém, o desenvolvimento do humanismo, da democracia das idéias e da cidadania é a conquista decorrente de um rico processo de aprendizagem socioeducacional; por isso ele é uma conquista particular de cada ser humano.

Para compreender o homem como cultivador das mais variadas formas de discriminação, das mais variadas formas de violação dos direitos humanos, precisamos compreender não apenas as variáveis socioculturais, mas, principalmente, as etapas do processo de interpretação, o processo de reconstrução intrapsíquica do "outro", a comunicação social mediada, os limites e alcance da consciência existencial, a atuação psicodinâmica do fenômeno da psicoadaptação.

Nas sociedades modernas, a estética tem sobrepujado o conteúdo; a síndrome da exteriorização existencial tem sobrepujado o processo de interiorização; a inteligência unifocal tem sobrepujado a inteligência multifocal; a massificação da cultura tem sobrepujado a consciência crítica; a alienação social tem sobrepujado o engajamento em projetos sociais; o individualismo pessoal, grupal e nacional tem sobrepujado o sentido psicossocial de espécie. As sociedades humanas precisariam sofrer a revolução do humanismo e da democracia das idéias.

6. Releitura do holocausto judeu e do conflito árabe-judeu

É preciso fazer uma releitura da violação dos direitos humanos a partir dos processos de construção dos pensamentos. Uma releitura psicossocial do conflito árabe-judeu e do holocausto judeu, ocorrido na Segunda Grande Guerra, deve ir além da compreensão das variáveis socioculturais e político-econômicas, mas levar também em consideração a reconstrução intrapsíquica do outro, as etapas do processo de interpretação, a atuação do fenômeno da psicoadaptação e a construção das cadeias de pensamentos.

Com respeito ao holocausto judeu, estudei as possibilidades intrapsíquicas que poderiam ter ocorrido na mente de um soldado alemão diante da miséria judia, diante da destruição coletiva de um povo e diante da observação da dor humana, principalmente das crianças judias.

Imagine uma situação psicossocial que deve ter ocorrido com freqüência na Alemanha nazista: "Um soldado alemão, ao observar continuamente a dramaticidade da dor e da miséria das crianças judias, caquéticas de fome e esmagadas pela angústia emocional decorrente da separação dos seus pais, abortava pouco a pouco o seu sentimento de culpa, ficava indiferente à dor dessas crianças e se tornava agente da violação dos direitos humanos. Porém, paradoxalmente, esse mesmo soldado, ao chegar em casa, vendo que um dos seus filhos sofreu um pequeno ferimento na mão, sem maiores conseqüências para sua saúde, entra em desespero e procura tomar medidas rápidas para aliviá-lo. Como é possível a ocorrência de semelhante paradoxo psicossocial na mente de um ser humano? Horas atrás, ele não se importava que as crianças judias, membros de sua própria espécie, morressem de fome e fossem torturadas pela dor emocional; mas, agora, entra em pânico diante de um pequeno ferimento em seu filho.

Como explicar os paradoxos intelectuais que saturaram a história da Alemanha nazista? Pensei muito nesse assunto. Certamente, a agenda nazista de Hitler e os fatores socioculturais e econômico-políticos da Alemanha, que precederam e culminaram na Segunda Grande Guerra, são insuficientes para explicar os paradoxos desumanísticos cometidos pelo nazismo e por tantas outras sociedades em tantos outros momentos históricos. Como disse, para entendê-los, é preciso caminhar nas avenidas dos processos de construção dos pensamentos, na formação da consciência existencial, nas etapas do processo de interpretação, na reconstrução do "outro", na atuação psicodinâmica do fenômeno da psicoadaptação. O conflito árabe-judeu precisa também ser compreendido à luz desses fenômenos.

O assunto é extenso e complexo; por isso, nesta síntese, apenas quero dizer que os soldados alemães, como qualquer outro ser humano, pelo fato de a comunicação social ser mediada, não incorporam a realidade do outro. Por isso, em situações de *stress* sociopolítico e psicossocial e envolvidos com paradigmas intelectuais doentios, eles podem reconstruir o outro (judeu) nos bastidores da sua mente de maneira totalmente distorcida. Além disso, pelo fato de se colocarem continuamente diante dos estímulos da miséria do outro e de não reciclar seu processo de interpretação, eles sofrem a ação do fenômeno da psicoadaptação, podendo ficar indiferentes a essa miséria e até contribuir para a sua expansão. A reconstrução distorcida do outro, a adaptação psíquica à sua miséria e à falta de revisão do processo de interpretação geram uma grave síndrome da exteriorização existencial que contamina o processo de gerenciamento do eu. Esses sofisticados processos contribuem para explicar os paradoxos desumanísticos e desinteligentes ocorridos na Alemanha nazista e em tantas outras sociedades. Os soldados nazistas se adaptaram psiquicamente às dores e às misérias dos judeus e de outras minorias, mas, paradoxalmente, poderiam ficar inseguros e ansiosos diante de pequenas dores dos seus íntimos, pois não estavam adaptados psiquicamente a elas.

É fundamental estudar e compreender os processos de construção dos pensamentos para que possamos não apenas expandir as teorias psicológicas, sociológicas, filosóficas, psiquiátricas, etc., mas também entender a violação dos direitos humanos ocorrida ao longo da história humana, para questionar de maneira séria a viabilidade psicossocial da mais fantástica espécie que domina a terra e que ambiciona dominar o universo.

Não existe a possibilidade de desenvolver vacinas psicossociais mais eficientes se não velejarmos nas trajetórias complexas e sofisticadas do funcionamento da mente.

7. O "mal do *logos* estéril"

O processo educacional, independentemente da metodologia pedagógica, não foi ancorado, ao longo dos séculos, na compreensão dos processos de construção das cadeias de pensamentos essenciais, dialéticos e antidialéticos, e nem no processo de formação da consciência existencial ou na leitura da memória.

O processo educacional ortodoxo é exteriorizante, pois leva os jovens a conhecer muito o mundo em que estão, mas pouquíssimo o mundo que eles são. É "a-histórico-crítico-existencial" porque pouco expande a inteligência, a democracia das idéias e o gerenciamento dos pensamentos e das emoções; porque pouco conduz os alunos ao processo de interiorização e ao debate de idéias sobre sua própria história existencial, suas experiências, dores, perdas e frustrações; porque pouco promove o intercâmbio de idéias nas relações aluno-aluno e aluno-professor; porque fornece informações prontas e pouco estimula os alunos a conhecer o processo de produção do conhecimento e a inesgotabilidade da ciência, bem como os limites, o alcance e lógica do conhecimento; porque pouco estimula o "desenvolvimento sistemático" da arte da formulação de perguntas, da dúvida e da crítica. Esse tipo de educação gera facilmente o "mal do *logos* estéril".

O mal do *logos* estéril é uma doença intelectual e até psicossocial causada pelo próprio processo educacional. Os alunos que são acometidos por ele se tornam espectadores passivos diante da transmissão do conhecimento, incorporando-o sem crítica, sem dúvida, sem sabor, sem deleite, sem desafios, sem "rosto", sem utilidade humanística, sem compromissos psicossociais, sem história. Há vários níveis dessa doença, e, quanto mais grave ela for, mais as pessoas acometidas por ela se tornam manipuláveis, influenciáveis, meras retransmissoras do conhecimento, estéreis de idéias. Essas pessoas incorporam o conhecimento como se fosse verdade absoluta, inquestionável; por isso, ao mesmo tempo que são manipuláveis, elas se tornam autoritárias. Os dramáticos erros cometidos na história pelo uso radical de ideologias políticas, econômicas, misticistas, raciais, foram produzidos por portadores dessa doença.

O "mal do *logos* estéril" aborta a formação de pensadores. Algumas dessas pessoas até têm grande cultura, escolaridade e eloqüência dialética, mas não conseguem usar sua cultura para expandir o mundo das idéias, para exercer a cidadania e o humanismo, para ser um democrata das idéias, para trabalhar suas perdas e estímulos estressantes e para viver com dignidade nos seus invernos existenciais.

Essa doença reduz a aventura do saber, o prazer do conhecimento, a busca da sabedoria existencial, a conquista da consciência sociopolítica. O processo de aprendizado e incorporação de conhecimento deixa de ser fonte de inspiração psicossocial e de engajamento em projetos sociais, e torna-se apenas uma mercadoria profissionalizante.

O "mal do *logos* estéril" é uma doença epidêmica nas sociedades modernas e nas universidades. Somente uma pequena parte dos que cursam universidades e cursos de pós-graduação se tornam pensadores, engenheiros de idéias humanistas, que têm uma consciência crítica sociopolítica e uma macrovisão das necessidades psicossociais da sociedade em que vivem e da espécie humana.

Dependendo da teoria psicológica e da metodologia pedagógica utilizada, bem como da qualidade dos professores que as aplicam, o processo socioeducacional pode ter diversos níveis de eficiência na construção do conhecimento e na formação de profissionais. Porém, há uma distância enorme entre ser um profissional, que usa o conhecimento apenas como ferramenta profissionalizante para benefício próprio, e ser um pensador humanista que aprecia a cidadania, a democracia das idéias e que tem compromissos psicossociais e sociopolíticos.

A tendência natural do homem é desenvolver as duas grandes doenças psicossociais: o mal do *logos* estéril e a síndrome da exteriorização existencial. O processo socioeducacional precisaria sofrer um choque intelectual para ser mais eficiente na formação de pensadores.

8. A dívida humanística com a espécie humana

Devido à operação espontânea dos fenômenos intrapsíquicos, que financia gratuitamente os processos de construção dos pensamentos e a produção da consciência existencial, todos deveríamos nos sentir com uma dívida humanística com o ambiente ecossocial em que vivemos.

A capacidade de pensar e ter consciência sobre o mundo que somos e em que estamos é indescritivelmente complexa, e a recebemos gratuitamente através dos fenômenos que lêem a memória, principalmente do autofluxo, e do fenômeno RAM, que registra automaticamente todos os pensamentos e emoções que transitam no palco de nossas mentes. Por isso, deveríamos retribuir esta gratuidade com uma dívida humanística. Daríamos tudo o que possuímos em troca da nossa consciência existencial. Trocaríamos todos os títulos acadêmicos, bens materiais, *status* social, para resgatar nossa identidade psicossocial e nossa capacidade de pensar, se fôssemos perdê-las.

A consciência é tão fundamental e abrangente que não existe a idéia sobre a inconsciência, não existe o pensamento puro sobre o suicídio, pois toda idéia sobre a inconsciência ainda é uma manifestação da consciência, todo pensamento sobre o suicídio ainda é uma manifestação do pensamento, um fluir da vida. Por isso, as pessoas que pensam em suicídio não procuram, na realidade, o término existencial, mas o alívio das suas dores, dos seus humores deprimidos, das suas frustrações, das suas angústias. Como não encontram mecanismos de superação dessas dores, elas, infelizmente, atentam contra seu próprio corpo.

Na minha trajetória de pesquisa procurei, em algumas oportunidades, pensar na possibilidade de morte da consciência, do vácuo da vida, do nada existencial. O resultado é realmente inimaginável. O pouco que dá para imaginarmos é angustiante, pois sem a consciência existencial não existimos para nós mesmos, somos seres errantes, meros objetos vagando no tempo e no espaço. Tem fundamento o desespero das pessoas idosas diante da possibilidade de perderem a sua consciência por desenvolverem um quadro demencial, uma degeneração das áreas do cérebro que contêm os segredos da memória. Os fenômenos que lêem a memória entram numa completa desorganização, produzindo cadeias de pensamentos sem os parâmetros da realidade. O eu perde sua lógica e coerência no processo de gerenciamento da inteligência.

A conclusão a que cheguei é que o medo do fim da existência e, conseqüentemente, da perda da identidade, é o medo mais legítimo de um ser vivo. Só não possui tal tipo de fobia quem nunca pensou nas conseqüências psicológicas e filosóficas da inexistência.

Se gravitarmos em torno do medo da morte, então, este medo se tornará doentio, patológico, como ocorre na síndrome do pânico. Mas não há dúvida de que a consciência humana não aceita o fim da existência, o fim de si mesma, o silêncio eterno. Por isso, ela reage com aversão diante dessa possibilidade.

Nós psiquiatras e psicoterapeutas devemos olhar para a síndrome do pânico com mais humanismo. Os portadores dessa síndrome sofrem mais do que imaginamos, suas palavras são pobres para traduzir o desespero que sentem. A cada ataque de pânico, a cada momento que sentem que vão morrer ou desmaiar subitamente, eles experimentam o topo da dor humana. O grande problema é que o fenômeno RAM registra automática e privilegiadamente cada novo ataque de pânico, retroalimentando a memória e aumentando as áreas inconscientes doentias. Tais áreas poderão ser lidas subitamente pelo fenômeno do gatilho da memória, propiciando, assim, novos ataques. É preciso ajudá-las, ouvi-las, compreendê-las e estimulálas a gerenciar com ousadia seus pensamentos negativos e suas reações fóbicas. Caso contrário, elas desenvolverão uma dramática seqüela psicológica: a fobia social. Não mais freqüentarão ambientes públicos.

Filosoficamente falando, o privilégio gratuito da construção de pensamentos e da formação da consciência existencial deveria nos fazer sentir em dívida humanística com a nossa espécie e com o meio ambiente ecossocial. Se recebemos gratuitamente o privilégio de ter a capacidade de pensar, é uma atitude inteligente honrar essa capacidade com uma macrovisão da espécie humana, procurando preservá-la com atitudes que materializam os discursos teóricos.

O homem que deseja que o mundo gravite somente em torno das suas necessidades não é bom para a sua espécie, não compreendeu minimamente o espetáculo da construção de pensamentos.

9. A revolução psicossocial gerenciada pelo eu

O desenvolvimento do sistema educacional, dos paradigmas culturais, dos estereótipos sociais, da ciência, da tecnologia, das correntes literárias, das artes, etc., ocorreu não apenas porque o homem tem a capacidade de pensar, a consciência dessa capacidade e a habilidade consciente para gerenciá-la, mas também através de uma revolução despercebida, espontânea e inevitável ocorrida nos bastidores da mente humana, que chamo de "revolução psicossocial branca".

O gerenciamento da construção de pensamentos pelo eu, ainda que estimulado pelo processo socioeducacional e pelos estímulos do meio ambiente, não foi a avenida exclusiva do desenvolvimento do pensamento humano. Não há dúvida que a mente humana passou por uma riquíssima evolução intelectual, cultural e social ao longo dos séculos. Porém, por incrível que pareça, essa evolução ocorreu também pela "revolução branca psicossocial" promovida pelos fenômenos que realizam a construção de pensamentos. O fenômeno do autofluxo e o gatilho da memória produzem milhares de pensamentos diários sem a autorização do eu. Todos esses pensamentos são mesclados com experiências emocionais. Todos eles são automaticamente registrados na memória gerando uma rica história.

Pensar é o destino inevitável do *Homo sapiens*, e não uma opção intelectual. A psique é um campo de energia que se encontra num fluxo vital contínuo de transformação essencial. A construção de pensamentos, produzida clandestinamente na psique humana, retroalimenta a memória.

Há um *Homo interpres* micro ou macrodistinto a cada momento existencial, devido à influência de um grupo de variáveis que atuam nas diversas etapas da interpretação. Esse grupo de variáveis gera diferenças na interpretação dos fenômenos que observamos. Traímos freqüentemente a realidade essencial dos fenômenos que interpretamos. Essas micro ou macrotraições ocorridas no processo de interpretação nem sempre são preconceituosas, imaturas e intelectualmente superficiais, mas inevitáveis e inconscientes. Elas geram um sistema de encadeamento distorcido na construção dos pensamentos e na transformação da energia emocional, o que facilita a produção de experiências micro ou macrodistintas em relação às do passado. Estas, uma vez registradas, alavancam o desenvolvimento da história e da personalidade como um todo.

Assim, concluindo, a construção de pensamentos, a retroalimentação da história intrapsíquica e o sistema de encadeamento distorcido ocorrido no processo de interpretação são três grandes processos intrapsíquicos que promovem uma complexa "revolução branca psicossocial", que faz um cientista, um escritor, um pintor, um político, um pai, um estudante, uma criança, etc., produzir contínua e inconscientemente cadeias de pensamentos micro ou macrodistintos, mesmo diante de um mesmo estímulo observado em dois momentos distintos.

A cada momento que interpretamos um fenômeno, tais como o comportamento de uma pessoa, um fenômeno físico, um fenômeno biológico, uma técnica, um texto literário, uma teoria científica, um paradigma sociocultural, etc., essa interpretação está sofrendo um sistema de encadeamento distorcido que enriquece a construção das cadeias de pensamentos dialéticas e antidialéticas, que retroalimenta a história intrapsíquica.

A revolução psicossocial branca promove o desenvolvimento da personalidade, da cultura, das relações sociais, da ciência, das artes, dos paradigmas socioculturais, enfim, de todo pensamento humano. Porém, esse desenvolvimento é principalmente quantitativo; para ser qualitativo, ele tem que ser redirecionado pelo gerenciamento do eu e estimulado pelo processo socioeducacional. O fato de a construção dos pensamentos ultrapassar os limites da lógica traz inconvenientes, mas, ao mesmo tempo, se torna um grande parceiro do desenvolvimento psicossocial humano.

Os cientistas estão pesquisando em laboratório; os políticos estão arquitetando seus discursos e seus projetos; os pais estão dialogando com os filhos; os jornalistas estão produzindo seus textos; os executivos estão dirigindo suas empresas; porém eles não percebem que estão realizando esse trabalho intelectual não apenas através do gerenciamento consciente da construção de pensamentos, mas também através de uma revolução psicossocial clandestina produzida nos bastidores da mente, que interfere na qualidade dessa construção.

Capítulo 18

A Inteligência Multifocal: Academia de Formação de Pensadores

O SÉCULO XXI PODERÁ NÃO SER O SÉCULO DA FORMAÇÃO DE PENSADORES MAS O SÉCULO DAS DOENÇAS PSÍQUICAS, PSICOSSOCIAIS E PSICOSSOMÁTICAS

As sociedades modernas vivem grandes e graves problemas psicossociais que impedem a formação de pensadores. Devido à globalização da informação, a cultura e o pensamento estão cada vez mais massificados, o belo está cada vez mais estereotipado, o consumismo se tornou uma droga coletiva e os paradigmas socioculturais engessam cada vez mais a inteligência humana.

Até a busca da estética do corpo tornou-se uma paranóia coletiva, pois procura-se ansiosamente por ela, mas não se importa em ser um engenheiro de idéias que constrói a sabedoria existencial e a maturidade da inteligência. Por isso, a arte de pensar está sufocada; o prazer de ser um caminhante nas avenidas do próprio ser e de trabalhar as angústias existenciais está combalido; a aventura de procurar as origens da inteligência e de mergulhar no mundo indescritível das idéias relativas à natureza e ao processo de construção dos pensamentos tem sido um privilégio de poucos; o mal do *logos* estéril e a síndrome da exteriorização existencial têm se tornado doenças psicossociais epidêmicas; a massificação da comunicação tem produzido uma fábrica de ídolos, onde uma grande maioria, desconhecendo o espetáculo do funcionamento da mente, ocorrido no âmago de cada ser humano, superdimensiona o valor de uma pequena minoria, gravitando em torno dela.

Estas situações indicam que durante o século XXI, provavelmente, não ocorrerá a *revolução da qualidade de vida psicossocial*, uma revolução fundamentalmente mais importante e valiosa do que a revolução científica e tecnológica ocorrida no século XX. Se não ocorrer a revolução do humanismo, da cidadania, da democracia das idéias, da arte de pensar e, ainda, uma profunda revolução no processo educacional, o século XXI não será o século da formação de pensadores, o século da preservação dos direitos humanos, mas, ao contrário, ele será o século das doenças psíquicas, psicossomáticas e psicossociais. Será o século do paradoxo da informação, pois combinará uma alta incorporação de informações com uma baixa capacidade de pensar criticamente.

Teremos homens bem-informados, grandes especialistas, que navegarão cada vez mais pela *Internet* e que terão acesso às universidades virtuais e a um rico caldeirão de informações como nunca ocorreu antes na história humana, mas, ao mesmo tempo, serão homens que não saberão pensar, duvidar, criticar as convenções do conhecimento, transformar o conhecimento vigente, interpretar criticamente os fenômenos, produzir idéias com originalidade, preservar os direitos humanos, repensar a si mesmo, reciclar o autoritarismo e a rigidez intelectual.

O homem do século XXI tem grandes possibilidades de não conseguir conquistar as funções mais nobres da inteligência humana. Por isso, ao que tudo indica, as estrelas do capitalismo nas décadas vindouras, mesmo diante das futuras crises das bolsas de valores, serão cada vez mais as indústrias farmacêuticas, principalmente as que produzem medicamentos tranqüilizantes, antidepressivos, antiestressantes.

O DESENVOLVIMENTO QUANTITATIVO E QUALITATIVO DA INTELIGÊNCIA MULTIFOCAL

É necessário e até urgente desenvolver não apenas quantitativamente a inteligência, mas também qualitativamente. A inteligência é produzida espontânea e quantitativamente no cerne da alma humana, porque, como vimos, o campo de energia psíquica se encontra num fluxo vital contínuo, que realiza uma leitura da memória e uma rica produção de cadeias de pensamentos.

Somos uma espécie inteligente não porque optamos por sê-la, mas porque o fenômeno da autochecagem, da âncora e do autofluxo produz anualmente milhões de matrizes de pensamentos essenciais que carregam os arquivos da memória e, ao mesmo tempo, sofrem espontaneamente uma leitura virtual, gerando os pensamentos conscientes, que, por sua vez, organizam, pouco a pouco, a complexa arquitetura do mais surpreendente fenômeno da inteligência, o "eu". O "eu" é o fenômeno que é capaz de não apenas se conscientizar de si mesmo, mas também do universo que o circunda. Todos os dias, identificamos se estamos tristes, alegres, deprimidos, bem como identificamos milhares de itens ao nosso redor. Contudo, raramente alguém se perturba com a complexidade de ter a consciência de si e do mundo. Dificilmente também alguém se encanta com a leitura rapidíssima da memória, capaz de organizar, em milésimos de segundo, experiências existenciais e estruturas lingüísticas, tais como verbos, sujeitos e substantivos, que não foram pensados previamente e cujo lócus no córtex cerebral desconhecemos.

Para se processar o desenvolvimento qualitativo da inteligência e, conseqüentemente, formar pensadores, é necessário ficar assombrado com o processo de construção da inteligência, é igualmente necessário compreender o conjunto de variáveis psicossociais que influenciam essa construção.

A cultura e a escolaridade (alicerçada na relação professor-aluno), que pouco enfatiza a história intrapsíquica e a história social na formação do pensamento, que pouco estimula a tríade de arte intelectual e a compreensão do funcionamento da mente, não desenvolvem qualitativamente a inteligência, mas apenas quantitativamente. Esse tipo de escolaridade faz do homem um depósito de cultura, um reprodutor do conhecimento, um espectador passivo das idéias, que "dança a valsa da vida com a mente engessada", que não sabe trabalhar seus invernos existenciais e nem sabe proteger suas emoções nos focos de tensão.

O desenvolvimento qualitativo da inteligência objetiva muito mais do que melhorar a qualidade de vida emocional, intelectual e social do homem; ele objetiva expandir a academia de formação de pensadores, de homens que sejam capazes de provocar a revolução da cidadania, do humanismo e da democracia das idéias na Psicologia, na Psiquiatria, na Filosofia, na Sociologia, na Educação, no Direito, nas ciências naturais, na política, na psicoterapia, nos meios de comunicação, na tecnologia, no gerenciamento empresarial, nas relações sociais. As escolas, principalmente as universidades, deveriam se tornar academias de formação de pensadores.

Um dia, em uma das palestras-treinamento que tenho proferido com o título "*A formação de pensadores num mundo globalizado cultural e economicamente*", para uma platéia heterogênea, formada por cientistas, professores universitários, profissionais de recursos humanos, psicólogos, perguntei a eles quais eram as características psicossociais de um pensador. Eles apontaram cerca de seis características, e entre elas destacaram a capacidade de pensar, a consciência crítica e a perseverança. Porém, para o espanto deles, disse-lhes que há bem mais de cem características psicossociais que constituem *tanto o processo de formação como a história existencial dos pensadores*, seja nas ciências, na artes, no desempenho socioprofissional.

Essas características não esgotam, obviamente, a somatória das características contidas na história de todos os pensadores. Porém, creio que cada um dos pensadores na história humana, cada um dos homens que mais honraram a arte de pensar, que mais brilharam em sua inteligência e que mais viveram com dignidade a condição de ser um *Homo sapiens*, ou seja, de pertencer a uma espécie pensante, tiveram pelo menos algumas das características psicossociais que citarei. Por exemplo, Sócrates era um indagador, um amante da arte da pergunta, Voltaire apreciava a arte da dúvida. Porém, não há pensador completo, pois apesar de cada pensador ter desenvolvido algumas dessas importantes características psicossociais, eles eram deficientes em muitas outras. As características desenvolvidas por cada pensador foram os seus segredos intrínsecos, as raízes que os sustentavam e que nutriam a expansão do mundo das idéias deles.

A ATUAÇÃO DA ÂNCORA DA MEMÓRIA E DO FENÔMENO DA PSICOADAPTAÇÃO NA FORMAÇÃO DE PENSADORES

Uma das características fundamentais de um pensador é se colocar como um "eterno" aprendiz na "curta" trajetória existencial humana. Temos que nos sentir contínuos e inveterados aprendizes, que procuram conquistar as funções mais nobres da inteligência; garimpeiros do universo intrapsíquico, que procuram expandir as potencialidades intelectuais.

A morte de um pensador não ocorre apenas quando ele morre fisicamente, mas principalmente quando morre intelectualmente, quando fecha a âncora da memória, restringindo seu território de leitura através de seu comportamento autoritário e auto-suficiente. Deste modo, ele exerce a ditadura da verdade e deixa de ser um ávido aprendiz na sua trajetória existencial, pois passa a compreender o mundo apenas dentro da órbita do seu conhecimento.

Se não compreendermos que um dos papéis da memória é abrir ou fechar seu território de leitura diante dos focos de tensão ou diante da postura ditatorial que assumimos no processo de observação e produção de conhecimento, teremos grandes chances de sermos estéreis na arte de pensar.

Ser um pensador não é uma questão de ter um *status* de intelectual, de ser originário de uma famosa universidade ou de um grande instituto de pesquisa, mas de ser um produtor de conhecimento, de estar num contínuo estado de "gravidez" de idéias. Um pensador não pode nunca envelhecer no território dos pensamentos e das emoções. Seu corpo pode estar abatido pelo tempo, mas sua alma está cada vez mais rejuvenescida com as novas experiências.

A alma pode envelhecer? Sim, mais rápido que o corpo. Todavia, ela também pode rejuvenescer, algo impossível para o organismo. Como ela envelhece? Através da atuação inconsciente do fenômeno da psicoadaptação. Os que usam drogas podem em alguns anos queimar etapas da vida por depositarem dezenas de milhares de experiências angustiantes na memória. Tais experiências os levam a se psicoadaptarem à sua condição de dependentes, fazendo-os perderem o prazer de viver e ânimo para romperem o cárcere da emoção. Os pensadores também podem envelhecer precocemente. As atitudes autoritárias, os conflitos, o *stress* social e os pensamentos antecipatórios podem depositar milhares de experiências ansiosas no universo inconsciente da memória, levando-os a se psicoadaptarem aos objetivos intelectuais alcançados e reduzindo prematuramente o interesse pelos fenômenos desconhecidos. Por isso, muitos pensadores produziram suas mais brilhantes idéias na sua juventude.

A cultura acadêmica pode contribuir para gerar um pensador, mas ela não é uma condição *sine qua nom*, uma premissa fundamental, mas uma das inúmeras variáveis presentes no processo de formação e na história de um pensador. É possível alguém ter *status* de intelectual, mas não produzir idéias originais ou transformar e repensar o conhecimento vigente, não libertar e desenvolver a arte de pensar, não ser um humanista e nem um democrata das idéias.

Há muitos pensadores que não tiveram seu trabalho intelectual, seus pensamentos, registrados nos anais da história humana, que não tiveram a notoriedade social. Esta ausência de notoriedade ocorreu não apenas por falta de reconhecimento social, mas também porque consideraram de maior valor o prazer do anonimato do que o *status* social. Apesar do anonimato e, às vezes, sem possuir qualquer cultura acadêmica, eles foram ricos pensadores em sua cultura e meio social, brilharam em suas inteligências silenciosamente, produziram suas idéias como sementes anônimas, honraram nossa espécie.

Um exemplo vivo de uma pessoa que semeou seu pensamento de maneira brilhante, expressou sua inteligência de maneira ímpar e procurou constantemente o anonimato foi Jesus Cristo. Tenho gastado tempo para analisar, à luz da Teoria Multifocal do Conhecimento, a inteligência de alguns pensadores. Ultimamente tenho analisado a complexa e sofisticada inteligência do mestre de Nazaré. No passado achava que Ele era apenas um belo fruto da cultura humana e, portanto, uma fantasia inexistente. Todavia, analisando os seus pensamentos, reações e as entrelinhas dos seus comportamentos, expressas nas suas quatro biografias (evangelhos), compreendi que era impossível alguém construir um personagem com as características de personalidade como as dele. Ele foi o mestre dos mestres da turbulenta e bela escola da existência, a escola da vida.

Podemos estudar os grandes pensadores, tais como Platão, Descartes, Max Weber, Hegel, Darwin, Freud, todavia ninguém teve uma personalidade tão complexa, misteriosa e difícil de ser compreendida como a de Jesus Cristo. Ele não apenas causou perplexidade nos homens mais cultos de sua época, mas, ainda hoje, seus pensamentos são capazes de perturbar a mente de qualquer um que queira estudá-lo livre de julgamentos preconcebidos. Ele causou a maior revolução da história, entretanto, não desembainhou uma espada e não usou de qualquer violência. Todavia, a ciência foi omissa e tímida em pesquisá-lo, deixando essa tarefa apenas para a teologia.

A vida não o poupou; do nascimento à sua morte, Cristo passou pelas mais amargas situações de sofrimentos. Todavia, para o nosso espanto, era uma pessoa alegre, segura, livre e tranqüila no território da emoção. Tinha uma habilidade ímpar para gerenciar seus pensamentos e trabalhar as suas angústias. Ao investigá-lo, podemos concluir que a tolerância e a sabedoria habitaram a mesma alma.

Apesar das minhas limitações, tenho estudado sua personalidade não sob o prisma da sua divindade, mas da sua humanidade. Tenho estudado seus registros históricos, seu nível de coerência intelectual, suas idéias, seu ousadíssimo discurso sobre a verdade, seu projeto para resolver a angústia existencial do homem, sua habilidade em não se submeter à ditadura do preconceito, sua capacidade de colocar-se no lugar do outro, de se doar sem esperar a contrapartida do retorno e de superar seus focos de tensão.

O resultado deste estudo, talvez único na literatura psicológica, foi publicado na coleção de livros intitulada *Análise da inteligência de Cristo*, cujos subtítulos: são: "O Mestre dos Mestres", "O Mestre da Sensibilidade", "O Mestre da Vida", "O Mestre do Amor", "O Mestre Inesquecível".

O mestre da escola da vida gostava de ser chamado de "filho do homem", apreciava expressar sua humanidade com naturalidade e inteligência, enquanto, paradoxalmente, muitos daqueles que o circundavam e dos que hoje o seguem gostam e enfatizam os espetáculos sobrenaturais.

Um pensador é, antes de tudo, alguém que procura, em tudo o que faz e crê, respeitar a sua própria inteligência, ser fiel aos seus pensamentos e desenvolver a consciência crítica. Alguém que procura ser um inspirado e sensível poeta da existência na sofisticada e turbulenta vida humana, mesmo quando se frustra, fracassa ou atravessa seus áridos desertos.

AS CARACTERÍSTICAS PSICOSSOCIAIS FUNDAMENTAIS QUE CONSTITUEM A HISTÓRIA E O PROCESSO DE FORMAÇÃO DE PENSADORES

Para realizar o complexo, sofisticado e rico processo de formação de pensadores é necessário procurar conquistar e amadurecer as características psicossociais e as funções mais nobres da inteligência.

1. *Procurar conhecer as origens da inteligência humana, seus limites, alcance, práxis.*
2. *Ter consciência de que pensar é um processo inevitável e impossível de ser interrompido, apenas direcionado. Saber que o mundo das idéias é a maior fonte de entretenimento natural do homem, todavia ela pode se transformar na maior fonte de terror emocional. Portanto, é imperativo aprender a administrar o fenômeno do autofluxo e não permitir que ele gere idéias fixas de conteúdo negativo.*
3. *Aprender a pensar multifocalmente com liberdade e consciência crítica. Reciclar o fenômeno da psicoadaptação, objetivando romper a mesmice das idéias e libertar a criatividade.*
4. *Aprender a gerenciar os pensamentos e emoções. Resgatar a liderança do eu nos focos de tensão psicossocial.*
5. *Aprender a pensar antes de reagir. Respeitar a sua própria inteligência e a inteligência do outro. Não permitir que o fenômeno da autochecagem feche o território de leitura da memória.*
6. *Desenvolver a arte da pergunta, ter consciência da ditadura da resposta e de que cada resposta é o começo de novas perguntas.*
7. *Desenvolver a arte da dúvida e a utilizar como princípio da sabedoria: duvidar de si mesmo, dos seus paradigmas socioculturais, de sua rigidez intelectual e das convenções do conhecimento.*
8. *Desenvolver a arte crítica. Criticar com liberdade a si mesmo e ao mundo que o circunda. Usar a arte da pergunta e da dúvida como trilhos da arte da crítica.*
9. *Aprender a se proteger emocionalmente filtrando os estímulos estressantes e trabalhando as contrariedades existenciais.*
10. *Executar o trabalho intelectual como um empreendedor criativo, dinâmico, flexível, seguro.*
11. *Ter prazer nos desafios intelectuais, sociais e profissionais. Não permitir que o medo trave a capacidade de pensar, impeça a leitura ampla da memória.*
12. *Aprender primeiramente a ser um líder de si mesmo para depois liderar a outros.*

13. *Estabelecer metas existenciais, intelectuais e socioprofissionais.*
14. *Procurar conquistar a disciplina, a paciência e a perseverança como jóias preciosas da inteligência para atingir suas metas.*
15. *Analisar as variáveis para atingir seus objetivos e procurar prever as intempéries e os obstáculos que surgirão.*
16. *Trabalhar as dores, perdas, frustrações e utilizá-las como alicerces da maturidade da inteligência.*
17. *Reconhecer e repensar com inteligência e dignidade as fragilidades, os erros, os fracassos e as limitações. Ter consciência de que um sábio não é aquele que nunca erra e fracassa, mas aquele que amadurece diante deles.*
18. *Refletir sobre a temporalidade e fragilidade da vida humana e procurar dar um sentido mais nobre para a existência.*
19. *Desenvolver a arte da contemplação do belo não apenas diante dos grandes eventos da existência, mas principalmente diante dos pequenos estímulos da rotina diária.*
20. *No binômio entre o "ter" e o "ser", optar pelo "ser" sem abandonar o "ter".*
21. *Conseguir distinguir os princípios da "matemática da emoção" dos princípios da matemática financeira. "Ter não é premissa fundamental para ser", é possível ter pouco e até ser pobre e, ao mesmo tempo, ser um poeta da existência.*
22. *Ser um amante da honestidade intelectual: Criticar a simulação e a omissão. Ser fiel ao seu pensamento.*
23. *Vacinar-se contra a paranóia de ser o número 1 e contra a competição selvagem, desumanística e desinteligente. Assumir sua condição psicossocial com dignidade e procurar expandir suas possibilidades intelectuais.*
24. *Valorizar as relações sociais e procurar ser um agente social, mas não gravitar em torno do que os outros pensam de nós.*
25. *Aprender a se colocar no lugar do outro e perceber suas dores e necessidades psicossociais.*
26. *Aprender a se doar psicossocialmente sem esperar a contrapartida do retorno.*
27. *Aprender a expor e não impor as idéias. Ter consciência de que um verdadeiro líder expõe suas idéias, pois sua força está na sua inteligência, mas uma pessoa autoritária as impõe, pois sua força está nas mais diversas formas de agressividade.*
28. *Aprender a apreciar a inteligência do outro e procurar estimulá-la, provocá-la, promovê-la.*
29. *Procurar realizar o debate de idéias com as pessoas circundantes (alunos, funcionários, amigos, familiares) procurando compreender o alcance de suas idéias, respeitá-las e utilizá-las.*

30. *Aprender a arte de ouvir. Ouvir aberta e despreconceituosamente o outro e não ouvir apenas o que se quer ouvir.*
31. *Valorizar o processo de construção de um produto (conhecimento, obra de arte, produto industrial, meta profissional) tanto ou mais do que o próprio produto.*
32. *Procurar conhecer e desenvolver o humanismo a partir do processo de construção de pensamentos, das origens da inteligência.*
33. *Procurar conhecer a democracia das idéias e seus amplos aspectos psicossociais. Aprender a respeitar a cultura do "outro" e a apreciar a diversidade de pensamentos.*
34. *Ter consciência de que tanto as mais diversas formas de discriminação quanto a supervalorização de uma pequena minoria de intelectuais, líderes sociopolíticos, artistas, etc., são procedimentos desinteligentes e desumanísticos, são faces opostas da mesma doença da interpretação.*
35. *Ter uma visão multifocal da espécie humana e da teoria da igualdade a partir do conceito do humanismo e da democracia das idéias.*
36. *Expandir o mundo das idéias através do uso das artes da inteligência (a arte da pergunta, dúvida, crítica, observação, análise multifocal) e o caos intelectual. Usar o caos intelectual tanto para evitar as contaminações do processo de interpretação como para expandir as possibilidades de construção do conhecimento.*
37. *Vacinar-se contra o autoritarismo das idéias e a ditadura do discurso teórico produzidos conscientemente pelo "eu", pois eles engessam a inteligência, esgotam as possibilidades do conhecimento e estabelecem a ditadura da verdade na Psicologia, na Filosofia, nas Ciências Naturais, na Política, na Economia, etc. Ter consciência de que a verdade científica e sociopolítica é inesgotável e inalcançável.*
38. *Vacinar-se contra os três tipos de ditaduras inconscientes ocorridas nos bastidores da construção de pensamento: a ditadura do preconceito, a ditadura da emoção e a ditadura do deslocamento dos territórios de leitura da memória.*
39. *Ter consciência básica de que o* Homo sapiens *é um* Homo interpres *micro e macrodistinto a cada momento existencial e de algumas variáveis que participam do processo de interpretação.*
40. *Aprender a gerenciar com maturidade a inevitável transformação da energia emocional e a incontida revolução da construção dos pensamentos.*
41. *Produzir um clima de cooperação no ambiente social e socioprofissional através da práxis, do humanismo e da expressão das artes da inteligência e não através da pressão social ou da imposição das metas e das idéias.*

42. *Ser capaz de fazer com que as pessoas que o circundam penetrem em seus sonhos e seus projetos intelectuais e socioprofissionais, motivando-as a se engajarem neles.*
43. *Ter mais prazer no trabalho em grupo, na cooperação social e no exercício da cidadania do que na busca da notoriedade e do estrelismo individual.*
44. *Aprender a se colocar como um "eterno" aprendiz na "curta" trajetória existencial humana. Vacinar-se contra a síndrome da exteriorização existencial, contra ser um passante existencial, alguém que transita pela vida sem criar raízes dentro de si mesmo.*
45. *Aprender a falar não apenas do mundo extrapsíquico, mas também a falar de si mesmo e trocar experiências existenciais.*
46. *Balizar com sabedoria tanto a segurança em suas atividades sociais como a arte da dúvida e da crítica direcionada aos fundamentos dessa segurança.*
47. *Aprender a trabalhar o caos emocional e social e usá-los para expandir as possibilidades de construção psicossocial.*
48. *Ser um poeta existencial, um garimpeiro de idéias, que procura intensamente o enriquecimento intelectual.*
49. *Ter consciência de que qualquer pessoa sabe viver bem nas primaveras da vida (os sucessos, os apoios, as condições psicossociais favoráveis), mas só os sábios aprendem a conquistar a dignidade e a sabedoria em seus invernos existenciais (as perdas, os fracassos, os recuos, as contrariedades, as dores psicossociais).*
50. *Procurar ser um engenheiro de idéias que atua com consciência crítica, como agente construtor da sua história intrapsíquica (personalidade) e social. Um engenheiro de idéias que procura desenvolver as características mais nobres da inteligência.*

A CRISE DA FORMAÇÃO DE PENSADORES

A crise da formação de pensadores tem atingido frontalmente as universidades, por culpa, como tenho dito, não dos professores e dos pesquisadores, mas de um processo educacional engessado, unifocal, que pouco estimula o debate das idéias, o desenvolvimento das artes mais nobres da inteligência, a consciência crítica sociopolítica. O sistema acadêmico assistiu passivamente ao surgimento da globalização da informação pelos meios de comunicação a partir da segunda metade do século XX. A globalização da informação, apesar dos seus benefícios, trouxe duas das maiores "drogas" da inteligência humana: a massificação da cultura e do pensamento. Quando estudamos o conceito de democracia das idéias, vimos que o *Homo intelligens* (o homem consciente) vive uma diversidade de pensamentos dialético e antidialético inevitável devido ao sistema de variáveis intrapsíquicas ocorrido no *Homo interpres* (o homem inconsciente). A massificação da cultura e do pensamento não consegue jamais conter a diversidade de pensamentos, mas engessa a liberdade, a plasticidade, a criatividade da construção de pensamentos, encerrando a inteligência humana num cárcere.

A Educação não tem introduzido os universitários no centro da história humana. Provavelmente, muitos universitários, pelo fato de estarem acometidos com o mal do *logos* estéril, estejam na periferia da história ou até alijados dela. O fenômeno da psicoadaptação, que deveria romper o conformismo e animar a criatividade, os tem conduzido a se adaptarem às misérias sociais. Devido à crise de interiorização, este importantíssimo fenômeno da inteligência tem embotado os seus sentimentos e reduzido seus ideais, gerando uma vida vazia, que não tem por que lutar.

Diversos desses universitários jamais ouviram falar ou se importaram com o dramático e indescritível genocídio dos Tutsis em Ruanda, que não foi menos dramático do que o holocausto judeu. Embora alijados da história, muitos deles estão inseridos vorazmente no mercado de consumo, no último lançamento da moda, nos modelos de carros mais incrementados, nos programas de computadores mais modernos. Ruanda não pertence ao mapa dos seus interesses, os miseráveis da África não lhes dizem respeito, os conflitos na ex-Iugoslávia não os angustiam, a fome no nordeste brasileiro não os incomoda, a discriminação dos negros não os perturba. O desmatamento da Floresta Amazônica, bem como os demais problemas ambientais, incluindo o efeito estufa, são problemas da próxima geração. O mundo tem de gravitar em torno dos seus interesses e das suas necessidades, pois, apesar de incorporarem a cultura acadêmica, eles não têm fome e sede de cidadania e humanismo.

Felizmente, a psique humana é complexa e, mesmo na miséria material e social, é possível extrair-se riqueza emocional e dignidade humana, que podem não ser conquistadas quando se une fartura material e superficialidade intelectual. Como citei, distinguir os princípios da matemática financeira da matemática emocional é uma das características multifocais de um pensador. Por exemplo, no interior de Moçambique, a miséria é tanta que só há milho para se alimentar, mas, mesmo assim, muitos moçambicanos cantam e dançam ao preparar seus alimentos. Eles são considerados estatisticamente miseráveis pela ONU (Organização das Nações Unidas), mas são ricos na arte da contemplação do belo, mais ricos do que muitos daqueles que são listados pela revista *Forbes* como os homens mais ricos do mundo.

Como estimularemos a formação de pensadores, se na educação clássica não se estimula a arte da pergunta, da dúvida e da crítica? Como produziremos homens lúcidos, aptos a julgar o mundo que os circunda, se eles não conhecem o sistema de distorção que ocorre no processo de interpretação? Como poderemos gerar homens que pensam, se eles não sabem quais são os tipos e a natureza dos pensamentos que são produzidos no palco da mente humana e como eles são produzidos? Como produziremos pessoas que pensam antes de reagir, se nada conhecem sobre o fenômeno do gatilho da memória? Como produziremos homens saudáveis no território da emoção, se eles nunca souberam que existe um universo de pensamentos produzidos pelo fenômeno do autofluxo, sem qualquer autorização do eu, que pode se tornar tanto uma grande fonte de prazer como de terror? Como produziremos homens sábios, se eles não aprenderem a intervir no seu mundo psíquico e a gerenciar seus pensamentos e emoções?

Deveria haver em todas as escolas cursos que abordassem o processo de construção de pensamentos e de formação de pensadores humanistas, que promovessem um debate de idéias sobre o funcionamento da mente e sobre os grandes problemas biopsicossociais da nossa espécie. Esses cursos deveriam fornecer subsídios aos estudantes para desenvolverem a arte de pensar e a consciência sociopolítica.

Somos a espécie mais fantástica da bioesfera terrestre, estamos no topo da inteligência de milhões de espécies, mas, muitas vezes, a mercadoria que usamos na resolução dos conflitos humanos é a força, a agressividade ou a omissão, e não a arte de pensar, de analisar as variáveis, de ouvir despreconceituosamente, de aprender a ceder quando necessário, de exercitar a tolerância, de reconhecer as necessidades do outro.

A atitude sociopolítica coerente e lúcida é mais exigida quanto mais conturbadas e conflitantes forem as circunstâncias psicossociais; porém, infelizmente, é nessas circunstâncias que a omissão é cultivada. Na Segunda Guerra Mundial, muitos políticos e lideranças sociais se calaram diante do holocausto judeu. Optaram pelo silêncio, um silêncio inaceitável, diante da miséria desse povo. O silêncio sociopolítico ainda é amplamente praticado diante de muitas misérias humanas. Muitas vezes esse silêncio só é rompido quando a imprensa mais séria faz eloqüentes denúncias. A imprensa, às vezes, erra, exagera, conspira contra a privacidade, mas é ela ainda uma das áreas mais saudáveis e inteligentes da sociedade. Sem uma imprensa livre e crítica, seríamos uma espécie mais doente, pois a omissão, a impunidade, a discriminação e muitas outras formas de violação dos direitos humanos seriam amplamente cultivadas.

Creio que a mais grave doença da nossa espécie não é a AIDS, o câncer, a depressão, mas a perda generalizada do sentido psicossocial de espécie, que se torna uma grande fonte de violação dos direitos humanos.

Somos americanos, alemães, japoneses, ingleses, franceses, italianos, brasileiros, brancos, negros, palestinos, judeus, etc., mas não somos psicossocialmente a mesma espécie. Somos uma espécie dividida, segmentada, dilacerada psicossocialmente. Somos uma única espécie, mas não honramos a condição de possuirmos o espetáculo indescritível da construção da inteligência. Conservamos apenas os laços genéticos, mas perdemos ou, talvez, nunca tenhamos conquistado as características mais nobres da inteligência capazes de financiar uma macrovisão da espécie humana, de alicerçar a práxis da teoria da igualdade, de construir coletivamente os sentimentos globais mais altruístas da psique. Globalizamos a cultura e a economia, mas não globalizamos a cidadania, o humanismo e a democracia das idéias; não globalizamos o sentido psicossocial de espécie.

Se compreendêssemos melhor a natureza dos pensamentos, os papéis da memória, as dificuldades do "eu" em gerenciar a energia psíquica, o fenômeno da psicoadaptação e a atuação rapidíssima dos fenômenos inconscientes que constroem as complexas cadeias de pensamentos, seríamos mais tolerantes e menos havidos a nos discriminar.

Leis, policiamento, apelo emocional, não resolverão nossos conflitos sociais fundamentais; servirá apenas para amenizá-los, pois as raízes dos nossos problemas estão nas origens da inteligência, nos fundamentos do processo de formação da personalidade, no funcionamento da mente.

Espero que este livro possa não apenas contribuir para expandir o mundo das idéias sobre o funcionamento da mente e a construção de pensamentos e se tornar fonte de pesquisa na Psicologia, na Filosofia, na Psiquiatria, na Sociologia, na Educação, mas também contribuir para a formação de pensadores humanistas, de engenheiros de idéias, de poetas intelectuais, de homens que aprendem a se interiorizar e procurar na sinuosa e curta trajetória da existência humana as funções mais nobres da inteligência.

Glossário

Âncora da Memória: Fenômeno intrapsíquico inconsciente que modifica o território de leitura da memória. A âncora da memória é usada e deslocada pelo fenômeno da autochecagem da memória, do fenômeno do autofluxo e do eu.

Bastidores da Mente (Inconsciente): Campo de energia psíquica inconsciente, onde atua um grupo de fenômenos e variáveis que geram os quatro grandes processos de construção da inteligência: os processos de construção dos pensamentos, da consciência existencial, da história intrapsíquica e da transformação da energia emocional.

Cidadania: Termo que, neste livro, se refere a muito mais do que o gozo dos direitos e deveres civis e políticos de um cidadão em uma sociedade, mas também a um compromisso biopsicossocial e a um engajamento em projetos de preservação e expansão da qualidade de vida do "outro", das sociedades, da espécie humana como um todo e do ambiente ecossocial.

Fenômeno do autofluxo: Fenômeno intrapsíquico multifocal e inconsciente que financia psicodinamicamente o autofluxo de transformações da energia psíquica, através da leitura da memória, das construções contínuas e inevitáveis das cadeias de pensamentos e das transformações da energia emocional e motivacional.

Comunicação Social Mediada: Expressão criada para indicar que as relações humanas não transcorrem na esfera da transmissão essencial da energia psíquica, mas através de sistemas de códigos físico-químicos sensoriais, indicando que não recebemos a essência psíquica do outro (ex., emoções, pensamentos), mas a reconstruímos interpretativamente.

Consciência do Eu: Refere-se aos amplos aspectos da consciência, ou seja, a consciência da existência do eu, a consciência da identidade psicossocial da personalidade, a consciência da capacidade de pensar e do gerenciamento dessa capacidade, a consciência do mundo intrapsíquico. O eu é gerado pela produção multifocal de cadeias dialéticas e antidialéticas de pensamentos. Essas cadeias de pensamentos são produzidas pelo próprio eu e pelos três outros fenômenos que lêem a memória, indicando que a construção da inteligência é multifocal.

Consciência Existencial: Sinônimo de consciência do eu.

Consciência Instantânea: É a consciência existencial automática que promove a identidade básica de nossas personalidades e do ambiente social em que estamos, tais como nosso nome, profissão, idade, papel social, pessoas circunscritas ao ambiente, resposta social esperada, etc. A consciência instantânea é uma das avenidas do eu, porém, não produzida por ela, mas pelo fenômeno da autochecagem da memória, a partir dos estímulos sensoriais do ambiente e, pela âncora da memória, a partir da ancoragem nos territórios da memória.

Consciente: Termo que se refere ao universo dos pensamentos dialéticos e antidialéticos e a todas as derivações intelectuais deles decorrentes, tais como: a consciência existencial do mundo que somos e em que estamos, a racionalidade, a capacidade de síntese, de análise, de uso parâmetros tempo-espaciais.

Democracia das Idéias: Democracia das idéias é um termo psicossocial e filosófico derivado do conhecimento sobre o *Homo intelligens* (consciente) e o *Homo interpres* (inconsciente), ou seja, do processo de interpretação, da inatingibilidade da verdade essencial pela consciência humana, do sistema de encadeamento distorcido que ocorre na construção dos pensamentos. A democracia das idéias regula o processo de interpretação, pois implica o respeito pela inteligência do outro, a necessidade vital de expor e não impor as idéias, o respeito pela diversidade das idéias, a necessidade de analisar o outro e se colocar no lugar dele, etc. A democracia das idéias questiona dogmas, recicla a rigidez de pensamentos, redireciona estereótipos, reorganiza a capacidade de pensar, expande a consciência crítica e o mundo das idéias. A democracia das idéias prepara os alicerces humanistas da maturidade das relações humanas.

Fenômeno da Autochecagem da Memória: Fenômeno intrapsíquico inconsciente que autocheca, em fração de segundo, os estímulos sensoriais na memória. O fenômeno da autochecagem da memória produz, invariavelmente, uma ponte de relação entre os estímulos sensoriais e a história intrapsíquica, arquivada na memória.

Fenômeno da Psicoadaptação: Fenômeno intrapsíquico inconsciente que gera uma adaptação psíquica da energia emocional ao longo da exposição dos mesmos estímulos, sejam eles prazerosos ou dolorosos. A adaptação psíquica da emoção produz nela a incapacidade de vivenciar prazer ou dor ao longo do tempo. Este fenômeno atua na terceira etapa inconsciente do processo de interpretação.

Fluxo Vital da Energia Psíquica: Princípio dos princípios que transforma a energia psíquica, promove o processo de formação da personalidade e estimula a evolução psicossocial humana. Esse princípio afirma que a psique ou a mente é um campo de energia que vivencia um fluxo inevitável e contínuo de transformações essenciais: organização, caos psicodinâmico e reorganização.

Gerenciamento do Eu: É a administração ou controle sobre os processos de construção dos pensamentos, das emoções e da história existencial arquivada na memória. Através dele, o homem deixa de ser apenas vítima da carga genética, das causalidades históricas e das circunstâncias psicossociais, vivenciadas em seu processo existencial, e se torna, também, agente modificador de sua própria história psicossocial.

História Intrapsíquica: vide **RPSs — Representações Psicossemânticas**.

Homo intelligens: Termo que expressa os palcos conscientes da inteligência, em que é encenada toda a produção dialética e antidialética de pensamentos.

Homo interpres: Termo que se refere aos fenômenos intrapsíquicos inconscientes presentes nos bastidores da psique humana. Esses fenômenos correspondem aos fenômenos que lêem multifocalmente a memória e as outras variáveis intrapsíquicas que co-interferem para gerar os processos de construção dos pensamentos. Há um *Homo interpres* micro ou macrodistinto a cada momento existencial, pois uma parte destas variáveis flutua e evoluei durante o processo existencial.

Inconsciente: Termo que se refere a toda realidade essencial existente no campo de energia psíquica e a todos os fenômenos submersos na história intrapsíquica e nos processos de construção da inteligência, tais como: o fluxo vital da energia psíquica, a leitura multifocal da memória, as cadeias de pensamentos essenciais, o fenômeno da psicoadaptação, o fenômeno da autochecagem da memória, a âncora da memória, o fenômeno do autofluxo, a essencialidade da energia emocional e motivacional, etc.

Interpretação do Outro: vide **Comunicação Social Mediada**.

Humanismo: Termo que se refere ao exercício das funções mais nobres da mente, que objetivam valorizar, respeitar e procurar promover os direitos humanos e a qualidade de vida psicossocial das sociedades. A produção das idéias humanistas ocorre, principalmente, a partir da compreensão dos processos de construção dos pensamentos e das complexas relações do *Homo interpres* com o *Homo intelligens*.

Leitura Multifocal da Memória: Leitura produzida por quatro fenômenos intrapsíquicos que constroem as cadeias de pensamentos: a âncora da memória, o fenômeno do autofluxo, o fenômeno da autochecagem da memória e o eu.

Mal do *Logos* Estéril: Doença psicossocial expressa por uma rica sintomatologia: postura intelectual como espectador passivo da transmissibilidade do conhecimento; incorporação do conhecimento sem prazer, sem crítica, sem desafio, sem aventura; redução da capacidade de ser pensador, um engenheiro da construção de novas idéias; redução da consciência sociopolítica e da capacidade de engajamento em projetos sociais; utilização do conhecimento apenas como ferramenta profissionalizante para fins próprios, etc.

Mordomos da Mente: Expressão criada para indicar os três fenômenos que contribuem diretamente para a formação do eu: a âncora da memória, o fenômeno do autofluxo e o fenômeno da autochecagem da memória. Eles organizam e orientam inconsciente e psicodinamicamente o "eu" na sua indescritível tarefa de gerenciar os processos de construção da inteligência, principalmente no que tange a ler inconscientemente a memória e construir as cadeias de pensamentos.

Pensamento Antidialético: Cadeia de pensamento consciente que tem uma construção psicodinâmica antipsicolingüística, ou seja, que não mimetiza psicodinamicamente os símbolos da linguagem sonora e ou visual. Eles são "quadros intelectuais", imagens mentais, que expressam a consciência existencial das angústias, das fobias, do humor deprimido, do prazer, da inspiração, das imagens, das relações tempo-espaciais, etc. Têm natureza virtual e são produzidos a partir da leitura dos pensamentos essenciais e das emoções e motivações. Os pensamentos dialéticos provocam um reducionismo intelectual quando definem os pensamentos antidialéticos.

Pensamento Dialético: Cadeia de pensamento consciente que tem uma construção psicodinâmica psicolingüística, pois mimetiza os símbolos da linguagem sonora e ou visual. Eles financiam a comunicação social, geram toda a racionalidade dialética e subsidiam a produção científica e coloquial do conhecimento. Têm natureza virtual e são produzidos através das leituras dos pensamentos essenciais.

Pensamento Essencial: Cadeia de pensamento inconsciente (matrizes de códigos essenciais) produzido pela leitura multifocal da memória. O processo de leitura virtual dos pensamentos essenciais gera os pensamentos dialéticos e antidialéticos.

Práxis ou Materialização do Pensamento: Expressão criada para indicar a materialização do pensamento essencial. Os pensamentos conscientes (dialéticos e antidialéticos), por serem virtuais, não se "materializam", embora possam coordenar a leitura da memória e a produção dos pensamentos essenciais. O pensamento essencial materializado produz o trabalho emocional (ex., transformações na energia emocional), o trabalho intelectual e o trabalho motor (ex., fonação, andar, operações manuais).

Processo de Transmutação: Expressão criada para indicar a transformação de energia psíquica em energia físico-química do cérebro e vice-versa. O processo de transmutação é decorrente da coabitação, da coexistência e da co-interferência entre a psique e o cérebro. Ele é realizado através das janelas de transmutação psíquico-cerebrais, gerando, por exemplo, o trabalho motor e os sintomas psicossomáticos, ou através das janelas de transmutação cérebro-psíquicas, gerando, por exemplo, a atuação psicodinâmica das drogas psicotrópicas e dos estímulos sensoriais.

Processos de Construção da inteligência: Referem-se aos quatro grandes processos de construção ocorridos na psique humana: os processos de construção dos pensamentos, da consciência existencial, da história intrapsíquica e da transformação da energia emocional e motivacional.

Resgate da liderança do eu nos focos de tensão: refere-se ao gerenciamento do eu dos pensamentos negativos e das reações emocionais tensas (ex. reação fóbica ocorrida nos ataques de pânico) detonados pelo gatilho da autochecagem da memória. Ao resgatar a liderança desses processos, o eu alarga os territórios de leitura da memória e, assim, expande a liberdade de pensar e reescreve a história inconsciente.

Revolução da Construção das Idéias: Expressa a produção contínua e inevitável das idéias ao longo de toda a trajetória existencial humana. Ela é gerada pelo fluxo vital da energia psíquica, que conduz a uma leitura da memória e a uma construtividade multifocal inevitável dos pensamentos.

RPSs — Representações Psicossemânticas: São representações psicossemânticas das experiências psíquicas (ex: pensamentos, angústias, ansiedades) na memória (córtex cerebral). As RPSs são arranjos multifocais físico-químicos (eletrônicos ou atômicos) na memória. Por isso, elas sempre representam as experiências psíquicas de maneira limitada, reducionista. As RPS são diretivas (RPSd), ou seja, ligadas diretamente ao estímulo, ou associativas (RPSa), ou seja, relacionadas com ele. Elas formam a história intrapsíquica.

Síndrome da Exteriorização Existencial: Doença psicossocial decorrida da crise de interiorização. Esta síndrome tem uma sintomatologia psicossocial multiforme, expressa pela incapacidade de se repensar, de se reciclar, de se criticar, de se reorganizar, bem como pela dificuldade de trabalhar suas dores, perdas e frustrações psicossociais; dificuldade de tornar-se agente do humanismo e da cidadania, de aprender a se colocar no lugar do outro e perceber suas dores e necessidades psicossociais.

Solidão Paradoxal da Consciência Existencial: É a complexa e sofisticada solidão decorrente da natureza virtual da consciência, que acusa antidialeticamente e discursa dialeticamente o mundo intra e extrapsíquico, mas nunca incorpora suas realidades essenciais. Embora possamos nos conscientizar do mundo intrapsíquico e social, estamos infinitamente distantes da sua realidade essencial, pois a consciência virtual possui um antiespaço insuperável em relação à sua essência. Esse antiespaço produz a solidão paradoxal da consciência existencial. A comunicação intrapsíquica e interpessoal, a criatividade, a literatura, a pintura, a produção científica, a tecnologia são tentativas inconscientes e "ansiosas" de superação da intransponível solidão paradoxal da consciência existencial. Quando essa busca de superação não tem sucesso, produz-se a solidão emocional, o tédio existencial, a rotina dos estímulos, a angústia existencial decorrente da mesmice dos eventos.

Traição Inevitável da Interpretação: Expressão criada para referir-se às distorções inevitáveis da interpretação que ocorrem nos bastidores da mente quando contemplamos os estímulos, tais como os textos de uma teoria, o comportamento de uma pessoa, o significado das imagens de um objeto etc. Ela é gerada espontaneamente pelos sistemas de co-interferência das variáveis intrapsíquicas que flutuam e evoluem, tais como a energia emocional, o fenômeno da psicoadaptação, a história intrapsíquica etc.

Notas Bibliográficas

1. Costa, Newton C.A. *Ensaios sobre os Fundamentos da Lógica*. São Paulo, Edusp,1975.
2. Descartes, René. *Discurso do Método*. Brasília, Editora da Universidade de Brasília, 1981.
3. Husserl, L.E. *La Filosofía como Ciência Estricta*. Buenos Aires, Editorial Nova, 1980.
4. Kandel, E.R., Schwartz, J.H., Jessel, T.M. *Essentialis of Neural Science*. Stanford, Connecticut, Appleton & Lange, 1995.
5. Idem.
6. Gardner, Howard. *Inteligências Múltiplas*. Porto Alegre, Artes Médicas, 1995.
7. Sartre, Jean Paul. *O Ser e o Nada – Ensaio de Ontologia*. Petrópolis, Vozes, 1997.
8. Goleman, Daniel. *Inteligência Emocional*. Rio de Janeiro, Objetiva, 1995.
9. Durant, Will. *História da Filosofia*. Rio de Janeiro, Nova Fronteira, 1996.
10. Freud, Sigmund. *Os Pensadores*. Rio de Janeiro, Nova Cultural, 1978.
11. Freud, Sigmund. *Obras Psicológicas Completas de Sigmund Freud*. Rio de Janeiro, Imago, 1969.
12. Jung, Carl Gustav. *O Desenvolvimento da Personalidade*. Petrópolis, Vozes, 1961.
13. Adler, Alfred. *A Ciência da Natureza Humana*. São Paulo, Editora Nacional, 1957.
14. Fromm, Erich. *Análise do Homem*. Rio de Janeiro, Zahar, 1960.
15. Frankl, V.E. *A Questão do Sentido em Psicoterapia*. Campinas, SP, Papirus, 1990.
16. Kaplan, Harold I., Sadoch Benjamin, J., Grebb Jack, A. *Compêndio de Psiquiatria: Ciência do Comportamento e Psiquiatria Clínica*. Porto Alegre, Artes Médicas, 1997.

Impresso por :

gráfica e editora
Tel.:11 2769-9056